www.bragelonne.fr

Richelle Mead

SUCCUBUS BLUES

Traduit de l'anglais (États-Unis) par Benoît Domis

L'Ombre de Bragelonne

Collection *L'Ombre* de Bragelonne dirigée par Stéphane Marsan et Alain Névant

Titre original : *Succubus Blues*

Illustration de couverture :
Jean-Sébastien Rossbach

ISBN : 978-2-35294-267-2

Bragelonne
35, rue de la Bienfaisance – 75008 Paris

E-mail : info@bragelonne.fr
Site Internet : http://www.bragelonne.fr

À Richard et Brenda, mes merveilleux parents.

Vous m'avez gavée de livres sur la mythologie
et de romans d'amour pendant toute mon enfance,
aujourd'hui vous n'avez donc que ce que vous méritez.

Remerciements

Avant tout, je tiens à remercier mes amis et ma famille qui m'ont toujours soutenue et m'ont témoigné leur amour pendant toute la durée de l'aventure qu'a été l'écriture de ce livre. En particulier, je n'aurais jamais pu écrire ce roman sans mon mari, Michael. Vu le nombre de fois où nous avons discuté de Georgina et de ses névroses, tu dois te sentir un peu marié à elle aussi. Je t'aime.

Je dois également exprimer ma gratitude à mes fans de la première heure : Michael, David, Christina et Marcee. Vous avez consciencieusement accepté de lire chaque page que je vous soumettais et avez eu la gentillesse de me faire part de votre opinion quand j'en avais le plus besoin. Grâce à votre enthousiasme et vos encouragements, je n'ai pas baissé les bras. Ne vous en faites pas : *Harbinger* sera publié un jour. Promis. Juré.

Enfin, un grand merci aux professionnels de l'édition qui m'ont maintenue sur le droit chemin : Kate McKean, Jim McCarthy et John Scognamiglio. Vos conseils m'ont été précieux.

Chapitre premier

D'après les statistiques, la plupart des mortels vendent leur âme pour cinq raisons : le sexe, l'argent, le pouvoir, la vengeance et l'amour. Dans cet ordre.

Je suppose que j'aurais dû me sentir rassurée d'avoir été appelée à la rescousse pour le premier de la liste, mais toute cette histoire me semblait, comment dire… avilissante. Et venant de moi, ce n'est pas peu dire.

Peut-être que j'ai du mal à me mettre à sa place. Après tout, ça fait un bail. Ma virginité remonte à une époque où l'on croyait que les cygnes pouvaient féconder les jeunes filles.

À proximité, Hugh attendait patiemment que je surmonte ma réticence. Il enfonça les mains dans les poches de son pantalon de treillis bien repassé, sa large carrure adossée contre sa Lexus.

— Je ne vois vraiment pas où est le problème. Tu fais ça tout le temps.

Ce n'était pas tout à fait exact, mais nous comprenions tous les deux ce qu'il voulait dire. Je l'ignorai et étudiai ostensiblement les environs, sans que cela améliore mon humeur. La banlieue me déprimait. Toutes ces maisons identiques, ces pelouses impeccablement tondues. Bien trop de 4 x 4. Quelque part dans la nuit, un chien n'arrêtait pas de japper.

— Ça n'a rien à voir, protestai-je enfin. Même moi, j'ai des principes.

D'un grognement incrédule, Hugh me fit savoir ce qu'il pensait de mes principes.

— D'accord. Si ça peut t'aider, n'y pense pas en termes de damnation. Tu n'as qu'à voir ça comme un acte de charité.

— Un acte de charité ?

— Tout à fait.

Soudain redevenu sérieux, il sortit son Pocket PC – un modèle d'efficacité, malgré la situation pas très orthodoxe. Mais cela n'aurait pas dû me surprendre. Démon professionnel, Hugh n'avait pas son pareil quand il s'agissait d'obtenir d'un mortel qu'il vende son âme. Devant moi se tenait un expert des contrats et des vides juridiques qui aurait fait grimacer d'envie n'importe quel avocat.

C'était aussi mon ami. Avec lui, le vieil adage « Avec des amis comme ça… » prenait une nouvelle signification.

— Écoute-moi ce profil, continua-t-il. Martin Miller. Sexe masculin, bien sûr. Type caucasien. Luthérien non pratiquant. Travaille dans une boutique de jeux vidéo au centre commercial. Vit chez ses parents – à la cave.

— Nom de Dieu !

— Je te l'avais bien dit.

— Charité ou pas, cela me semble tout de même un peu… extrême. Quel âge déjà ?

— Trente-quatre ans.

— Pouah !

— Exactement. Si à son âge tu n'avais jamais tiré un coup, tu serais prête, toi aussi, à envisager des mesures désespérées. (Il jeta un coup d'œil à sa montre.) Alors, tu te décides, oui ou non ?

Hugh semblait pressé. Mon indécision l'empêchait sans doute de courir rejoindre une bombe sexuelle de la moitié de son âge – je parle, bien entendu, de son âge apparent. En réalité, Hugh fêterait bientôt son premier siècle.

Je posai mon sac à terre et lui lançai un regard d'avertissement.

— À charge de revanche.

— C'est entendu, concéda-t-il.

Cette « mission » sortait de l'ordinaire pour moi – Dieu merci. Habituellement, le démon « externalisait » ce genre de job, mais il avait rencontré un problème de planning. Je n'osais même pas imaginer à qui il confiait normalement ce travail.

J'avançai en direction de la maison, mais il m'arrêta.

— Georgina ?

— Quoi ?

— Il y a... heu... une dernière chose...

Je me retournai, pas certaine d'aimer le ton de sa voix.

— Oui ?

— Eh bien, comment dire... il m'a fait une requête un peu spéciale. (Je haussai un sourcil et attendis la suite.) Tu comprends, il s'est fait tout un cinéma sur le Mal et tout ça. Et, quitte à vendre son âme au diable, il aimerait autant perdre sa virginité entre les bras d'une démone ou d'une créature de ce genre.

Même le chien s'arrêta d'aboyer en entendant ça – je vous jure.

— Tu veux rire... (Hugh ne répondit pas.) Je ne suis pas une... Il n'en est pas question.

— Alleeeez, Georgina. Ce n'est pas grand-chose. Quelques effets spéciaux. Une illusion. Tu veux bien ? Fais-le pour moi. (Avec ce ton mélancolique et enjôleur, difficile de lui résister. Je vous ai pourtant dit que c'était un pro.) Je suis vraiment dans le pétrin... Si tu pouvais m'aider à m'en sortir... C'est important...

Je gémis, incapable de refuser quoi que ce soit à ces grands yeux pitoyables.

— Si quelqu'un l'apprend...

— Motus et bouche cousue.

Il poussa l'audace jusqu'à mimer d'une main le geste de fermer ses lèvres à clé.

Je me baissai, résignée. Je défis les brides de mes chaussures.

— Qu'est-ce que tu fais ? demanda-t-il.

— C'est ma paire de Bruno Maglis préférée. Je ne veux pas qu'elles soient absorbées pendant la transformation.

— D'accord... mais qu'est-ce qui t'empêche de les recréer après ?

— Ce ne seront pas les mêmes.

— Mais si. Tu peux leur donner la forme que tu veux. C'est idiot.

— Écoute, tu as envie de discuter chaussures avec moi ou tu préfères que j'aille faire de ton puceau un homme ?

Hugh serra les lèvres et me désigna la maison d'un geste.

À pas feutrés, je marchai sur la pelouse, les brins d'herbe chatouillant la plante de mes pieds nus. À l'arrière de la maison, le patio qui donnait accès à la cave était ouvert, comme Hugh l'avait promis. Je me faufilai à l'intérieur, espérant qu'ils ne possédaient pas de chien et me demandant avec lassitude comment j'avais pu tomber aussi bas. Mes yeux s'ajustèrent à l'obscurité et je distinguai bientôt les éléments caractéristiques d'un confortable salon bourgeois : canapé, télévision, bibliothèque. À gauche, une cage d'escalier menait à l'étage ; à droite, un couloir.

J'empruntai ce dernier, laissant la transformation s'effectuer tout en marchant. Cette sensation m'était si familière – presque une seconde nature – que je n'avais même pas besoin de voir mon apparence pour savoir ce qui se passait. Plutôt menue au naturel, je grandis un peu ; je restai mince, mais me musclai. Ma peau adopta une pâleur de mort – oublié, mon léger bronzage... Mes cheveux, qui m'arrivaient au milieu du dos, ne changèrent pas de longueur, mais foncèrent jusqu'à devenir noir de jais, les jolies ondulations naturelles cédant la place à une raideur rêche. Mes seins – déjà impressionnants, selon la plupart des critères – grossirent encore, égalant ceux des héroïnes de bandes dessinées avec lesquelles mon client avait vraisemblablement grandi.

Quant à ma tenue... Je dis au revoir à mon si joli ensemble – pantalon et chemisier – Banana Republic. Des cuissardes en cuir noir apparurent sur mes jambes, accompagnées d'un bustier assorti et d'une jupe dans laquelle il me paraissait impossible de se pencher. Des ailes hérissées de pointes, des cornes et un fouet vinrent compléter la panoplie.

— Oh, mon Dieu..., grommelai-je, prenant conscience de l'effet obtenu grâce à mon reflet dans un petit miroir décoratif.

J'espérai qu'aucune des démones du coin n'en entendrait jamais parler. Elles qui étaient toujours si élégantes...

Me détournant du miroir aux sarcasmes, je regardai fixement ma destination au fond du couloir : une porte fermée avec un écriteau jaune « MEN AT WORK ». Je crus entendre les bruits étouffés d'un jeu vidéo émettant des « bips-bips » de l'autre côté, mais les sons cessèrent dès que je frappai.

Quelques secondes plus tard, la porte s'ouvrit et je me retrouvai face à un type d'environ un mètre soixante-dix, avec des cheveux blonds sales qui lui tombaient sur les épaules et commençaient à se dégarnir sur le sommet du crâne. Un gros ventre poilu dépassait de sous son tee-shirt Homer Simpson, et il tenait un sachet de chips à la main.

Le sachet tomba sur le sol quand il me vit.

— Martin Miller ?

— Ou… Oui, laissa-t-il échapper d'une voix pantelante.

Je fis claquer mon fouet.

— Tu veux bien jouer avec moi ?

Exactement six minutes plus tard, je quittai la résidence Miller. Apparemment, patienter trente-quatre années ne développe pas l'endurance.

— Ouah ! T'as fait vite, remarqua Hugh en me voyant traverser la pelouse.

Adossé contre sa voiture, il fumait une cigarette.

— Tu m'étonnes… T'en as d'autres comme lui ?

Il sourit et m'offrit sa cigarette ; il me regarda de la tête aux pieds.

— Ne le prends pas mal, mais tes ailes, là, ça m'excite vraiment…

Je pris la cigarette et le dévisageai, les yeux plissés, en avalant la fumée.

— N'espère pas t'en tirer à si bon compte, lui rappelai-je en remettant mes chaussures.

— Je sais. Bien sûr, certains pourraient soutenir que c'est moi qui t'ai rendu service. C'est plutôt une bonne opération pour toi. Meilleure que ton ordinaire en tout cas…

Je ne pouvais pas le nier, mais je ne me sentais pas très fière pour autant. Pauvre Martin. Tout ringard qu'il soit, livrer son âme à la damnation éternelle pour six petites minutes était un sacré prix à payer.

— Tu veux aller boire un coup ? proposa Hugh.

— Non, il est trop tard. Je rentre chez moi. J'ai un livre qui m'attend.

— Ah, bien sûr… C'est quand, le grand jour ?

— Demain.

Le démon rit de mon adulation.

— Il écrit juste des œuvres de fiction, tu sais. Ce n'est pas vraiment Nietzsche ou Thoreau…

— Hé ! Pas besoin de se montrer surréaliste ou transcendantal pour être un grand écrivain. Je sais de quoi je parle, j'en ai connu pas mal au cours de toutes ces années.

Hugh poussa un grognement devant mon air autoritaire et me gratifia d'une parodie de révérence.

— Loin de moi l'idée de discuter de son âge avec une dame.

Je lui donnai un rapide baiser sur la joue, puis retournai à ma voiture, deux rues plus loin. J'étais en train de déverrouiller la portière quand je le sentis : le picotement accompagné d'une montée de chaleur, associé à la présence d'un autre immortel dans les environs. *Vampire*, conclus-je, une fraction de seconde avant qu'il apparaisse à côté de moi. Bon sang, qu'est-ce qu'ils étaient rapides !

— Georgina, ma belle, mon succube adoré, ma déesse du plaisir, psalmodia-t-il, pressant ses mains sur le cœur de manière théâtrale.

Super. J'avais bien besoin de ça. Duane était sans doute l'immortel le plus odieux que je connaissais. Les cheveux blonds coupés ras, il faisait preuve, comme à l'accoutumée, d'un manque de goût épouvantable aussi bien dans le choix de ses vêtements que dans celui de son déodorant.

— Casse-toi, Duane. On n'a rien à se dire.

— Allons, allons, susurra-t-il, glissant sa main pour bloquer la portière que je m'apprêtais à ouvrir. Tu ne vas tout de même pas jouer les saintes-nitouches. Pas cette fois. Regarde-toi ! Tu sembles littéralement rayonnante ! Alors, la chasse a été bonne ?

Je me renfrognai en l'entendant faire allusion à l'énergie vitale de Martin, sachant pertinemment qu'elle devait m'envelopper. Obstinément, je tentai de forcer Duane à lâcher prise et à me laisser monter dans ma voiture. Sans succès.

— À te voir, il va lui falloir quelques jours pour s'en remettre, ajouta le vampire en m'observant attentivement. Enfin, j'imagine que ça lui a plu – il faut l'espérer, sa petite balade avec toi lui vaudra quand même une place en enfer. (Il me gratifia d'un sourire nonchalant, révélant à peine le bout de ses dents pointues.) Ça ne devait pas non plus être le premier venu, sinon tu n'aurais pas l'air aussi sexy en ce moment. Qu'est-ce qui s'est passé ? Je croyais que tu ne baisais qu'avec des moins que rien. Des trous du cul certifiés.

— J'ai changé de politique. Je ne voulais pas te donner de faux espoirs.

Il secoua la tête d'un air approbateur.

— Oh Georgina, tu ne me déçois jamais – toi et tes bons mots. Mais il est vrai que j'ai souvent constaté que les putes savent faire bon usage de leur bouche, même hors du boulot.

— Laisse-moi passer, lui ordonnai-je sèchement, tirant plus fort sur la portière.

— Pourquoi es-tu si pressée ? J'ai le droit de savoir ce que toi et le démon mijotiez là-bas. L'est de la ville fait partie de mon territoire.

— Tes histoires de « territoire » ne nous concernent pas et tu le sais très bien.

— C'est bien possible, mais la simple courtoisie voudrait que, lorsque tu travailles dans mon quartier, tu viennes au moins me dire un petit bonjour. Par ailleurs, comment se fait-il que nous ne nous voyions pas plus souvent ? Quand je pense aux ratés que tu fréquentes, je vais finir par me vexer.

Les ratés auxquels il venait de faire référence étaient mes amis et les seuls vampires convenables que je connaisse. La plupart des vampires – à l'instar de Duane – se révélaient arrogants, incapables de se tenir en société et maladivement jaloux de leur territoire. En fait, pas très différents de beaucoup d'hommes que j'ai eu l'occasion de rencontrer.

— Si tu ne me laisses pas partir, je vais être obligée de t'apprendre une toute nouvelle définition de l'expression « simple courtoisie ».

D'accord, c'était stupide, le genre de réplique qu'on trouve dans les films d'action à deux balles, mais je n'avais pas trouvé mieux sur le coup. J'essayai d'adopter un ton aussi menaçant que possible, mais c'était pure bravade de ma part – et il le savait. Les succubes avaient du charisme et possédaient le don de changer de forme à volonté ; les vampires, eux, bénéficiaient d'une force et d'une vitesse surhumaines. En résumé, nous autres succubes avions des facilités pour nous mêler à la foule dans les soirées, alors que les vampires pouvaient casser le poignet d'un homme en lui serrant la main.

— C'est une menace ? (Il passa une main complice sur ma joue, faisant se dresser le duvet de ma nuque – mais pas de manière agréable. Je me tortillai.) Adorable ! Excitant même, d'une certaine façon. Je crois que ça me plairait assez de te voir passer à l'attaque. Peut-être que si tu te montres très gentille… *aïe !* Garce !

Avec ses deux mains occupées, j'avais saisi ma chance. Une transformation éclair, et j'avais fait apparaître des griffes acérées de plus de cinq centimètres de long au bout de ma main droite. Je lui labourai la joue. Ses réflexes supérieurs ne me permirent pas d'aller bien loin dans mon geste, mais je parvins à faire couler le sang avant qu'il m'agrippe le poignet et l'écrase contre la carrosserie.

— C'est quoi ton problème ? Je croyais que tu voulais que je passe à l'attaque ? balbutiai-je à travers le rideau de douleur.

Encore des répliques de séries B.

— C'est malin, Georgina. Vraiment. Tu feras moins la maligne quand je t'aurai…

Une voiture apparut au coin, une rue plus loin, ses phares luisant faiblement dans la nuit ; elle se dirigea vers nous. Pendant un quart de seconde, je lus l'indécision sur le visage de Duane. Le chauffeur ne manquerait pas de remarquer notre tête-à-tête. Duane pourrait facilement se débarrasser de l'intrus – après tout, il gagnait sa vie en tuant des mortels – mais si ses supérieurs apprenaient que cela avait quelque chose à voir avec mon harcèlement, il aurait quelques explications à fournir. Même un trou du cul du calibre de Duane préférait éviter la paperasse inutile.

— On se reverra, siffla-t-il, me relâchant le poignet.

— C'est ça. (Avec l'arrivée de la cavalerie, je sentais mon courage revenir.) Si tu t'approches encore une fois de moi, ça finira mal pour toi.

— J'en tremble de peur, minauda-t-il.

Ses yeux brillèrent une dernière fois dans l'obscurité, puis il disparut, avalé par la nuit, juste au moment où passait la voiture. Je remerciai Dieu d'avoir tiré cet automobiliste de chez lui cette nuit, que ce soit pour retrouver sa maîtresse ou s'acheter une glace.

Sans perdre de temps, je montai dans mon propre véhicule et quittai ce quartier, pressée de rentrer en ville. J'essayai d'ignorer le tremblement de mes mains sur le volant, mais pour être tout à fait honnête, Duane me terrifiait. Je l'avais envoyé paître plus d'une fois en présence de mes amis immortels, mais l'affronter seule dans une rue sombre était une tout autre paire de manches, surtout que mes menaces s'étaient toutes révélées creuses.

Je détestais la violence – sous toutes ses formes. Sans doute la conséquence d'avoir vécu pendant des périodes historiques où régnait un niveau de cruauté et de brutalité que personne dans le monde moderne ne pouvait même comprendre. Les gens disent souvent que nous vivons une époque violente, mais ils ne savent pas de quoi ils parlent. Je ne nie pas qu'on ait pu ressentir une certaine satisfaction, quelques siècles plus tôt, à voir un violeur promptement castré pour ses crimes, évitant ainsi procès interminable et libération pour « bonne conduite ». Malheureusement, les adeptes de la vengeance et de la justice expéditive ont rarement le sens de la mesure. Croyez-moi, je préfère nettement la lourdeur et la bureaucratie du système judiciaire moderne.

Songeant de nouveau à mon sauveur inespéré que j'avais présumé en quête de crème glacée, je décidai qu'un petit dessert me ferait le plus grand bien. Une fois de retour à Seattle, je m'arrêtai dans une épicerie ouverte 24 heures sur 24 et découvris qu'un génie du marketing avait créé une glace au tiramisu. Tiramisu et glace. L'ingéniosité des mortels m'étonnerait toujours !

Alors que je me dirigeais vers la caisse, je passai devant un étalage de fleurs. Peu chères, elles ne semblaient pas de la première fraîcheur, mais j'observai un jeune homme qui venait d'entrer les étudier nerveusement. Il finit par choisir un bouquet de chrysanthèmes couleur d'automne. Je le suivis d'un regard triste et rêveur, à moitié jalouse de celle à qui ils étaient destinés.

Comme l'avait fait remarquer Duane, je ne m'attaquais habituellement qu'à des ratés, des types que je ne me sentirais pas coupable d'avoir blessés et rendus inconscients pendant quelques jours. Pas le genre à vous offrir des fleurs – plutôt le genre à éviter tout geste un tant soit peu romantique. Quant à ceux qui vous envoyaient des fleurs, je préférais les éviter. Pour leur propre bien. Pas vraiment le comportement que l'on attend de la part d'un succube, mais j'étais trop blasée pour me soucier des convenances.

Poussée par un sentiment de tristesse et de solitude, je me payai un bouquet d'œillets rouges en plus de la glace.

Quand j'arrivai chez moi, le téléphone sonnait. Je posai mes courses et jetai un coup d'œil à l'identification d'appel. « Numéro inconnu. »

— Mon seigneur et maître, répondis-je en décrochant. Quelle meilleure façon de conclure une nuit parfaite…

— Épargne-moi tes sarcasmes, Georgie ! Qu'est-ce qui t'a pris d'aller asticoter Duane ?

— Jerome, je… quoi ?

— Il vient de m'appeler. D'après lui, tu n'arrêtes pas de le harceler.

— Moi ? Le harceler, lui ? (Je sentis l'indignation bouillonner en moi.) C'est lui qui a commencé ! Il m'attendait à la…

— Est-ce que tu l'as frappé ?

— Je…

— Alors ?

Je soupirai. Dans la hiérarchie du mal, Jerome était l'archidémon de Seattle et de son agglomération – mon patron, en fait. Son travail consistait à s'assurer que chacun de nous fasse le sien et à faire régner la discipline. Mais en bon démon paresseux qui se respecte, il préférait entendre parler de nous le moins possible. Son agacement semblait presque palpable à l'autre bout du fil.

— Je ne l'ai pas vraiment frappé. C'était plus une petite claque.

— Une petite claque. Je vois. Et tu ne l'aurais pas menacé pour faire bonne mesure ?

— Ben, on peut l'interpréter comme ça, mais Jerome, quand même ! C'est un vampire. Je ne peux rien lui faire. Tu le sais.

L'archidémon hésita, imaginant vraisemblablement ce qui résulterait d'un affrontement entre moi et Duane. Je dus perdre cet hypothétique combat, parce que j'entendis Jerome souffler un instant plus tard.

— Je suppose que oui. Mais ne t'avise plus de le provoquer. J'ai bien assez de travail en ce moment sans devoir arbitrer vos chamailleries.

— Depuis quand tu travailles ?

— Bonne nuit, Georgie. Ne t'accroche plus avec Duane.

Il mit fin à la conversation. Les démons n'aiment pas trop échanger des banalités.

Je raccrochai à mon tour, extrêmement froissée. Je n'arrivais pas à croire que Duane m'avait dénoncée et qu'en plus il m'avait fait porter le chapeau. Pire encore, Jerome paraissait l'avoir cru. Au début du moins. C'était probablement ce qui faisait le plus mal, parce que, en dépit de mon absence de zèle en tant que succube, j'avais toujours eu la cote avec l'archidémon. Jerome m'avait souvent témoigné l'indulgence réservée au chouchou du prof.

En quête de consolation, j'emportai ma crème glacée dans ma chambre, enlevai mes vêtements et enfilai une ample chemise de nuit. Au pied du lit où elle dormait, Aubrey – ma chatte – leva la tête et s'étira. Entièrement blanche, excepté quelques taches noires sur le front, elle me souhaita la bienvenue en plissant ses yeux verts.

— Je ne peux pas me coucher tout de suite, lui expliquai-je, réprimant un bâillement. J'ai de la lecture en retard.

Je me pelotonnai dans mon lit avec mon demi-litre de glace et mon livre, me rappelant de nouveau que j'allais enfin rencontrer mon auteur favori à la séance de signature du lendemain. L'œuvre de Seth Mortensen éveillait en moi des sentiments dont j'ignorais jusqu'à l'existence. Son dernier livre, *Le Pacte de Glasgow*, ne parviendrait pas à effacer la culpabilité que je ressentais après l'épisode avec Martin, mais il comblait tout de même un vide douloureux. Je n'en revenais pas que les mortels – avec une durée de vie si courte – puissent être à l'origine de si merveilleuses créations.

— Quand j'étais une mortelle, je n'ai jamais rien créé, avouai-je à Aubrey après voir lu cinq pages.

Elle se frotta contre moi, ronronnant avec sympathie, et j'eus assez de présence d'esprit pour ranger le pot de glace avant de m'écrouler dans mon lit et de m'endormir.

Chapitre 2

La sonnerie du téléphone me tira brutalement du sommeil le lendemain matin. La pâleur du jour qui s'invitait chez moi à travers le tissu trop fin de mes rideaux m'informa qu'il devait être anormalement tôt – même si, dans cette ville, une telle quantité de lumière pouvait aussi bien indiquer le lever du soleil que le plein midi. Après quatre sonneries, je daignai enfin répondre, poussant accidentellement Aubrey hors du lit. Elle atterrit avec un « miaou » indigné et fila se nettoyer.

— Allô ?

— Salut ! C'est toi, Kincaid ?

— Non, répondis-je immédiatement et sans la moindre hésitation. Je ne travaille pas aujourd'hui.

— Tu ne sais même pas si c'est ce que j'allais te demander.

— Bien sûr que si. Sinon tu ne m'appellerais pas aussi tôt. Et ma réponse est toujours non. C'est mon jour de repos, Doug.

Doug et moi occupions tous les deux le poste de directeur adjoint à la librairie qui nous employait. C'était un brave type, mais absolument incapable de garder un visage – ou une voix – impassible, même si sa vie en dépendait. Son calme de façade commença immédiatement à se lézarder pour céder la place au désespoir.

— Tout le monde est malade aujourd'hui, on est en sous-effectif. Tu ne peux pas me laisser tomber.

— Eh bien, moi aussi je suis malade. Il vaut mieux que je ne me montre pas au boulot aujourd'hui, crois-moi.

D'accord, je n'étais pas vraiment malade, mais j'arborais encore une sorte d'éclat résiduel suite à ma rencontre avec Martin. Les mortels ne pourraient pas le « voir » comme Duane, mais ils ressentiraient une certaine attraction – les hommes comme les femmes – sans vraiment savoir pourquoi. Garder la chambre aujourd'hui me permettrait d'éviter toute manifestation romantique déplacée. En fait, c'était plutôt attentionné de ma part.

— Menteuse ! Tu n'es jamais malade.

— Doug, j'avais prévu de passer ce soir pour la séance de signature. Tu veux que je travaille la journée en plus ? Ça fera beaucoup trop d'heures, ce n'est pas sain.

— Bienvenue dans mon monde, bébé. Nous n'avons pas d'autre solution, pas si tu te soucies réellement du sort de la boutique, pas si tu attaches vraiment de l'importance à la satisfaction de nos clients, pas si...

— Je vais raccrocher, cow-boy...

— Bref, conclut-il, la question est : vas-tu venir de ton plein gré ou m'obliger à me déplacer pour te sortir du lit ? Pour être franc, la dernière option ne serait pas pour me déplaire...

Je levai mentalement les yeux au ciel – ça m'apprendrait à habiter à deux rues de mon lieu de travail. Ses divagations sur la santé de la librairie s'étaient révélées efficaces – comme il l'avait prévu. J'avais le tort de croire que cette entreprise ne parviendrait pas à survivre sans moi.

— Tu sais, plutôt que de risquer d'avoir à écouter plus longtemps tes misérables tentatives de badinage et tes allusions sexuelles si spirituelles, je préfère venir de mon plein gré. Mais Doug..., ajoutai-je d'une voix froide.

— Ouais ?

— Ne me mets pas à la caisse. (Je l'entendis hésiter à l'autre bout du fil.) Doug ? Je suis sérieuse. Pas aux caisses principales. Je ne veux pas être en contact avec beaucoup de clients.

— D'accord, finit-il par céder. Pas les caisses principales.

— Promis ?

— Promis.

Une heure plus tard, je sortis de chez moi et parcourus les deux pâtés de maisons qui me séparaient de la librairie. De longs nuages flottaient dans le ciel bas et l'air s'était rafraîchi, forçant quelques-uns des autres piétons à enfiler un manteau. De mon côté, je trouvais mon pantalon de treillis et mon pull chenille brun amplement suffisants. Mes vêtements, tout comme le brillant à lèvres et l'eye-liner que j'avais appliqués ce matin, étaient bien réels – je n'avais pas usé de mon pouvoir de changer d'apparence à volonté. J'aimais la nature routinière du maquillage et du choix quotidien de ma tenue – Hugh, lui, aurait mis ça sur le compte de mes drôles d'idées.

Emerald City Books & Café était un établissement tentaculaire qui occupait deux niveaux de presque tout un pâté de maisons dans le quartier Queen Anne de Seattle. Au premier, la partie café dominait un coin avec vue sur la Space Needle. Un auvent d'un vert gai surplombait l'entrée principale, protégeant les clients qui attendaient l'ouverture du magasin. Je les contournai et entrai par une porte latérale réservée au personnel et dont je possédais une clé.

Doug m'assaillit sans me laisser le temps de faire deux pas à l'intérieur.

— Tu as pris ton temps ! Nous… (Il s'interrompit et marqua un temps d'arrêt, m'étudiant de plus près.) Ouah ! Tu… tu en jettes vraiment aujourd'hui. Tu as changé quelque chose ?

À part voler l'âme d'un puceau de 34 ans ?

— Tu te fais des idées parce que tu es content de me voir et que j'ai accepté de régler ton problème d'effectif. Qu'est-ce que tu veux que je fasse ? Mettre les livres en rayon ?

— Je… euh… non. (Doug lutta pour s'extraire de la confusion dans laquelle l'avait plongé mon apparition, continuant de me reluquer d'une manière que je trouvais déconcertante. Il n'avait jamais fait mystère de son intérêt pour moi – et j'avais toujours refusé ses avances.) Viens, je vais te montrer.

— Je t'ai dit…

— Tu n'es pas aux caisses principales, promit-il.

Je découvris qu'il m'avait affectée au comptoir expresso. Le personnel de la librairie effectuait rarement des remplacements au café, mais c'était déjà arrivé.

Bruce, le responsable du café, surgit de derrière le comptoir où il était agenouillé. J'ai souvent pensé que Doug et Bruce auraient pu être des frères jumeaux dans un univers parallèle et métissé. Ils arboraient tous deux une longue queue-de-cheval filasse et portaient pas mal de flanelle, en hommage à la période grunge dont ils ne s'étaient jamais vraiment remis, ni l'un ni l'autre. Ils différaient essentiellement par leur teint. Doug, nippo-américain, avait les cheveux noirs et une peau parfaite ; Bruce, avec ses cheveux blonds et ses yeux bleus, aurait pu figurer sur une affiche de la Nation aryenne.

— Salut Doug, salut Georgina, leur lança Bruce. (Il écarquilla les yeux en me voyant.) Ouah, tu es très en beauté aujourd'hui.

— Doug ! C'est impossible. Je t'ai dit que je ne voulais pas voir de clients.

— Tu as demandé à ne pas tenir une des caisses principales. Tu n'as rien dit concernant le café...

J'ouvris la bouche pour protester, mais Bruce me coupa.

— Allez, Georgina, Alex s'est fait porter pâle et Cindy a démissionné pour de bon. (Devant mon expression glaciale, il s'empressa d'ajouter :) Nos caisses fonctionnent presque comme les vôtres. Ce sera facile.

— En outre... (Doug éleva la voix dans une assez bonne imitation de celle de notre directeur.) « Les directeurs adjoints doivent pouvoir remplacer n'importe quel collaborateur au pied levé. »

— D'accord, mais le café...

— ... fait partie de notre magasin. Écoute, il faut que j'aille ouvrir. Bruce te montrera tout ce que tu dois savoir. Ne t'en fais pas, ça va bien se passer.

Il fila comme une flèche avant que j'aie eu le temps de refuser une nouvelle fois.

— Lâche ! lançai-je dans son dos.

— Ce ne sera pas si terrible, répéta Bruce, ne comprenant pas ma consternation. Tu encaisses et moi je prépare les expressos. On va s'entraîner : tu veux un moka blanc ?

— Ouais, concédai-je.

Tous mes collègues connaissaient mon vice. J'en descendais habituellement trois par jour – des mokas, pas des collègues.

Bruce me guida à travers toutes les étapes nécessaires, me montrant comment annoter les gobelets et me repérer sur l'écran tactile de la caisse. Il avait raison. Ce n'était pas bien méchant.

— Tu as ça dans le sang, m'assura-t-il plus tard en me tendant mon moka.

Je grognai en guise de réponse et consommai ma dose de caféine, songeant que j'étais capable de faire face à toute éventualité tant que la source ne se serait pas tarie. Et puis, ça ne pouvait pas être pire que la caisse centrale. À cette heure de la journée, le café n'attirait probablement pas grand-monde.

J'avais tort. Quelques minutes après l'ouverture, cinq personnes faisaient déjà la queue.

— Un grand latte, répétai-je à ma première cliente, saisissant soigneusement l'information sur la caisse.

— C'est comme si c'était fait ! me répondit Bruce, commençant à préparer la boisson avant même que j'aie eu le temps d'inscrire le nom de la cliente sur le gobelet.

J'acceptai l'argent que me tendait la femme et passai à la commande suivante.

— Un grand moka – maigre.

— Ça veut dire « allégé », Georgina.

Je griffonnai « A » sur le gobelet. Pas de problème. J'avais les choses bien en main.

La cliente suivante avança jusqu'au comptoir et me fixa du regard, momentanément confuse. Se reprenant, elle secoua la tête et laissa échapper un torrent de commandes.

— Il me faut un petit café filtre, un grand latte allégé à la vanille, un petit double cappuccino et un grand latte déca.

À mon tour, je cédai à la confusion. Comment avait-elle fait pour se souvenir de tout cela ? Et franchement, qui buvait encore du café filtre ?

La matinée s'écoula sans accroc et, malgré mes appréhensions, je retrouvai bientôt un certain entrain et appréciai cette expérience. C'était plus fort que moi. J'aimais essayer de nouvelles choses – même une tâche aussi banale que d'encaisser un expresso. Je me laissais guider par cette attitude dans le travail comme dans la vie. La plupart du temps, je prenais plaisir à me trouver en contact avec les gens – même si certaines personnes pouvaient parfois se révéler stupides. C'est ce qui m'avait conduit à choisir ce boulot.

Une fois sortie de ma torpeur, mon charisme inné de succube reprit le dessus. Je devins la vedette de mon one-woman show, badinant et flirtant avec aisance. Combiné avec le rayonnement résiduel provenant de Martin, il me rendait irrésistible. Cela eut pour effet de faire de moi la cible d'avances et de propositions de rendez-vous, mais me mit aussi à l'abri des répercussions de mes erreurs. Mes clients ne parvenaient pas à m'en vouloir.

— Pas de problème, ma chérie, m'assura une dame âgée en se rendant compte que je lui avais malencontreusement commandé un grand moka à la cannelle à la place d'un latte déca allégé. Essayer quelque chose de nouveau me fera le plus grand bien…

Je la gratifiai d'un sourire charmeur en espérant qu'elle ne souffre pas de diabète.

Plus tard, un type arriva au comptoir avec un exemplaire du *Pacte de Glasgow* de Seth Mortensen sous le bras – le premier indice que j'apercevais de l'événement mémorable qui devait se tenir ce soir.

— Vous allez à la séance de signature ? demandai-je en enregistrant son thé.

Sans caféine. Pouah.

Il m'étudia longuement, comme s'il hésitait à se lancer et à me faire du plat.

Au lieu de cela, il répondit nonchalamment :

— Ouais, j'y serai.

— Alors, j'espère que vous éviterez de lui poser les mêmes questions que tout le monde lui pose.

— Que voulez-vous dire ?

— Oh, vous savez, les classiques. « D'où vous viennent vos idées ? » ou « Est-ce que Cady et O'Neill vont finir par avoir une aventure ? »

L'homme fit mine de réfléchir pendant que je comptais sa monnaie. Un peu débraillé, mais mignon. Il avait des cheveux châtains avec des reflets roux et or, plus visibles dans le début de barbe qui lui mangeait le bas du visage. Je n'arrivais pas à décider s'il faisait exprès de se laisser pousser la barbe ou s'il avait oublié de se raser. Quoi qu'il en soit, elle avait poussé de manière plus ou moins régulière, ce qui, combiné à son tee-shirt des Pink Floyd, lui donnait l'image d'une sorte de bûcheron hippie.

—Je ne crois pas que les questions « classiques » aient moins d'importance du point de vue de celui ou celle qui les pose, se lança-t-il enfin, semblant hésiter à me contredire. Pour un lecteur, chaque question est nouvelle et unique.

Il s'écarta afin de me permettre de servir un autre client. Je poursuivis la conversation en prenant la commande suivante, peu désireuse de manquer une occasion de discuter intelligemment de l'œuvre de Seth Mortensen.

—On s'en fiche des lecteurs ! Est-ce que vous avez pensé à ce pauvre Seth Mortensen ? Il a probablement envie de s'empaler chaque fois qu'on lui pose une question de ce genre.

—S'empaler ! Vous y allez un peu fort, vous ne trouvez pas ?

—Absolument pas. C'est un auteur brillant. Ce genre de questions idiotes doit l'ennuyer à mourir.

Un sourire déconcerté plissa la bouche de l'homme et ses yeux bruns me jaugèrent avec attention. Quand il prit conscience qu'il me dévisageait aussi ouvertement, il détourna le regard avec embarras.

—Non. S'il fait la tournée des librairies, c'est pour rencontrer ses lecteurs. Ça lui est égal de toujours répondre aux mêmes questions.

—Il ne fait pas la tournée des librairies par altruisme. Il n'a pas le choix : son éditeur décide pour lui, ripostai-je. Une perte de temps, à mon avis.

Il risqua de nouveau un coup d'œil dans ma direction.

—Vous trouvez ? Vous n'avez pas envie de le rencontrer ?

—Je… Si, bien sûr. C'est juste que… Comprenez-moi bien. Je vénère jusqu'au sol sur lequel il marche et je me sens très excitée à l'idée de faire sa connaissance ce soir. C'est un rêve devenu réalité pour moi. S'il voulait faire de moi son esclave sexuelle, il n'aurait qu'à m'offrir des exemplaires de lancement de ses livres. Mais cette tournée de promotion… ça lui prend du temps. Du temps qu'il ferait mieux de consacrer à l'écriture de son prochain roman. Vous avez vu comme il nous fait attendre entre chaque livre ?

—Oui. Je l'ai noté.

À ce moment-là, un client revint se plaindre qu'on lui avait servi du sirop au caramel à la place de la sauce au caramel. Je n'essayai même pas de comprendre. Je le gratifiai de quelques sourires et d'excuses adorables, et il oublia bientôt ce qui l'avait ramené au comptoir.

Quand il repartit, je remarquai que l'admirateur de Mortensen s'était éclipsé, lui aussi.

À la fin de mon service, vers 17 heures, Doug vint me voir.

—J'en ai entendu de belles sur ta prestation ici.

—J'en entends de belles à longueur de journée sur tes « prestations », Doug, mais je ne me moque pas pour autant.

Il me taquina encore un peu, puis me laissa aller me préparer pour la séance de signature – mais pas avant que je lui aie fait humblement reconnaître qu'il m'était redevable pour l'épine que je lui avais tirée du pied aujourd'hui. Entre lui et Hugh, j'accumulais les faveurs.

Je courus presque sur les deux rues qui me séparaient de chez moi, impatiente de manger un morceau et de décider ce que j'allais porter ce soir. Je sentais une certaine exaltation m'envahir. Dans environ une heure, j'allais rencontrer mon auteur préféré de tous les temps. Que pouvait-on rêver de mieux ? Fredonnant toute seule, je montai l'escalier quatre à quatre et sortis mes clés avec un grand geste que je fus la seule à remarquer.

Alors que j'ouvrais la porte, une main m'agrippa brusquement et me tira sans ménagement à l'intérieur de mon appartement plongé dans le noir. Surprise, je glapis de frayeur, tandis que mon agresseur me plaquait contre la porte en la claquant. Soudain – et contre toute attente – les lumières s'allumèrent et une vague odeur de soufre flotta dans l'air. Grimaçant à cause de l'intensité de l'éclairage, j'en vis assez pour comprendre la situation.

Rien de pire qu'un démon en rogne.

Chapitre 3

À ce stade, je devrais vous expliquer que Jerome ne ressemble pas à un démon, en tout cas pas à l'image traditionnelle que l'on s'en fait – avec les cornes et tout le toutim. Ailleurs – sur un autre plan d'existence – peut-être, mais, à l'instar de Hugh, de moi-même et de tous les autres immortels présents sur cette terre, Jerome présente une apparence humaine.

Celle d'un sosie de John Cusack.

Sérieux. Sans blague. L'archidémon a toujours soutenu qu'il ne connaissait même pas l'acteur, mais aucun de nous n'y a cru.

—Aïe ! fis-je avec irritation. Lâche-moi !

Jerome relâcha sa prise, mais ses yeux noirs avaient conservé une lueur menaçante.

—Tu as l'air en forme, observa-t-il après un moment, apparemment surpris.

Je tirai sur mon pull, le réajustant à l'endroit où sa main l'avait froissé.

—Tu as une drôle de manière de manifester ton admiration.

—Vraiment en forme, continua-t-il pensivement. Si je ne te connaissais pas aussi bien, je jurerais que tu…

—… rayonnes, murmura une voix derrière le démon. Tu brilles telle une étoile dans le ciel nocturne, Fille de Lilith, tel un diamant étincelant dans la désolation de l'éternité.

Je tressaillis de surprise. N'appréciant pas de voir son monologue interrompu, Jerome jeta un coup d'œil perçant à l'intrus.

Je lui lançai, moi aussi, un regard furieux, ne goûtant guère la présence dans mon appartement d'un ange non invité. Carter nous sourit à tous les deux.

—Comme je le disais, reprit sèchement Jerome, je jurerais que tu as couché avec un mortel valable, pour une fois.

—J'ai rendu service à Hugh.

—Alors je ne dois pas y voir une volonté d'amélioration de ta part ?

—Pas au salaire que tu me payes.

Jerome grogna, mais cet échange n'avait rien d'inhabituel entre nous. Il me reprochait constamment de ne pas prendre mon travail au sérieux, je lui renvoyais quelques mots d'esprit sur un ton sarcastique et nous en revenions au *statu quo*. Quand je vous disais que j'étais un peu son chouchou…

Mais en le regardant à présent, je savais que la parenthèse spirituelle venait de se refermer. Le charme qui avait envoûté mes clients aujourd'hui n'opérait pas sur ces deux-là. Les traits tirés, Jerome paraissait tout à fait sérieux et Carter également, même s'il n'avait pas abandonné son demi-sourire sardonique habituel.

Jerome et Carter traînaient souvent ensemble, en particulier lors de soirées bien arrosées. Cela me rendait perplexe, parce qu'ils étaient censés s'affronter à une échelle quasi cosmique. Une fois, j'avais demandé à Jerome si Carter était un ange déchu, ce qui m'avait valu un éclat de rire sincère de la part du démon. Une fois son hilarité calmée, il m'avait répondu que non, Carter n'avait pas déchu. Dans le cas contraire, il n'aurait plus – techniquement – été un ange. Sa réponse m'avait satisfaite et j'en avais déduit que ces deux-là restaient ensemble parce qu'il n'y avait personne d'autre dans le secteur qui pouvait comprendre ce que signifiait mener une existence dont le début remontait aux origines du temps et de la création. Nous autres simples immortels avions tous été humains auparavant ; Jerome et Carter n'avaient pas connu cela. Mes quelques siècles ne représentaient rien comparés à leur longévité.

Quelles que soient les raisons de sa présence chez moi, je n'aimais pas Carter. Il n'était pas odieux à la manière de Duane, mais il paraissait toujours tellement suffisant et hautain. Peut-être que tous les anges sont ainsi. Carter avait aussi un sens de l'humour des plus bizarres. Je n'arrivais jamais à savoir s'il se moquait de moi ou pas.

— Alors, les garçons, qu'est-ce que je peux faire pour vous ? demandai-je en jetant mon sac sur la table de la cuisine. Je dois sortir ce soir.

Jerome me scruta en plissant les yeux.

— Je veux que tu me parles de Duane.

— Encore ! Je t'ai déjà tout dit. C'est un trou du cul.

— Est-ce pour cette raison que tu l'as fait assassiner ?

— Je… quoi ?

Je me figeai devant les vêtements que je passais en revue dans ma penderie et me retournai lentement vers le duo, espérant avoir mal entendu. Mais ils me dévisageaient avec le plus grand sérieux.

— Assassiner ? Comment… comment est-ce possible ?

— À toi de me le dire, Georgie.

Je clignai des yeux en prenant conscience de la tournure que prenait cette conversation.

— Est-ce que tu m'accuses d'avoir tué Duane ? Attends… c'est idiot. Duane n'est pas mort. C'est impossible.

Jerome se mit à arpenter la pièce et s'adressa à moi d'une voix exagérément courtoise.

— Oh, je peux t'assurer qu'il est bien mort. On l'a retrouvé ce matin, avant le lever du soleil.

— Et alors ? Il est mort d'une exposition au soleil ?

À ma connaissance, c'était la seule chose dont pouvait mourir un vampire.

— Non. On lui a enfoncé un pieu dans le cœur.

— Beurk !

— Alors, Georgina, est-ce que tu es prête à me révéler le nom de celui que tu as chargé de cette basse besogne ?

— Mais je n'y suis pour rien ! Je… je ne comprends pas. Duane ne peut pas être mort, enfin !

— La nuit dernière, tu as admis que vous vous étiez disputés.

— Oui…

— Et tu l'as menacé.

— Oui, mais c'était pour rire…

— Si mes souvenirs sont bons, tu lui aurais affirmé que cela finirait mal pour lui s'il osait encore s'approcher de toi…

— J'étais en colère ! Et j'avais peur de lui ! C'est dingue. *Duane ne peut pas être mort.*

Je le leur – et me le – répétais, comme un leitmotiv auquel se raccrochait ma raison. Les immortels étaient – par définition – immortels. Un point c'est tout.

— Tu ne sais donc rien à propos des vampires ? demanda l'archidémon avec curiosité.

— Je sais qu'ils ne peuvent pas mourir.

Une lueur d'amusement vacilla dans les yeux gris de Carter ; Jerome paraissait me trouver moins drôle.

— Je te le demande pour la dernière fois, Georgina. As-tu, oui ou non, quelque chose à voir avec la mort de Duane ? Réponds simplement à ma question. Oui ou non.

— Non, répondis-je fermement.

Jerome jeta un coup d'œil à Carter. L'ange m'étudia, ses cheveux blond terne lui recouvrant partiellement le visage. Je compris enfin la raison de sa présence. Les anges parviennent toujours à distinguer la vérité du mensonge. Il finit par faire un brusque signe de la tête à Jerome.

— Contente d'avoir passé le test avec succès, grommelai-je.

Mais ils ne m'accordaient déjà plus aucune attention.

— Bien, observa Jerome d'un ton lugubre, je suppose que nous savons à quoi nous en tenir.

— Nous n'avons aucune certitude…

— Moi si.

Carter lui adressa un regard qui en disait long et le silence se prolongea pendant plusieurs secondes. J'avais toujours soupçonné ces deux-là de communiquer par la pensée dans des moments comme celui-ci, chose que les simples immortels que nous sommes ne peuvent pas faire sans assistance.

— Donc Duane est bien mort ? demandai-je.

— Oui, répondit Jerome, se rappelant que j'étais là. On ne peut plus mort.

— Qui l'a tué alors ? Maintenant que je ne figure plus sur la liste des suspects…

Ils échangèrent un regard et haussèrent les épaules, sans m'offrir de réponse. Des parents négligents, tous les deux. Carter sortit un paquet de cigarettes et en alluma une. Bon Dieu, je détestais les voir comme ça.

— Un chasseur de vampires, lâcha enfin Jerome.

Je lui lançai un regard incrédule.

— C'est vrai ? Comme la fille à la télé ?

— Pas exactement.

— Où vas-tu ce soir ? demanda aimablement Carter.

— À la séance de signature de Seth Mortensen. Et ne change pas de sujet. Je veux tout savoir sur le chasseur de vampires.

— Tu vas coucher avec lui ?

— Je... quoi ? (L'espace d'un instant, je crus que l'ange parlait du chasseur de vampires.) Avec Seth Mortensen, tu veux dire ?

Carter exhala de la fumée.

— Bien sûr. Si j'étais un succube avec une obsession pour un écrivain mortel, c'est ce que je ferais. En outre, est-ce que votre camp ne cherche pas continuellement à recruter des célébrités ?

— Nous avons toutes les célébrités qu'il nous faut, intervint Jerome à mi-voix.

Coucher avec Seth Mortensen ? Mon Dieu ! Je n'avais jamais rien entendu d'aussi grotesque. Quelle idée épouvantable ! Si j'absorbais sa force vitale, j'osais à peine imaginer combien de temps s'écoulerait avant son prochain livre.

— Non ! Bien sûr que non ! protestai-je.

— Alors comment comptes-tu t'y prendre pour qu'il te remarque ?

— Pour qu'il me remarque ?

— Oui. Ce type doit voir défiler quantité d'admirateurs. Tu n'as pas envie de te distinguer de la masse ?

La surprise m'envahit. Je n'y avais même pas songé. Est-ce que j'aurais dû ? À cause de ma nature blasée, je prenais plaisir à peu de chose de nos jours. Les livres de Seth Mortensen constituaient une de mes rares sources d'évasion. Devais-je pour autant essayer de me rapprocher du créateur de ces romans ? Plus tôt dans la journée, j'avais tourné en dérision ses fans de base. Allais-je devenir l'un d'eux ?

—Ben… Je sais que Paige lui présentera probablement le personnel en privé. Il me remarquera à ce moment-là.

—Oui, bien sûr. (Carter écrasa sa cigarette dans mon évier.) Je suis persuadé qu'il n'a jamais l'occasion de croiser des employés de librairie.

J'ouvris la bouche pour protester, mais Jerome me coupa.

—Ça suffit. (Il échangea avec Carter un autre de ces regards lourds de sens.) Nous devons partir.

—Je… Une petite minute ! (Carter avait réussi à me faire changer de sujet malgré tout. Je n'arrivais pas à le croire.) Et le chasseur de vampires ?

—Soit prudente, Georgina. C'est tout ce que tu as besoin de savoir. Extrêmement prudente. Je ne plaisante pas.

Au son de la voix du démon, j'avalai ma salive.

—Mais je ne suis pas un vampire.

—Ça m'est égal. Parfois, ces chasseurs suivent les vampires, espérant qu'ils les conduiront à leurs congénères. Tu pourrais te trouver impliquée par association. Fais-toi discrète. Évite de rester seule. Recherche la compagnie des autres – mortels ou immortels, peu importe. Tu pourras peut-être en profiter pour continuer sur la lancée du service que tu as rendu à Hugh et collecter quelques âmes de plus pour notre camp.

Je levai les yeux au ciel pendant qu'ils avançaient vers la porte.

—Je suis sérieux. Sois prudente. Profil bas. Je t'interdis de t'en mêler.

—Et salue Seth Mortensen pour moi, ajouta Carter avec un clin d'œil à mon intention.

Sur ces entrefaites, ils me laissèrent, refermant doucement la porte derrière eux. Une formalité, vraiment, puisque l'un comme l'autre aurait très bien pu se téléporter. Ou faire sauter ma porte.

Je me tournai vers Aubrey. Elle avait assisté à toute la scène, sagement réfugiée sur le canapé, remuant la queue.

—Alors, lui demandai-je en titubant, qu'est-ce que tu en dis ?

Duane mort. Pour de bon. D'accord, c'était un enfoiré, et il m'avait sacrément mise en rogne quand je l'avais menacé la nuit dernière, mais je n'avais jamais *réellement* souhaité sa mort. Et cette histoire de chasseur de vampires ? J'étais censée faire preuve de prudence, mais…

— Merde !

Je venais d'apercevoir la minuterie du micro-ondes qui m'informait froidement que je devais retourner à la librairie – *fissa*. Chassant Duane de mon esprit, je me précipitai dans ma chambre et me regardai dans la glace. Aubrey m'emboîta le pas plus mollement.

Qu'est-ce que j'allais bien pouvoir mettre ? J'aurais pu garder ma tenue actuelle. L'ensemble constitué par le pull et le pantalon semblait à la fois sobre et convenable, mais les couleurs se fondaient un peu trop dans mes cheveux châtains. J'étais vraiment fringuée comme une libraire. Est-ce que j'avais vraiment envie de paraître aussi discrète ? Peut-être. Comme je l'avais dit à Carter, je ne voulais rien faire qui puisse susciter l'intérêt romantique de mon auteur favori.

Mais quand même…

« Tu n'as pas envie de te distinguer de la masse ? » Je me remémorai les paroles de l'ange. Je ne voulais pas rester un visage parmi d'autres pour Seth Mortensen. Ce soir marquait la dernière étape de sa tournée de promotion. En l'espace d'un mois, il avait sans aucun doute rencontré des milliers d'admirateurs, leurs visages et leurs commentaires ineptes aujourd'hui réduits à de vagues souvenirs. J'avais conseillé au type du café de faire preuve d'originalité pour ses questions et j'avais la ferme intention de suivre ce conseil concernant mon apparence.

Cinq minutes plus tard, je me plaçai de nouveau devant le miroir, vêtue cette fois d'un débardeur décolleté en soie violet foncé, assorti à une jupe en mousseline à fleurs. Impeccable pour aller danser. J'enfilai une paire de sandales brunes à talons hauts et jetai un coup d'œil à Aubrey afin de voir ce qu'elle en pensait.

— Alors ? Trop sexy ?

Elle commença à se nettoyer la queue.

— D'accord, c'est plutôt sexy, concédai-je. Mais avec de la classe. La coiffure fait la différence, je crois.

J'avais ramené mes longs cheveux en un chignon plutôt romantique, laissant quelques boucles encadrer mon visage et mettre en valeur mes yeux. Une rapide transformation les rendit plus verts que d'habitude, mais je changeai d'avis et leur fis reprendre leur couleur naturelle – noisette, moucheté d'or et de vert.

Comme Aubrey refusait définitivement de se laisser impressionner par mon allure fantastique, je saisis mon manteau en peau de serpent et lui lançai un regard furieux.

— Pense ce que tu veux ! Je sais que j'ai raison !

Je quittai l'appartement en emportant mon exemplaire du *Pacte de Glasgow* et marchai vers la librairie, imperméable au crachin – un autre avantage de mon pouvoir de transformation. Les lecteurs se pressaient à l'intérieur du magasin, impatients de voir l'homme dont le dernier roman dominait la liste des meilleures ventes depuis plus de cinq semaines. Je me frayai un passage dans la foule, en direction de l'escalier menant au premier étage.

— Le rayon jeunesse se trouve là-bas, contre le mur. (J'entendis la voix amicale de Doug flotter vers moi.) Je reste à votre disposition.

Tournant le dos à la personne qu'il venait de renseigner, il m'aperçut et laissa tomber *illico* la pile de livres qu'il portait.

Les clients s'écartèrent, le regardant poliment se baisser afin de ramasser les livres. Je reconnus immédiatement les couvertures. Des éditions de poche d'anciens titres de Seth Mortensen.

— Sacrilège ! commentai-je. Maintenant qu'ils ont touché le sol, tu n'as plus qu'à les brûler, comme un drapeau.

M'ignorant, Doug rassembla les livres puis m'entraîna hors de portée de voix.

— C'est vraiment sympa de ta part d'avoir pris le temps de rentrer chez toi pour passer quelque chose de plus confortable. Bon sang, est-ce que tu arrives au moins à te baisser là-dedans ?

— Pourquoi ? Tu penses que ce sera nécessaire ce soir ?

— Ça dépend. Warren sera là, tu sais…

— Ne sois pas si méchant, Doug.

— Tu l'as bien cherché, Kincaid. (Il me lança malgré lui un regard appréciateur avant de monter les marches avec moi.) Mais tu es très en beauté…

— Merci. Je voulais que Seth Mortensen me remarque.

— Crois-moi, à moins d'être gay, il te remarquera. Probablement même s'il est gay.

— Je n'ai pas trop l'air d'une pute ?

— Non.

— Ou d'une fille facile ?

— Non.

— Je voulais avoir l'air sexy, mais classe. Qu'est-ce que tu en penses ?

— Je pense avoir suffisamment alimenté ton amour-propre. Tu sais très bien de quoi tu as l'air.

Arrivés au sommet des marches, nous constatâmes qu'un grand nombre de chaises occupait la surface ordinairement dédiée aux clients du café et s'étendait jusque dans les sections jardinage et cartes de la librairie. Paige, la gérante d'*Emerald City* et notre supérieur hiérarchique, s'activait près de la sono et du micro – un problème de câblage apparemment. Je ne sais pas à quoi avait servi ce bâtiment avant l'installation de la librairie, mais il ne s'agissait pas du lieu idéal d'un point de vue acoustique ni pour l'accueil de groupes importants.

— Je vais lui donner un coup de main, m'informa Doug, obligeamment chevaleresque. (Paige était enceinte de trois mois.) Je te conseille de ne rien entreprendre qui nécessite que tu te baisses de plus de vingt 20 °C dans quelque direction que ce soit. Oh, et si quelqu'un te défie de faire se toucher tes coudes dans ton dos, ne tombe pas dans le panneau.

Je lui mis un coup de poing dans les côtes, manquant de lui faire de nouveau renverser ses livres.

Bruce, toujours aux commandes derrière le comptoir du café, me prépara mon quatrième moka blanc de la journée et je m'éloignai vers le rayon des livres de géographie pour le boire en attendant que la soirée démarre. À côté de moi, je repérai le type avec qui j'avais discuté de Seth Mortensen plus tôt. Il tenait toujours son exemplaire du *Pacte de Glasgow* à la main.

— Salut, fis-je.

Absorbé par la lecture d'un ouvrage sur le Texas, il sursauta au son de ma voix.

— Désolée. Je ne voulais pas vous faire peur.

— Je... non, ça va, balbutia-t-il. (Il me détailla de la tête aux pieds d'un rapide coup d'œil, s'arrêtant brièvement sur mes hanches et mes seins, mais s'attardant plus longuement sur mon visage.) Vous avez changé de tenue. (Prenant soudain conscience des innombrables implications que pouvait dissimuler une telle remarque, il se hâta d'ajouter :) Ce qui n'est pas une mauvaise chose. C'est même bien. Euh, je veux dire...

Devant la montée de son embarras, il se détourna et essaya maladroitement de ranger le livre sur le Texas sur l'étagère – à l'envers. Vraiment adorable, ce type ! Les timides dans son genre devenaient une denrée rare. Le code de conduite de l'homme moderne semblait exiger de lui qu'il se donne en spectacle face à une femme – et malheureusement, la gent féminine semblait apprécier. Mais les timides méritaient qu'on leur donne leur chance et un petit flirt inoffensif en attendant le début de la séance de signature ferait le plus grand bien à son amour-propre. Il n'avait probablement pas beaucoup de succès avec les femmes.

— Permettez, offris-je en me penchant devant lui. (Mes mains touchèrent les siennes quand je lui pris le livre pour le remettre en rayon, couverture vers l'avant.) Voilà.

Je reculai, comme pour admirer mon œuvre, m'assurant de me tenir tout près de lui, presque épaule contre épaule.

— La présentation est importante, expliquai-je. C'est bon pour les affaires.

Il risqua un regard dans ma direction, toujours nerveux, mais reprenant son calme.

— J'attache plus d'importance au contenu.

— Vraiment ? (Je me déplaçai légèrement, afin que nous nous touchions de nouveau, la flanelle de sa chemise frottant doucement contre ma peau nue.) Parce que j'aurais juré que, à peine un instant plus tôt, vous me sembliez plutôt captivé par les apparences.

Il baissa de nouveau les yeux, mais je vis la courbe d'un sourire sur ses lèvres.

— Certaines choses sont tellement saisissantes qu'elles ne peuvent qu'attirer l'attention.

— Et cela ne vous donne pas envie de savoir ce qui se cache à l'intérieur ?

— Ça me donne surtout envie de vous offrir quelques exemplaires de lancement.

Des exemplaires de lancement ? Qu'est-ce qu'il...

— Seth ? Seth, où... ah, vous voilà.

Paige déboucha dans notre allée, Doug sur ses talons. Elle s'anima en me voyant. Tirant enfin la conclusion qui s'imposait, je sentis mon estomac fuir lâchement hors de moi et s'écraser sur le sol avec un bruit sourd. Non. Non. Ce n'était pas poss…

— Ah, Georgina. Je vois que tu as déjà fait la connaissance de Seth Mortensen.

Chapitre 4

— Achève-moi, Doug. Là, maintenant. Mets fin à mes souffrances.

En dépit de mon immortalité, j'étais on ne peut plus sincère.

— Bon sang, Kincaid, qu'est-ce que tu lui as raconté ? murmura Doug.

Nous étions installés à côté du public venu écouter Seth Mortensen. Tous les sièges étant occupés, l'espace et la visibilité étaient très recherchés. J'avais la chance de me tenir dans la section réservée au personnel, ce qui me donnait une vue parfaite sur Seth lisant un extrait du *Pacte de Glasgow*. Pas que je tienne particulièrement à me trouver dans son champ de vision… En fait, j'aurais préféré ne plus jamais avoir à l'affronter face à face.

— Ben, j'ai insulté ses lecteurs, expliquai-je à Doug, gardant un œil sur Paige afin de ne pas attirer son attention avec nos chuchotements. Et je lui ai reproché de ne pas écrire assez vite.

Doug me dévisagea – j'avais dépassé ses espérances.

— Ensuite – ignorant qui il était – j'ai dit que je deviendrais volontiers l'esclave sexuelle de Seth Mortensen en échange d'exemplaires de lancement de ses livres.

Je ne m'étendis pas sur mon flirt improvisé. Dire que j'avais cru remonter le moral d'un gars un peu timide ! Grand Dieu. Seth Mortensen pouvait probablement coucher tous les soirs avec une groupie différente s'il en avait envie.

Mais cela ne lui ressemblait pas. Il avait manifesté la même nervosité initiale devant la foule de ses admirateurs qu'avec moi. Il sembla se détendre une fois qu'il commença à lire, modulant sa voix en fonction de l'intensité de l'intrigue et laissant à l'occasion percer une certaine ironie.

— C'est ton auteur favori et tu ne savais même pas à quoi il ressemblait ? s'étonna Doug.

— Il n'y a jamais de photo de lui dans ses livres ! Et puis je le voyais plus vieux.

Seth devait avoir dans les trente-cinq ans, un peu plus âgé que je ne paraissais dans ce corps, mais plus jeune que l'écrivain quadra que j'avais toujours imaginé.

— Prends les choses du bon côté, Kincaid. Tu as atteint ton objectif : il t'a remarquée.

J'étouffai un gémissement, couchant pitoyablement la tête sur l'épaule de Doug.

Paige se tourna vers nous et nous foudroya du regard. Fidèle à elle-même, notre patronne était superbe dans son ensemble rouge qui mettait en valeur sa peau couleur chocolat. Son début de grossesse gonflait légèrement sa veste et je ne pus m'empêcher de ressentir une pointe de jalousie.

Quand elle avait annoncé cette grossesse imprévue, elle avait déclaré dans un grand éclat de rire :

— Ce sont des choses qui arrivent, vous savez…

Sauf que, pour moi, ça n'était jamais arrivé. Quand j'étais mortelle, j'avais désespérément essayé de tomber enceinte, mais en vain ; j'étais devenue un objet de pitié et – dans mon dos, mais pas toujours – de railleries. En devenant un succube, j'avais abandonné tout espoir de maternité, même si je n'en avais pas eu conscience sur le moment. J'avais sacrifié la capacité de mon corps à créer la vie en échange de la jeunesse éternelle et de la beauté. Une immortalité pour une autre… Le passage des siècles vous donne beaucoup de temps pour accepter ce que vous pouvez et ne pouvez pas avoir, mais se le voir rappeler fait toujours aussi mal.

Gratifiant Paige d'un sourire qui promettait notre bonne conduite, je tournai mon attention vers Seth. Il venait de terminer sa lecture et passait aux questions. Comme je m'y attendais, les premières furent : « D'où tirez-vous vos idées ? » et « Est-ce que Cady et O'Neill vont finir par avoir une aventure ? »

Le bref coup d'œil qu'il lança dans ma direction avant de répondre me donna envie de rentrer sous terre. Je me souvins de mes remarques sur sa probable envie de s'empaler au cas où ces questions viendraient à être posées. Se retournant vers le public, il répondit sérieusement à la première et éluda la deuxième.

Il traita les suivantes avec concision, souvent avec un humour subtil et pince-sans-rire. Sans jamais un mot de trop, il s'efforça de donner satisfaction à ses lecteurs. Il semblait mal à l'aise face à la foule, ce que je trouvai un brin décevant.

À la lecture de ses livres, si percutants et intelligents, j'avais supposé que leur auteur s'exprimerait à l'oral avec la même aisance que dans les pages de ses romans. Je m'attendais à un déluge de mots plein d'assurance et d'esprit, un charisme digne du mien. Il avait montré un certain sens de la repartie quand nous avions discuté plus tôt, mais il lui avait fallu du temps pour enfin s'animer un peu.

Bien sûr, je savais combien il était malhonnête d'établir des comparaisons entre nous. Il ne possédait aucun don étrange lui permettant d'éblouir autrui et n'avait pas eu quelques siècles pour s'entraîner. Tout de même. Je n'aurais jamais cru un introverti un rien étourdi capable d'écrire mes livres préférés – injuste de ma part, mais tant pis.

— Tout se passe bien ? demanda une voix derrière nous.

Je regardai par-dessus mon épaule et vis Warren, le propriétaire de la librairie et mon copain de baise à l'occasion.

— Parfaitement, le rassura Paige avec la précision et l'efficacité qui la caractérisaient. Nous commencerons la séance de signature dans un quart d'heure.

— Bien.

Ses yeux balayèrent nonchalamment le reste du personnel avant de revenir sur moi. Il ne dit rien, mais la force de son regard me donna presque l'impression de sentir ses mains me déshabiller. Si cela n'avait tenu qu'à lui nous aurions baisé bien plus régulièrement, ce qui me convenait la plupart du temps puisqu'il constituait pour moi une façon rapide et fiable de me procurer une dose – certes faible

– de vie et d'énergie. Son peu de sens moral effaçait la culpabilité que j'aurais pu ressentir.

À la fin des questions, nous dûmes affronter un problème de maîtrise de la foule quand tout le monde se rangea en file indienne pour faire signer son livre. Je proposai mon aide, mais Doug m'assura qu'ils avaient la situation bien en main. Je restai donc à l'écart, essayant d'éviter de croiser le regard de Seth.

—Rejoins-moi dans mon bureau quand ce sera terminé, murmura Warren, s'approchant tout près de moi.

Il portait un costume gris foncé ce soir – du sur mesure, l'image même de l'homme de lettres raffiné. En dépit de l'opinion détestable que j'avais de cet homme qui trompait sa femme de trente ans avec une employée bien plus jeune, force m'était de lui reconnaître un certain charme physique. Mais après les événements de la journée, je n'avais pas le cœur à une partie de jambes en l'air dans son bureau à l'heure de la fermeture.

—Je ne peux pas, répondis-je à voix basse, les yeux rivés sur la séance de signature. J'ai d'autres projets pour ce soir.

—Mais non. Ce n'est pas le jour de ton cours de danse.

—C'est vrai, mais j'ai quelque chose d'autre de prévu.

—Quoi ?

—Un rencard.

Le mensonge me vint aisément aux lèvres.

—N'importe quoi.

—Si, c'est vrai.

—Tu ne sors jamais, alors n'essaie pas de t'en tirer comme ça. Ton seul rendez-vous de ce soir, c'est avec moi, dans mon bureau, et de préférence à genoux. (Il se rapprocha, me parlant à l'oreille ; je sentis son souffle chaud sur ma peau.) Bon sang, Georgina, tu es tellement sexy que je pourrais te prendre sur-le-champ. Te rends-tu compte de l'effet que tu me fais dans cette tenue ?

—Que *je* te fais ? Je ne fais rien du tout. C'est à cause de ce genre de comportement que des femmes sont voilées dans le monde entier. C'est s'en prendre aux victimes !

Il gloussa.

—Tu es vraiment impayable, tu sais ça ? Est-ce que tu portes au moins une culotte là-dessous ?

— Kincaid ? Tu peux venir nous filer un coup de main ?

Je me retournai et vis Doug. Tu m'étonnes... Warren me draguait et Doug avait subitement besoin de moi. Qui a dit que la galanterie avait disparu de ce monde ? Doug était l'une des rares personnes à être au courant de ma relation avec Warren – qu'il n'approuvait pas. Mais l'échappatoire qu'il me fournissait arrivait à point nommé et me permettait de me soustraire – même temporairement – à la concupiscence de Warren. J'allai donc aider Doug à la vente des livres.

Il fallut près de deux heures pour que la file de clients en quête d'autographe s'épuise, environ un quart d'heure avant l'heure de la fermeture. Seth Mortensen semblait un peu fatigué, mais de bonne humeur. Mon estomac se mit à faire des sauts périlleux quand Paige encouragea le personnel encore présent à venir lui parler. Elle nous présenta sans faire de manières.

— Warren Lloyd, le propriétaire de la librairie. Doug Sato, sous-directeur. Bruce Newton, responsable du café. Andy Kraus, responsable des ventes. Et vous connaissez déjà Georgina Kincaid, notre autre sous-directeur.

Seth hocha poliment la tête et serra la main de tout le monde. Quand vint mon tour, je détournai les yeux, attendant qu'il passe au suivant. Quand il n'en fit rien, je me recroquevillai mentalement, me préparant à quelque commentaire sur nos précédents échanges.

— G.K., fit-il.

Je clignai des yeux.

— Hein ?

— G.K., répéta-t-il comme si la signification de ces lettres était parfaitement claire.

Comme mon expression idiote persistait, il indiqua d'un rapide signe de la tête l'un des prospectus réalisés pour la promotion de cette soirée.

On pouvait y lire :

« Si vous n'avez jamais entendu parler de Seth Mortensen, c'est que vous avez dû vivre sur une autre planète pendant ces huit dernières années. Le monde du polar lui doit une véritable révolution qui, du jour au lendemain, a fait ressembler le travail de l'ensemble de ses concurrents à de vagues gribouillis. Avec plusieurs best-sellers à son actif, Seth Mortensen continue de livrer régulièrement de nouveaux épisodes des enquêtes de Cady & O'Neill tout en trouvant le temps d'écrire des romans indépendants de cette série incroyablement populaire. *Le Pacte de Glasgow* conduit ces enquêteurs intrépides hors de nos frontières afin d'élucider des mystères archéologiques, rivalisant d'esprit dans d'incessants duels verbaux riches en allusions sexuelles. Les gars, si votre petite amie vous a posé un lapin ce soir, c'est qu'elle nous a rejoints ici, avec *Le Pacte de Glasgow* sous le bras, en espérant qu'à son retour vous ressembliez un peu plus à O'Neill.

G.K. »

— G.K. c'est vous. Vous avez écrit la critique.

Il me regarda dans l'attente d'une confirmation, mais je restai sans voix, incapable de prononcer la remarque intelligente qui me brûlait les lèvres. J'avais bien trop peur. Après mes précédentes mésaventures, je craignais trop de commettre un impair.

Finalement, troublé par mon silence, il demanda de façon hésitante :

— Vous êtes écrivain ? C'est vraiment bon.

— Non.

— Ah. (Après quelques instants d'un silence plutôt froid, il reprit :) Eh bien, je suppose que si certaines personnes écrivent les histoires, d'autres les vivent.

J'eus l'impression qu'il m'avait lancé une pique, mais je me mordis la lèvre pour ne pas répondre, restant dans mon rôle de garce glaciale, histoire de désamorcer mon flirt de tout à l'heure.

Sans en comprendre l'origine, Paige sentit la tension entre Seth et moi et s'efforça de la dissiper.

— Georgina est l'une de vos plus fidèles admiratrices. Elle était absolument ravie quand elle a appris que votre tournée de promotion passait par chez nous.

— Oui, renchérit sournoisement Doug. Vos livres font presque d'elle une *esclave*. Demandez-lui combien de fois elle a lu *Le Pacte de Glasgow*.

Je le foudroyai du regard, mais Seth – sincèrement curieux – concentra de nouveau son attention sur moi. *Il essaie de rétablir nos précédents rapports*, compris-je avec tristesse. Je ne pouvais pas laisser cela arriver.

— Combien de fois ?

J'avalai ma salive, ne souhaitant pas répondre, mais le poids de tous ces regards devint trop lourd.

— Aucune. Je ne l'ai pas encore fini.

Grâce à mon aplomb naturel, je prononçai ces mots avec calme et assurance, dissimulant mon embarras.

Seth parut surpris – à l'instar de tous les présents. Ils me dévisageaient tous, légitimement perplexes. Seul Doug connaissait l'explication.

— Tu ne l'as pas encore lu ? demanda Warren en fronçant les sourcils. Mais il est sorti depuis plus d'un mois, non ?

Doug – le salaud – fit un grand sourire.

— Dis-leur le reste. Dis-leur combien de pages tu lis par jour…

J'aurais souhaité que le sol s'ouvre sous mes pieds et m'engloutisse, afin d'échapper à ce cauchemar. Me conduire comme une catin arrogante aux yeux de Seth Mortensen n'avait visiblement pas suffi, Doug comptait bien me faire honte en m'obligeant à confesser mon habitude ridicule.

— Cinq, finis-je par avouer. Je ne lis que cinq pages par jour.

— Pourquoi ? demanda Paige.

Elle n'avait apparemment jamais entendu cette histoire.

Je sentis le rouge me monter aux joues. Paige et Warren me dévisageaient comme si j'étais une créature d'une autre planète, tandis que Seth se contentait de garder le silence, l'air amusé. Je respirai à fond avant d'enchaîner rapidement :

— Parce que… parce que c'est si bon et qu'il n'y a qu'une première fois et que je veux que ça dure. C'est une expérience unique. Sinon je le finirais en une journée, mais ce serait comme de manger un pot de glace en une seule fois – trop, et trop vite. Je fais durer le plaisir – et le livre. Je le savoure. Bien obligée ! Il n'en sort pas si souvent.

Prenant conscience que je venais – de nouveau – de dénigrer la façon de travailler de Seth, je fermai aussitôt mon clapet. Il ne réagit pas à mon commentaire et je désespérai de déchiffrer l'expression de son visage. Pensive, peut-être. Je réitérai en silence ma prière pour que le sol m'avale tout entière et me sauve de l'humiliation. En vain.

Doug me fit un sourire pour me rassurer. Il trouvait ma petite manie adorable. Paige, manifestement pas du même avis, semblait partager mon souhait d'être ailleurs. Elle s'éclaircit la voix de manière courtoise et changea complètement de sujet. Après cela, je prêtai à peine attention à la suite de la conversation. Seth Mortensen devait probablement me prendre pour une cinglée un peu excentrique et je n'avais qu'une hâte : que cette soirée se termine.

— ... Kincaid pourrait le faire.

Entendre mon nom me ramena à la réalité quelques minutes plus tard.

— Quoi ?

Je me tournai vers Doug qui venait de parler.

— Tu pourrais, non ? répéta-t-il.

— Je pourrais quoi ?

— Servir de guide à Seth demain. (Doug s'adressait à moi comme à une enfant, avec patience.) Pour le familiariser avec la ville.

— Mon frère est trop occupé, expliqua Seth.

Je balbutiai, refusant d'admettre que j'avais perdu le fil pendant que je m'apitoyais sur moi-même.

— Je...

— Si vous ne voulez pas..., commença Seth sur un ton hésitant.

— Mais bien sûr qu'elle en a envie. (Doug me poussa du coude.) Allez. Sors de ton trou.

Nous échangeâmes un regard entendu, digne de Jerome et Carter.

— D'accord. Comme tu veux.

Nous convînmes d'une heure et d'un lieu de rendez-vous et je me demandai dans quel pétrin je venais de me fourrer. Je ne voulais plus être remarquée. En fait, j'aurais préféré qu'il m'efface de son esprit pour toujours. Lui faire visiter Seattle ne me semblait pas la meilleure méthode pour y parvenir. J'allais probablement en profiter pour me ridiculiser un peu plus.

La conversation touchant à sa fin, nous allions nous disperser quand je pris soudain conscience de quelque chose.

— Oh... Hé ! Monsieur Mortensen... Seth !

Il se tourna vers moi.

— Oui.

J'essayai désespérément de dire quelque chose qui annulerait l'effet désastreux de la somme de malentendus et de situations gênantes qui avaient entaché nos relations jusqu'alors. Malheureusement, il ne me vint rien d'autre à l'esprit que : *D'où tirez-vous vos idées ?* et *Est-ce que Cady et O'Neill vont finir par avoir une aventure ?* J'oubliai ces bêtises et lui tendis simplement mon exemplaire de son livre.

— Vous voulez bien me le dédicacer ?

Il le saisit.

— Euh, oui, bien sûr. (Une pause.) Je vous le rapporterai demain.

Me priver de mon livre pour la nuit ? N'avais-je donc pas assez souffert ?

— Vous ne pouvez pas me le signer tout de suite ?

Il haussa les épaules d'un air désolé, comme si cela ne dépendait pas de lui.

— Je ne saurais pas quoi écrire…

— Signez-le, c'est tout.

— Je vous le rapporterai demain, répéta-t-il en partant avec mon *Pacte de Glasgow* comme s'il ne m'avait pas entendue.

Consternée, j'envisageai sérieusement de le rattraper et de le lui reprendre – de force, au besoin – mais Warren me tira soudain par le bras.

— Georgina, dit-il aimablement alors que je regardais – impuissante – mon livre s'éloigner. Nous avons toujours ce petit problème dont il faut que nous parlions dans mon bureau.

Non. Rien à faire. Pas question de coucher avec lui après une telle débâcle. Me tournant lentement vers lui, je secouai la tête.

— Je t'ai déjà dit que je ne pouvais pas ce soir.

— Oui, je sais. Ton rendez-vous fictif.

— Il n'a rien de fictif. J'ai rendez-vous…

Tout en parlant, j'essayai désespérément de trouver une porte de sortie. Aucun portail magique n'apparut dans le rayon des livres de cuisine, mais je croisai subitement le regard d'un type qui feuilletait nos livres en langue étrangère. En réponse à mon attention, il me sourit avec curiosité et, en un éclair, je décidai de me jeter à l'eau.

— … avec lui. Là-bas.

Je fis un signe de la main à mon inconnu, l'invitant à me rejoindre. Visiblement surpris – ce qui se comprenait parfaitement –, il posa son livre et marcha vers nous. Quand il arriva, je glissai familièrement mon bras autour de sa taille et lui lançai un regard connu pour avoir mis des rois à genoux.

— On y va ?

Une lueur d'étonnement brilla dans ses yeux – magnifiques, soit dit en passant. Bleu-vert intense. À mon grand soulagement, il joua le jeu et me retourna mon service comme un chef.

— Quand tu veux. (Son propre bras s'enroula autour de ma taille, sa main s'arrêtant sur ma hanche avec une audace surprenante.) J'aurais dû arriver plus tôt, mais j'ai été retenu dans les embouteillages.

Adorable. Je jetai un coup d'œil à Warren.

— On remet notre discussion à plus tard ?

Warren nous dévisagea tous les deux.

— Oui. Bien entendu. Pas de problème.

Warren se montrait plutôt possessif avec moi, mais pas assez pour défier un concurrent plus jeune.

Quelques collègues observaient la scène avec intérêt. Comme Warren, aucun d'eux ne m'avait jamais vue sortir avec un homme. Seth Mortensen rangeait ses affaires dans sa serviette, sans un regard dans ma direction, ayant apparemment oublié jusqu'à mon existence. Il ne répondit même pas quand je saluai à la cantonade. Ça valait probablement mieux ainsi.

Mon « rendez-vous » et moi quittâmes la librairie et sortîmes dans la nuit froide. Il avait cessé de pleuvoir, mais les nuages et les lumières de la ville masquaient les étoiles. En l'étudiant de plus près, j'en arrivai presque à souhaiter que nous sortions ensemble pour de bon.

Il était grand – vraiment grand. Sans doute vingt-cinq bons centimètres de plus que mon petit mètre soixante. Sous ses cheveux noirs et ondulés, son visage profondément hâlé faisait presque flamboyer ses yeux couleur marine. Il portait un long manteau noir en laine et une écharpe avec un motif écossais noir, bordeaux et vert.

— Merci, dis-je, après que nous nous fûmes arrêtés au coin de la rue. Vous m'avez tirée d'une situation… embarrassante.

—Tout le plaisir est pour moi. (Il me tendit sa main.) Je m'appelle Roman.

—Joli prénom.

—Si on veut. On se croirait dans un roman à l'eau de rose.

—Ah bon?

—Oui. Personne ne porte un prénom pareil dans la vraie vie. Mais dans ce genre de livres, c'est monnaie courante. « Roman, cinquième duc de Wellington. » « Roman le terrible mais néanmoins fringant et étrangement séduisant pirate au long cours. »

—Vous savez? Je crois bien avoir lu celui-là... Je suis Georgina.

—C'est ce que je vois. (D'un geste de la tête, il désigna le badge que je portais autour du cou. Une bonne excuse pour mater mon décolleté.) Vous vous habillez toujours ainsi pour aller travailler?

—En fait, ces fringues commencent vraiment à me taper sur les nerfs, avouai-je en repensant aux différentes réactions provoquées par ma tenue.

—Je peux vous prêter mon manteau. Où allons-nous?

—Où...? *Nous* n'allons nulle part. Je vous l'ai dit: vous m'avez tirée d'un mauvais pas, rien de plus.

—Hé! Ça mérite une petite récompense, vous ne croyez pas? Un mouchoir? Un baiser sur la joue? Votre numéro de téléphone?

—Non!

—Allez... Vous avez vu comme je m'en suis bien tiré? Je n'ai pas hésité une seconde quand vous m'avez lancé ce regard aguichant.

Je ne pouvais pas le nier.

—Très bien. C'est le 555-1 200.

—C'est le numéro de la librairie.

—Comment le savez-vous?

Il montra du doigt l'enseigne d'*Emerald City* derrière moi. Elle comportait tous les renseignements nécessaires pour contacter la librairie.

—Parce que je sais lire.

—Waou! Comparé aux types qui me draguent d'habitude, ça fait de vous un génie.

Il reprit espoir.

—Alors vous acceptez de sortir avec moi?

— Non. Je vous suis reconnaissante de votre aide, mais je ne sors jamais.

— N'y voyez pas un rendez-vous galant, alors, mais plutôt... la rencontre de deux esprits.

Sa façon de me regarder suggérait qu'il ne se contenterait pas de mon esprit. Je ne pus réprimer un frisson, mais le froid n'y était pour rien. En fait, je commençais à ressentir une chaleur déconcertante.

Il déboutonna son manteau.

— Tenez. Vous êtes gelée. Mettez-le. Je vous reconduis chez vous. Ma voiture est garée dans la rue d'à côté.

— J'habite à deux pas.

Son manteau avait conservé la chaleur de son corps et sentait bon. Un mélange de cK One et, ben, d'*homme* quoi. Miam.

— Alors laissez-moi vous raccompagner.

Sa persévérance était charmante, raison de plus pour y mettre un terme tout de suite. Exactement le genre de type bien que je m'efforçais d'éviter.

— Soyez sympa, supplia Roman quand je ne répondis pas. Je ne demande pas grand-chose. Je ne vais pas vous harceler. Permettez-moi de vous raccompagner chez vous – juste une fois. Ensuite, je vous promets de disparaître à tout jamais.

— Écoutez, vous me connaissez à peine... (Je m'interrompis, réfléchissant à ses dernières paroles.) D'accord.

— D'accord pour quoi ?

— Vous pouvez me ramener à la maison.

— C'est vrai ?

Il s'anima.

— Ouaip !

Trois minutes plus tard, à notre arrivée devant mon immeuble, il leva les bras au ciel en signe de consternation.

— Ce n'est pas juste. Vous vivez juste à côté.

— « Juste une fois. » C'est bien ce que vous m'avez demandé.

Roman secoua la tête.

— Pas juste. Vraiment pas juste. (Il leva des yeux plein d'espoir vers mon immeuble.) Mais au moins je sais où vous habitez, maintenant.

— Hé ! Vous avez promis de ne pas me harceler.

Il sourit, ses magnifiques dents blanches et brillantes contrastant avec sa peau bronzée.

— Il n'est jamais trop tard pour bien faire. (Il se pencha pour me déposer un baiser sur la main et me fit un clin d'œil.) À bientôt, belle Georgina…

Il tourna les talons et s'éloigna dans la nuit du quartier de Queen Anne. Je le suivis du regard, le contact de ses lèvres sur ma peau encore perceptible. La soirée avait décidément pris un tour inattendu – et déconcertant.

Quand il eut disparu de mon champ de vision, je me retournai et entrai dans mon immeuble. J'avais gravi la moitié des marches quand je remarquai que je portais toujours son manteau. Comment allais-je bien pouvoir le lui rendre ? *Il l'a fait exprès*, compris-je.

Je sus brusquement que je reverrais le rusé Duc Roman. Et plus tôt que je le pensais.

Avec un petit rire, je repris la montée vers mon appartement et m'arrêtai de nouveau après quelques marches.

— Pas encore, grommelai-je avec exaspération.

Des sensations familières tourbillonnaient derrière ma porte. On aurait dit une tempête qui couvait, une sorte de bourdonnement d'abeilles.

Un groupe d'immortels se trouvait chez moi.

Putain ! Si ça continuait, j'allais faire payer l'entrée. Pourquoi tout le monde se croyait-il soudain autorisé à pénétrer chez moi en mon absence ?

Puis je pris conscience, l'espace d'une fraction de seconde, que je n'avais pas senti la présence de Jerome et Carter, plus tôt. Ils m'avaient prise complètement par surprise. Étrange, mais sur le moment je n'y avais pas prêté attention, trop occupée à digérer la nouvelle qu'ils étaient venus m'annoncer.

De manière similaire, la colère que je ressentais en ce moment m'empêchait de creuser la question. J'étais vraiment en pétard. Mon sac en bandoulière, j'entrai comme un ouragan.

Chapitre 5

— Pour quelqu'un qui vient d'orchestrer un meurtre, je te trouve bien susceptible.

Susceptible ? Dans les dernières vingt-quatre heures, j'avais dû endurer un puceau et un vampire effrayant, un meurtre – dont on m'avait également accusée – et une humiliation publique en présence de mon auteur préféré. Je ne demandais pas la lune, juste de rentrer chez moi et d'avoir un peu la paix. Au lieu de cela, je tombai sur trois intrus. Que ces intrus soient également mes amis ne changeait rien à l'affaire. C'était une question de principe.

Naturellement, aucun d'eux ne comprit pourquoi j'en faisais tout un drame.

— Vous vous immiscez dans ma vie privée ! Et je n'ai tué personne. Pourquoi faut-il que tout le monde soit persuadé du contraire ?

— Parce que tu as clairement annoncé que tu en avais l'intention, expliqua Hugh. (Affalé sur mon canapé, le démon me donnait l'impression d'être l'intruse.) Jerome me l'a dit.

En face de lui, notre ami Cody m'offrit un sourire amical. Exceptionnellement jeune pour un vampire, je le considérais comme le petit frère que je n'avais jamais eu.

— Ne t'inquiète pas. Il n'a eu que ce qu'il méritait. On te soutient à cent pour cent.

— Mais je n'ai pas…

— Est-ce bien notre illustre hôtesse que j'entends ? appela Peter depuis la salle de bains.

L'instant d'après, il apparut dans le couloir.

— T'es drôlement bien sapée pour un génie du crime.

— Je ne suis pas… (Mes paroles vinrent mourir sur mes lèvres quand je l'aperçus. L'espace d'un instant, j'oubliai tout ce qui concernait le meurtre et l'intrusion dans mon appartement.) Pour l'amour du ciel, Peter ! Qu'est-ce que tu as fait à tes cheveux ?

Il passa timidement la main au-dessus des pointes d'un bon centimètre qui lui couvraient le crâne. J'arrivais à peine à imaginer la quantité de gel qu'il lui avait fallu afin de défier à ce point les lois de la physique. Pire, le bout décoloré de chaque pointe jurait audacieusement avec le noir naturel de ses cheveux.

— Quelqu'un au boulot m'a donné un coup de main.

— Quelqu'un qui te déteste ?

Peter se renfrogna.

— Tu es le succube le moins charmant que je connaisse.

— Je pense que ça, euh, accentue la forme de tes sourcils, offrit Cody avec diplomatie. C'est juste… qu'il va falloir s'habituer…

Je secouai la tête. J'aimais bien Peter et Cody, les seuls vampires que je comptais parmi mes amis, mais cela ne les rendait pas moins pénibles. Entre Peter et ses diverses névroses et l'optimisme obstiné de Cody, je me sentais parfois comme le personnage raisonnable dans une sitcom.

— Et c'est pas demain la veille, maugréai-je en prenant un tabouret de bar à la cuisine.

— Tu peux parler, répliqua Peter. Avec tes ailes et ton fouet…

J'en restai bouche bée et je lançai un regard incrédule à Hugh. Il se dépêcha de refermer le catalogue Victoria's Secret qu'il était en train de feuilleter.

— Georgina…

— Tu m'avais promis de ne rien dire ! « Motus et bouche cousue » : ce sont tes propres mots !

— Je… euh… ça m'a échappé.

— Tu t'es vraiment laissé pousser des cornes ? demanda Peter.

— Très bien, ça suffit. Tout le monde dehors! (Je désignai la porte du doigt.) J'ai eu ma dose pour aujourd'hui et je n'ai vraiment pas besoin que vous en rajoutiez.

— Mais tu ne nous as même pas raconté comment tu as mis un contrat sur la tête de Duane. (Avec ses yeux de chiot, Cody me lança un regard suppliant.) On meurt tous d'envie d'en savoir plus.

— Sur un plan technique, c'est Duane qui est mort, souligna Peter à mi-voix.

— Tu ferais mieux de garder tes sarcasmes pour toi, si tu ne veux pas être le suivant sur la liste, l'avertit Hugh.

À ce stade, je n'aurais pas été surprise de voir de la vapeur sortir de mes oreilles.

— Pour la dernière fois, je n'ai pas tué Duane! Et Jerome me croit, d'accord?

— Mais tu l'as menacé, protesta Cody, songeur.

— Oui. Et si mes souvenirs sont bons, vous en avez tous fait autant à un moment ou à un autre. Il s'agit d'une coïncidence. Je n'ai rien à voir avec ça et... (Je réalisai brusquement une chose.) Pourquoi est-ce que tout le monde emploie des formules comme « orchestrer un meurtre » ou « mettre un contrat sur sa tête » ? Pourquoi ne pas m'accuser de l'avoir tué de mes propres mains?

— Attends un peu... tu viens de nous affirmer que tu n'y étais pour rien.

Peter roula des yeux à l'intention de Cody avant de me faire face, l'expression du plus âgé des deux vampires devenant soudain sérieuse. Bien sûr, l'adjectif « sérieux » prend une tout autre signification couplé à une coiffure comme la sienne.

— Personne ne t'accuse parce que tu n'en aurais pas été capable.

— En particulier avec ces chaussures-là aux pieds.

Hugh fit un signe de la tête en direction de mes talons hauts.

— J'apprécie vraiment votre manque total de confiance en mes capacités, mais ne pensez-vous pas que j'aurais pu, je ne sais pas moi, le prendre par surprise? Simple hypothèse, bien entendu.

Peter sourit.

— Ça n'aurait rien changé. Les simples immortels ne peuvent pas s'entre-tuer. (Devant mon expression étonnée, il ajouta :) Comment peux-tu ignorer une chose pareille? Après avoir vécu si longtemps?

Il en profitait pour me taquiner. Dans notre petit cercle de mortels devenus immortels, il avait toujours plané une sorte de mystère sur lequel de nous deux était le plus vieux. Comme nous n'avions ni l'un ni l'autre ouvertement admis notre âge, nous n'avions jamais réellement déterminé qui comptait le plus de siècles au compteur. Une nuit, après une bouteille de tequila, nous avions commencé à jouer à « Te souviens-tu du temps où… », mais n'étions pas arrivés au-delà de la révolution industrielle avant de perdre connaissance.

— Parce que personne n'a jamais essayé de me tuer. Est-ce que ça veut dire que les guéguerres de territoires entre vampires comptent pour du beurre ?

— Pas pour du beurre, non, expliqua-t-il, les blessures infligées sont bien réelles, tu peux me croire, mais personne n'y laisse sa peau. Vu le nombre de litiges, nous ne serions plus très nombreux si nous avions la capacité de nous entre-tuer.

Je restai silencieuse, faisant tourner cette révélation dans ma tête.

— Alors comment… (Je me souvins brusquement de ce que Jerome m'avait dit.) Ils sont tués par des chasseurs de vampires.

Peter hocha la tête.

— Qui sont-ils alors ? demandai-je. Jerome n'a pas voulu s'étendre sur le sujet.

Hugh se montra également intéressé.

— Comme la fille de la télé ? La petite blonde sexy ?

— La nuit promet d'être longue. (Peter nous lança un regard cinglant.) Vous avez vraiment besoin d'une sérieuse révision sur le B.A.BA du vampirisme. Tu as l'intention de nous laisser mourir de soif, Georgina ?

Je fis un geste impatient en direction de la cuisine.

— Sers-toi. Et parle-moi de ces chasseurs de vampires.

Peter sortit d'un pas nonchalant de mon salon et glapit quand il faillit trébucher sur l'une des nombreuses piles de livres qui encombraient le plancher. Je notai mentalement d'acheter une nouvelle étagère. La mine renfrognée, il inspecta le contenu de mon réfrigérateur presque vide avec désapprobation.

— Tu ne sais vraiment pas recevoir.

— Peter…

— Tu sais, on m'a touché un mot de cet autre succube… à Missoula, je crois. Comment s'appelle-t-elle, déjà ?

— Donna.

— C'est ça, Donna. Elle sait organiser une soirée, elle. Elle fait appel à un traiteur. Elle invite tout le monde.

— Si vous avez envie d'aller faire la fête dans ce trou perdu du Montana, je ne vous retiens pas. Maintenant, arrête de me faire perdre mon temps.

M'ignorant, Peter regarda les œillets rouges que j'avais achetés l'autre nuit. Je les avais mis dans un vase près de l'évier.

— Qui t'a envoyé des fleurs ?

— Personne.

— Tu t'es toi-même envoyé des fleurs ? demanda Cody d'une voix tremblante de compassion.

— Non, je les ai juste achetées. Ça n'a rien à voir. Je n'ai pas… Ça suffit ! Je ne sais même pas pourquoi nous avons cette conversation alors qu'un prétendu chasseur de vampires se balade en liberté. Est-ce que vous courez un danger tous les deux ?

Peter se décida pour de l'eau, mais jeta une bière à Hugh et Cody.

— Non.

— Ah bon ?

Cody sembla surpris d'entendre cela. Son peu d'années d'expérience en tant que vampire en faisait pratiquement un bébé comparé au reste d'entre nous. Peter lui apprenait les « ficelles du métier » en quelque sorte.

— Les chasseurs de vampires ne sont que de simples mortels nés avec le don d'infliger de réels dégâts aux vampires. Le commun des mortels est incapable de nous faire du mal. Ne me demandez pas comment ou pourquoi, cela ne fonctionne pas suivant une logique bien établie, à ce que je sache. La plupart des chasseurs de vampires, comme on les appelle, vivent toute leur vie sans même avoir conscience de ce don. Les autres décident parfois d'en faire une carrière. Ils surgissent, de temps à autre, éliminent un vampire ou deux et deviennent une source d'agacement pour tout le monde jusqu'à ce qu'un vampire ou un démon un peu plus entreprenant leur règle leur compte.

— Agacement ? répéta Cody incrédule. Tu parles d'agacement, même après ce qui est arrivé à Duane ? Tu n'as pas peur que cet individu s'en prenne à toi ? À nous ?

— Non, répondit Peter. Pas le moins du monde.

Je partageais la confusion de Cody.

— Pourquoi ?

— Parce que qui que soit cette personne, elle se comporte comme un amateur. (Peter nous jeta un coup d'œil, à Hugh et moi.) Qu'a dit Jerome à propos de la mort de Duane ?

Décidant que j'avais moi-même besoin d'un verre, je dévalisai le bar et me préparai un gimlet.

— Il voulait savoir si j'y étais pour quelque chose.

Peter balaya cette idée d'un geste dédaigneux.

— Non, sur la façon dont il est mort.

Hugh fronça les sourcils, apparemment perplexe devant la logique de son raisonnement.

— Il a dit qu'on avait retrouvé Duane avec un pieu enfoncé dans le cœur.

— Là. Tu vois ?

Peter nous regarda avec l'air d'attendre quelque chose, mais ne réussit qu'à provoquer un sentiment d'incompréhension parmi nous.

— Je ne comprends pas, finis-je par me lancer.

Peter soupira, manifestement agacé.

— Si tu es un mortel qui possède la capacité semi-divine de tuer un vampire, la méthode importe peu, bon sang ! Tu peux utiliser un pistolet, un couteau, un chandelier, ce que tu veux ! Le coup du pieu dans le cœur est une légende. Si un mortel normal s'attaque à un vampire de cette façon, il ne parviendra qu'à le mettre vraiment en rogne. On en entend parler uniquement quand c'est l'œuvre d'un chasseur de vampires et c'est la raison pour laquelle le pieu a fini par acquérir une sorte d'attrait superstitieux, alors qu'en fait, c'est juste comme cette histoire d'œuf pendant l'équinoxe.

— Quoi ?

Hugh parut totalement perdu.

Je me frottai les yeux.

— Il m'en coûte de l'admettre, mais je sais de quoi il parle. À en croire un mythe urbain, les œufs sont capables de se tenir debout lors des équinoxes. Parfois ça marche, d'autres fois non, mais la vérité c'est que tu obtiendrais le même résultat tout au long de l'année. Mais comme les gens n'essaient qu'à l'équinoxe, c'est tout ce qu'on retient. (Je jetai un coup d'œil à Peter.) Si je suis ton raisonnement, tu prétends que les chasseurs de vampires ont l'embarras du choix, mais que, parce qu'il attire l'attention, le pieu est devenu la méthode la plus couramment admise de « révocation d'immortalité. »

— Dans l'esprit des gens, corrigea-t-il. En réalité, c'est vraiment galère d'enfoncer un pieu dans le cœur de quelqu'un. C'est beaucoup plus facile de simplement lui tirer dessus.

— Et tu penses que notre chasseur est un amateur parce que...

Cody ne termina pas sa phrase, visiblement peu convaincu par la captivante analogie avec l'œuf.

— Parce qu'un chasseur digne de ce nom sait tout cela et n'utiliserait jamais un pieu. On a affaire à un bleu !

— Mais peut-être que notre chasseur préfère travailler à l'ancienne et utiliser les bonnes vieilles méthodes, répliquai-je. Et même s'il s'agit d'un « bleu », quelle importance ? Il a quand même réussi à éliminer Duane.

Peter haussa les épaules.

— C'était un connard arrogant. Les vampires sont capables de sentir les chasseurs qui les approchent. Avec en plus l'inexpérience de ce chasseur-là, Duane n'aurait jamais dû y passer. Il a fait preuve de stupidité.

J'ouvris la bouche pour protester. J'aurais été la première à admettre que Duane se montrait arrogant – et que c'était un connard – mais il n'était certainement pas stupide. Les immortels que nous étions ne pouvaient pas vivre aussi longtemps et voir autant de choses sans accumuler une expérience substantielle et apprendre à se débrouiller en toutes circonstances. Et nous apprenions vite...

Une autre question commençait à me tarauder.

— Ces chasseurs peuvent-ils faire du mal à d'autres immortels que les vampires ?

— Pas à ma connaissance.

Quelque chose ne collait pas entre les commentaires de Peter et ce que m'avait dit Jerome. Comme je ne parvenais pas à mettre le doigt sur ce qui me chiffonnait exactement, je gardai mes doutes pour moi et laissai les autres continuer leur discussion. Le sujet du chasseur de vampires finit bientôt par lasser, une fois qu'ils eurent décidé – d'un commun accord et avec un brin de déception – que je n'avais passé de contrat avec personne. Cody et Hugh semblaient également se satisfaire de la théorie de Peter selon laquelle un chasseur amateur ne constituait pas une menace réelle.

— Faites bien attention à vous, prévins-je les vampires au moment où ils s'apprêtaient à prendre congé. Bleu ou pas, Duane est bien mort.

— Oui, maman, répondit Peter d'une voix indifférente en enfilant son manteau.

Je lançai un regard sévère à Cody qui sembla un peu gêné. Plus facile à manipuler que son mentor, il répondit :

— Je serai prudent, Georgina.

— Appelez-moi s'il se passe quoi que ce soit de bizarre.

Il hocha la tête, ce qui lui valut un roulement d'yeux de la part de Peter.

— Dépêche-toi, le pressa l'aîné des vampires. Allons dîner.

Je ne pus m'empêcher de sourire. Pour la plupart des gens, le terme « dîner » employé par un vampire aurait pris une signification terrifiante, mais je savais à quoi m'en tenir. Peter et Cody détestaient tous deux chasser des proies humaines. Il leur arrivait de se plier à la tradition, mais ne tuaient que rarement leurs victimes. Ils se nourrissaient essentiellement de morceaux bien saignants achetés chez le boucher. Tout comme moi, ils ne mettaient pas beaucoup de zèle dans leur mission infernale.

— Hugh, l'interpellai-je sèchement alors qu'il faisait mine d'emboîter le pas aux vampires. J'ai deux mots à te dire.

Les vampires lui lancèrent un regard compatissant avant de s'éclipser. Le démon fit la grimace, referma la porte et se tourna vers moi.

— Hugh, je t'ai donné la clé de mon appartement en cas d'urgence.

— Et le meurtre d'un vampire ne constitue pas une urgence ?

— Je suis sérieuse ! C'est déjà assez pénible de voir Jerome et Carter se téléporter ici, sans qu'en plus tu décides d'ouvrir ma porte à Dieu et au monde entier !

— Il ne me semble pas avoir aperçu Dieu parmi les invités ce soir.

— En plus, tu leur as parlé de mon déguisement de démone dominatrice...

— Oh arrête..., protesta-t-il. Comment j'aurais pu garder ça pour moi ? Et puis, ce sont nos amis. Où est le problème ?

— Tu avais promis de tenir ta langue, voilà le problème, grondai-je. Quel genre d'ami es-tu ? En particulier après ce que j'ai accepté de faire pour toi la nuit dernière ?

— Bon sang, Georgina, je suis désolé. Je ne pensais pas que tu le prendrais aussi mal.

Je passai la main dans mes cheveux.

— Ce n'est pas uniquement à cause de ça. C'est... je ne sais pas. Toute cette histoire avec Duane. Je réfléchissais à ce que m'avait dit Jerome...

Sentant que j'avais quelque chose d'important à l'esprit, Hugh patienta, le temps pour moi de rassembler mes pensées. Je repassai dans ma tête les événements de la nuit, observant la silhouette imposante du démon à côté de moi. Parfois, il lui arrivait de se comporter aussi bêtement que les vampires. J'ignorais si je pouvais lui parler sérieusement.

— Hugh... comment savoir si un démon ment ?

Il y eut un silence, puis il émit un petit rire, reconnaissant une vieille blague.

— Ses lèvres bougent. (Nous étions accoudés au plan de travail dans ma cuisine et il me dévisagea de toute sa hauteur.) Pourquoi ? Tu penses que Jerome nous ment ?

— Oui.

Une nouvelle pause.

— Je t'écoute.

— Jerome m'a conseillé de me montrer prudente, il a affirmé que je risquais d'être prise pour un vampire.

— Il m'a dit la même chose.

— Mais Peter nous a assuré que les chasseurs de vampires ne peuvent pas nous tuer.

— On t'a déjà enfoncé un pieu dans le cœur ? Même si tu n'en meurs pas, ça ne te fera sans doute pas de bien.

— D'accord. Mais Jerome a prétendu que les chasseurs débusquent les vampires en filant leurs proies. C'est des conneries ! Cody et Peter forment une exception. Tu sais bien comment se comportent la plupart des vampires – ils ne traînent pas ensemble. En général, suivre l'un d'eux ne te conduira pas à un autre.

— Oui, mais Peter nous a expliqué qu'on avait affaire à un bleu.

— Jerome n'a rien dit de tel. Ce n'est qu'une hypothèse échafaudée par Peter à partir de cette histoire de pieu.

Hugh m'accorda un grognement conciliant.

— D'accord. D'après toi, qu'est-ce qui se passe ?

— Je l'ignore. Mais je sais reconnaître des contradictions. Et Carter me paraît très impliqué, comme s'il partageait un secret avec Jerome. Pourquoi Carter devrait-il s'en soucier ? En principe, son camp devrait apporter son soutien à quelqu'un qui aurait entrepris d'éliminer les nôtres.

— C'est un ange. Est-ce qu'il n'est pas censé aimer tout le monde, même les damnés ? En particulier quand lesdits damnés sont ses copains de beuverie.

— Je ne sais pas. On ne nous dit pas tout… et Jerome semblait vraiment insister pour que je fasse preuve de prudence. Avec toi aussi, apparemment.

Il resta silencieux pendant quelques instants, avant de reprendre :

— Tu es super-canon, Georgina.

Je sursautai. Moi qui espérais une conversation sérieuse…

— Qu'est-ce que tu as bu, à part cette bière ?

— J'en oublie, continua-t-il en ignorant ma question, combien tu es intelligente. Je vis tellement entouré de femmes superficielles – des femmes au foyer de banlieue qui désirent une peau plus lisse et une poitrine plus grosse – uniquement soucieuses de leur apparence. Il est facile de se laisser aveugler par les stéréotypes et d'oublier que derrière ce joli minois se cache un cerveau. Tu vois les choses différemment du reste d'entre nous – plus clairement, je suppose. Tu as une vue d'ensemble. Peut-être que c'est une question d'âge – sans vouloir te vexer.

— Tu bois trop. En outre, je ne suis pas suffisamment

intelligente pour deviner ce que nous cache Jerome. À moins que… Il n'existe pas de chasseurs de succubes ou de démons, pas vrai ?

— Tu en as déjà entendu parler ?

— Non.

— Moi non plus. Mais j'ai entendu parler des chasseurs de vampires – et pas juste à la télé. (Hugh fit mine de prendre son paquet de cigarettes avant de se raviser, se rappelant que je n'aimais pas qu'on fume dans mon appartement.) Je crois que ce n'est pas demain la veille qu'on va nous planter un pieu dans le cœur, si c'est ce qui t'inquiète.

— Mais tu es de mon avis : on nous met sur la touche ?

— À quoi tu t'attends de la part de Jerome ?

— Je pense… je pense qu'une petite visite à Erik s'impose.

— Il est toujours en vie ?

— Aux dernières nouvelles.

— Excellente idée ! Il en sait plus sur nous que nous-mêmes.

— Je te tiendrai informé.

— Non, je crois que je préfère rester dans l'ignorance.

— Comme tu voudras. Tu as des projets pour cette nuit ?

— J'ai des heures sup qui m'attendent avec l'une des nouvelles secrétaires, si tu vois ce que je veux dire. (Il eut un sourire espiègle.) Vingt ans, des seins qui défient les lois de la pesanteur. Et je sais de quoi je parle : j'ai contribué à leur installation.

Je ne pus m'empêcher de rire, malgré l'atmosphère lugubre. Comme le reste d'entre nous, Hugh occupait sa journée en travaillant quand il ne servait pas la cause du mal et du chaos. Dans son cas, la frontière entre ses deux occupations se révélait bien mince : il exerçait comme chirurgien esthétique.

— Je ne peux pas rivaliser.

— Faux. La science est incapable de reproduire ta poitrine.

— Des éloges d'un vrai connaisseur. Amuse-toi bien.

— J'en ai bien l'intention. Fais attention à toi, ma chérie.

— Toi aussi.

Il me déposa un baiser rapide sur le front et s'en alla. Enfin seule. Les yeux fixés sur ma porte, je me demandai tout ce que cela pouvait bien signifier. L'avertissement de Jerome témoignait probablement d'un excès de prudence. Comme l'avait dit Hugh, personne n'avait jamais entendu parler de chasseurs de succubes ou de démons.

Je tournai néanmoins le verrou et attachai la chaîne sur ma porte avant d'aller au lit. Immortelle, mais pas téméraire. Enfin, pas quand c'était important.

Chapitre 6

Je me réveillai, le lendemain matin, résolue à aller voir Erik et à apprendre la vérité sur les chasseurs de vampires. Puis, alors que je me brossais les dents, je me souvins de l'autre situation délicate qui m'attendait.

Seth Mortensen.

Jurant, je terminai ma toilette, ma vulgarité me valant un regard désapprobateur de la part d'Aubrey. Impossible de prévoir combien de temps allait durer notre tour de la ville. J'allais peut-être devoir patienter jusqu'au lendemain pour rendre visite à Erik, et d'ici là, le chasseur de vampires – ou l'assassin, quel qu'il soit – pourrait frapper de nouveau.

Je me mis en route pour *Emerald City*, vêtue de la tenue la moins aguichante que j'avais pu réunir – un jean et un pull à col roulé – et les cheveux sévèrement tirés en arrière. Paige, tout sourires, s'approcha de moi pendant que j'attendais Seth dans le café.

—Allez donc faire un tour du côté de *Foster's* et *Puget Sound Books*, me conseilla-t-elle sur le ton de la conspiration.

Pas encore réveillée, je bus une gorgée du moka que Bruce venait de me faire couler et tâchai de comprendre la logique de son raisonnement. *Foster's* et *Puget Sound Books* étaient des concurrents, mais pas les plus importants.

—Ce sont des bouges.

— Exactement. (Elle me gratifia d'un sourire de ses dents blanches et régulières.) Quand il verra ça, il sera convaincu que nous sommes le meilleur endroit pour écrire.

Je l'observai, me sentant sérieusement en dehors du coup. À moins que cette affaire avec Duane continue à me préoccuper. Ce n'était pas tous les jours que quelqu'un se voyait retirer son immortalité.

— Pourquoi… pourquoi voudrait-il écrire ici ?

— Parce qu'il aime bien se poser dans un café avec son ordinateur portable pour travailler.

— D'accord, mais il vit à Chicago.

Paige secoua la tête.

— Plus maintenant. Tu n'as donc rien écouté hier soir ? Il s'installe à Seattle pour se rapprocher de sa famille.

Je me rappelai Seth mentionnant son frère, mais j'avais été bien trop occupée à m'apitoyer sur moi-même pour y prêter vraiment attention.

— Quand ?

— Maintenant, je crois. C'est la raison pour laquelle il avait souhaité en faire la dernière étape de sa tournée de promotion. Il habite chez son frère, mais il a prévu de trouver rapidement un appartement. (Elle se pencha vers moi, une lueur rapace dans le regard.) Tu sais, Georgina, la présence régulière d'un auteur à succès ferait beaucoup de bien à notre image.

Franchement, l'endroit où Seth déciderait d'écrire n'était pas ma principale préoccupation. En revanche, je ressentais une certaine angoisse à la perspective de ne pas le voir changer rapidement de fuseau horaire – de manière à oublier jusqu'à mon existence – afin que nous puissions reprendre tranquillement le cours de nos vies respectives. À présent, je risquais de le croiser tous les jours – littéralement, si Paige parvenait à ses fins.

— Mais si tout le monde sait qu'il vient écrire chez nous, qu'est-ce qui empêchera ses fans de venir le déranger en plein travail ?

— Nous ferons en sorte que cela ne devienne pas un problème. Nous pouvons tirer avantage de cette situation tout en respectant son intimité. Attention, le voilà !

Je continuai à boire mon café, m'émerveillant de la manière dont fonctionnait le cerveau de Paige. Elle se montrait capable d'imaginer des idées de promotion qui ne me seraient jamais venues à l'esprit. L'argent de Warren avait permis d'ouvrir cet endroit, mais c'était le génie commercial de Paige qui en avait fait un succès.

— Bonjour, nous salua Seth, approchant de notre table.

Il portait un jean, un tee-shirt de Def Leppard et une veste brune en velours côtelé. Ses cheveux ne paraissaient pas avoir rencontré de peigne ce matin.

Paige me lança un regard qui en disait long et soupira.

— Allons-y, dis-je.

Seth me suivit en silence à l'extérieur ; la tension et la gêne augmentèrent entre nous, élevant une véritable barrière. Il ne me regarda pas, et moi non plus. Mais arrivée sur Queen Anne Avenue, je pris conscience que je n'avais aucun plan pour cette journée et je dus me résoudre à entamer la conversation.

— Par où commencer ? Contrairement à la Gaule, Seattle n'est pas divisé en seulement trois parties.

Je n'avais pas fait cette plaisanterie pour briser la glace, mais Seth éclata de rire.

— *Seattle peninsula est*, fit-il, rebondissant sur mon observation.

— Pas exactement. En outre, c'est de Bède le Vénérable, pas de César.

— Je sais. Mais je connais très peu de latin. (Il me gratifia de ce sourire bizarre et déconcerté, une expression qui semblait être sa signature.) Et vous ?

— Suffisamment. (Je me demandai comment il réagirait s'il apprenait que je parlais couramment plusieurs dialectes latins des différentes périodes de l'Empire romain. Il avait dû interpréter ma réponse imprécise comme un manque d'intérêt, car il se détourna et le silence retomba.) Y a-t-il quelque chose en particulier que vous souhaitiez voir ?

— Pas vraiment.

Pas vraiment. D'accord. Formidable. Plus vite nous commencerons, plus vite nous aurons terminé et je pourrai passer chez Erik.

— Suivez-moi.

J'avais espéré qu'une fois partis – et en dépit de notre déplorable premier contact d'hier – nous entamerions de manière naturelle une conversation constructive. Mais à mesure que nous progressions dans notre visite de la ville, il apparut clairement que Seth n'avait aucunement l'intention de s'entretenir avec moi. Je me rappelai sa nervosité face à la foule de ses lecteurs – et même avec certains membres du personnel de la librairie. Ce type souffrait de sérieuses phobies sociales et je pris conscience de l'effort qu'avait dû lui demander notre badinage initial. Ensuite, j'avais basculé en mode « pas touche ! », le marquant sans doute pour la vie et ruinant ainsi quelque progrès qu'il ait pu faire. Bravo, Georgina.

Peut-être que si j'abordais des sujets qui le passionnaient, il prendrait son courage à deux mains et nous retrouverions nos excellents rapports – platoniques, cela va de soi – du début. J'essayai de me remémorer les questions profondes que j'avais préparées la veille au soir. Pas moyen. Je me rabattis donc sur les banalités.

— Alors comme ça votre frère vit dans les environs ?

— Ouais.

— Où ça ?

— Lake Forest Park.

— Chouette quartier. Vous allez chercher un appart dans le coin ?

— Probablement pas.

— Vous avez un autre lieu en tête alors ?

— Pas vraiment.

Bon, j'étais bien avancée. Agacée par la pauvreté du registre à l'oral de ce maître de l'écrit, je décidai finalement de l'exclure de la conversation. Obtenir sa participation représentant un travail de titan, je devisai donc aimablement toute seule, lui signalant les endroits populaires : Pioneer Square, Pike Place Market, le Troll de Fremont. Suivant les ordres de Paige, j'allai même jusqu'à lui montrer nos piètres concurrents. En revanche, je me contentai d'un bref coup d'œil à la Space Needle qu'il n'avait pas pu manquer d'admirer depuis les fenêtres d'*Emerald City* – il aurait tout loisir de payer le droit d'entrée exorbitant s'il voulait jouer les touristes.

Pour le déjeuner, je l'emmenai dans le U District. Il me suivit sans émettre ni protestation ni commentaire dans mon restaurant vietnamien favori. Nous mangeâmes nos nouilles en silence – j'avais décidé de faire une pause –, observant tous les deux par la fenêtre l'animation de la circulation et des étudiants.

— C'est sympa ici.

C'était la plus longue phrase que Seth avait prononcée depuis un moment et je faillis sursauter au son de sa voix.

— Oui, c'est un resto qui ne paie pas de mine, mais ils préparent un *pho* d'enfer.

— Non, je voulais dire dehors. Le quartier.

Je suivis du regard son geste qui embrassait University Way, ne distinguant dans un premier temps que des étudiants maussades trimballant leurs sacs à dos. Puis, j'élargis ma recherche et pris conscience de la présence de tous les autres petits restaurants de spécialités, des cafés et des bouquinistes. Un mélange éclectique, pas la grande classe, mais qui avait beaucoup à offrir à des intellos un peu bizarres – et même à des écrivains célèbres et introvertis.

Je regardai Seth qui me dévisageait avec l'air d'attendre quelque chose – pour la première fois de la journée, nos regards se croisaient.

— Vous pensez que je pourrais trouver un appartement par ici ?

— Bien sûr. Si ça ne vous gêne pas de partager un immeuble avec une bande de gamins de dix-huit ans. (Je m'interrompis, songeant qu'une telle perspective pouvait sembler plutôt attrayante pour un homme.) En revanche, si vous cherchez quelque chose d'assez grand, dans ce quartier ça ne sera pas donné. Mais je suppose qu'avec Cady et O'Neill, ce n'est pas vraiment un problème pour vous, pas vrai ? On peut aller jeter un coup d'œil, si vous voulez.

— Pourquoi pas ? Pour être franc, j'aimerais d'abord faire un tour là-bas. (Il pointa du doigt l'un des bouquinistes de l'autre côté de la rue. Soudain hésitant, il cligna des yeux dans ma direction et ajouta :) Si vous n'y voyez pas d'inconvénient…

— Allons-y.

J'adorais les librairies d'occasion, mais j'éprouvais toujours un peu de culpabilité en poussant la porte. Comme si je trichais. Après tout, je travaillais au milieu de livres flambant neufs toute la journée. Je pouvais obtenir un exemplaire en parfait état de presque n'importe quel titre. Ressentir un plaisir aussi viscéral à traîner parmi les vieux livres, à sentir l'odeur du vieux papier, de la moisissure et de la poussière, ne me semblait pas très sain. Tant de savoirs réunis sous le même toit, certains réellement anciens, m'évoquaient systématiquement des époques depuis longtemps révolues et des lieux que j'avais vus, et provoquaient en moi un raz-de-marée de nostalgie. Les livres vieillissaient, mais pas moi.

Perchée sur le comptoir, une chatte tigrée grise salua notre arrivée en s'étirant et en clignant des yeux. Je lui caressai le dos et saluai le vieil homme qui se tenait à côté d'elle. Il leva brièvement la tête des livres qu'il rangeait, nous sourit et retourna à son travail. Seth balaya du regard les étagères imposantes qui se trouvaient devant nous, une expression de bonheur sur le visage, et s'y enfonça sans perdre de temps.

Je me dirigeai vers le rayon des ouvrages non romanesques, dans l'intention de parcourir les livres de cuisine. J'avais grandi en préparant à manger sans l'aide d'un four à micro-ondes ou d'un robot ménager et je décidai qu'il était grand temps d'étendre mes connaissances culinaires au siècle présent.

Une demi-heure plus tard, ayant arrêté mon choix sur un livre de cuisine grecque abondamment illustré, je partis à la recherche de Seth. Je le trouvai au rayon enfants, agenouillé à côté d'une pile de livres, totalement absorbé.

Je m'accroupis à côté de lui.

— Qu'est-ce que vous lisez ?

Il sursauta, surpris de me découvrir si près de lui, et s'arracha à sa lecture pour se tourner vers moi. D'aussi près, je constatai que le marron de ses yeux tirait sur l'ambre doré et que la longueur de ses cils aurait rendu n'importe quelle fille jalouse.

— Les livres de contes d'Andrew Lang.

Il brandit un livre au format de poche intitulé *The Blue Fairy Book*. Au sommet de la pile à côté de lui, j'en aperçus un autre intitulé *The Orange Fairy Book* ; j'en déduisis que les titres du reste de la série suivaient le même code à base de couleurs. Rayonnant, Seth semblait en proie à une sorte d'extase littéraire, oubliant même de se sentir mal à l'aise en ma présence.

— Les rééditions des années 1960. Elles n'ont pas autant de valeur que l'édition originale des années 1800, mais ce sont celles que possédait mon père et qu'il me lisait. Mais il n'en avait que quelques-uns. Là, c'est toute la série. Je vais les acheter pour les lire à mes nièces.

Feuilletant les pages de *The Red Fairy Book*, je reconnus les titres de nombreuses histoires qui m'étaient familières, certaines dont j'ignorais qu'on les racontât encore aux enfants. Je retournai le livre et regardai à l'intérieur, mais ne vis aucune indication de prix.

—Combien en veut-il ?

Seth pointa du doigt un petit écriteau près de l'étagère où il avait déniché les livres.

—C'est raisonnable ?

—C'est un peu cher, mais ça en vaut la peine pour acquérir la série complète en une seule fois.

—Pas question. (Je me relevai, ramassant une partie des livres.) On va marchander.

—Marchander ? Mais comment ?

Un sourire se dessina sur mes lèvres.

—Avec des mots.

Seth parut dubitatif, mais le vendeur se révéla une cible facile. La plupart des hommes finissent par céder devant une femme séduisante et charismatique, sans parler d'un succube encore auréolé d'un résidu de force vitale. En plus, j'avais appris à marchander dès ma plus tendre enfance. Le type derrière le comptoir n'avait pas l'ombre d'une chance. Quand j'en eus terminé avec lui, il avait volontiers baissé son prix de vingt-cinq pour cent et ajouté mon livre de cuisine en cadeau.

En retournant à ma voiture, les bras chargés de livres, Seth n'arrêta pas de me lancer des regards étonnés.

—Comment avez-vous fait ? Je n'ai jamais rien vu de pareil.

—C'est une question d'habitude.

Une réponse vague, digne d'une des siennes.

—Merci. Je ne sais pas comment vous remercier.

—Ne vous en faites pas pour ça… hé ! mais si, j'ai une idée. Que diriez-vous de faire une course avec moi ? C'est dans une librairie, mais c'est un endroit un peu effrayant.

—Comment ça, effrayant ?

Cinq minutes plus tard, nous étions en route pour aller voir mon vieil ami Erik Lancaster. Erik, un résident de Seattle depuis bien avant mon arrivée, était une figure bien connue de presque tous les immortels de la région. Féru de mythologie et de savoir surnaturel, il se révélait régulièrement une ressource excellente pour tout ce qui concernait le paranormal. Et s'il avait remarqué que certains de ses clients ne vieillissaient jamais, il avait la sagesse de n'en rien laisser paraître.

Mais, pour rencontrer Erik, il fallait se rendre à *Krystal Starz* – un exemple frappant des pires excès de la philosophie New Age et une véritable épreuve pour les nerfs. Je ne doutais pas que cet endroit eût ouvert – dans les années 1980 – avec les meilleures intentions du monde, mais à présent la librairie vendait un flot de produits pittoresques et hautement racoleurs dont le prix ne reflétait en rien la valeur spirituelle. Selon moi, Erik restait le dernier employé réellement compétent et intéressé par les questions ésotériques. Les meilleurs de ses collègues semblaient simplement apathiques ; les pires se révélaient des fanatiques ou des escrocs.

En me garant sur le parking, je fus surprise par le nombre de voitures qui se trouvaient garées là. Chez *Emerald City*, seules les séances de dédicace justifiaient une telle affluence, mais un tel événement ne se tenait généralement pas pendant les heures de bureau.

Une forte odeur d'encens nous accueillit à l'entrée et Seth parut aussi étonné que moi par l'animation qui régnait là.

— J'en ai pour une minute, le rassurai-je. Vous pouvez jeter un coup d'œil en attendant, mais j'ai bien peur qu'il n'y ait pas grand-chose d'intéressant.

Il se fondit dans la foule et je tournai mon attention vers un jeune homme aux yeux brillants qui se tenait près de la porte et aiguillait les clients.

— Êtes-vous venue pour le Rassemblement ?

— Euh, non. Je cherche Erik.

— Erik comment ?

— Lancaster ? Un type un peu âgé ? Afro-américain ? Il travaille ici.

Le jeune larbin secoua la tête.

— Je ne connais pas d'Erik. Pas depuis que je travaille ici.

Il parlait comme s'il avait fondé la librairie.

— Et ça fait combien de temps ?

— Deux mois.

Je levai les yeux au ciel. Un vétéran, un vrai.

— Pouvez-vous m'indiquer un responsable à qui parler ?

— Ben, il y a Helena, mais elle... ah, la voilà !

Il désigna une femme qui venait d'apparaître de l'autre côté du magasin, comme avertie de ma présence.

Helena. Elle et moi avions eu maille à partir dans le passé. Les cheveux clairs, le cou encombré de cristaux et autres symboles ésotériques, elle se tenait dans l'embrasure d'une porte marquée « SALLE DE RÉUNION ». Un châle turquoise couvrait ses maigres épaules et, comme d'habitude, je me demandai quel âge elle pouvait bien avoir. Je lui donnais entre trente et trente-cinq ans, mais quelque chose dans son allure me faisait toujours penser qu'elle était plus vieille. Peut-être avait-elle subi de nombreuses opérations de chirurgie esthétique, ce qui collerait parfaitement au reste de son personnage artificiel et inventé de toutes pièces.

— Mesdames, messieurs ? Votre attention, s'il vous plaît ? (Elle parlait avec cette voix aiguë, manifestement fausse, une sorte de chuchotement, bien que parfaitement capable de se faire entendre si nécessaire. Il en résultait un son rauque, comme si elle avait pris froid.) Nous allons commencer.

Les masses – une trentaine de personnes, selon moi – avancèrent en direction de la salle de réunion et je suivis, me fondant dans la foule. Certaines des personnes qui m'entouraient ressemblaient à Helena : habillées pour l'occasion, tout de noir vêtues ou portant des couleurs trop vives, avec une pléthore de pentagrammes, de cristaux et d'aums autour du cou. Les autres avaient l'air de gens comme vous et moi, habillés normalement, et suivaient le mouvement, visiblement curieux et excités.

Avec un sourire figé plaqué sur son visage, Helena nous accueillit dans la pièce en murmurant :

— Bienvenue, bienvenue. Sentez l'énergie. (Quand arriva mon tour, son sourire vacilla.) Je vous connais.

— Oui.

Le sourire baissa encore d'un cran.

— Vous êtes cette femme qui travaille dans cette grande librairie – cette librairie *commerciale*.

Quelques clients s'arrêtèrent afin d'assister à notre échange, sans doute la raison pour laquelle elle s'abstint de souligner que, lors de ma dernière visite, je l'avais traitée d'hypocrite et l'avais accusée de vendre – trop cher – de la camelote.

En comparaison de certaines chaînes nationales, je ne considère pas vraiment *Emerald City* comme une enseigne purement commerciale. Mais je haussai les épaules en guise d'aveu.

— D'accord, je l'admets, nous contribuons à la société de consommation. Cependant, nous vendons les mêmes livres et tarots que vous, en offrant souvent une remise si vous êtes membre du programme de fidélité d'*Emerald City*.

J'avais élevé la voix à la fin de ma tirade. Toute publicité est bonne à prendre.

Le sourire faiblissant d'Helena disparut complètement, de même qu'un peu de sa voix rauque.

— En quoi puis-je vous être utile ?

— Je cherche Erik.

— Erik ne travaille plus ici.

— Où est-il allé ?

— Je ne peux pas vous révéler cette information.

— Pourquoi ? Avez-vous peur de perdre une cliente ? Rassurez-vous, je n'ai jamais fait partie de vos clients.

Elle leva des doigts délicats à son front et m'examina sérieusement, allant presque jusqu'à loucher.

— Je sens une grande noirceur dans votre aura. Du noir et du rouge. (Sa voix enfla, attirant l'attention de ses acolytes.) Un nettoyage vous ferait le plus grand bien. Un quartz fumé pourrait aussi vous aider… ou une pierre cheveux de Vénus. Nous proposons de superbes spécimens de ces deux produits. L'un comme l'autre éclaircirait votre aura.

Je ne pus réprimer un petit sourire suffisant. Je croyais aux auras, leur réalité ne faisait aucun doute pour moi. Mais je savais également que la mienne ne ressemblait pas à celle d'un mortel et qu'une personne comme Helena était tout simplement incapable de la voir. En fait, un véritable adepte humain, capable de percevoir ce genre de choses, me distinguerait au sein d'un groupe de mortels comme étant la seule sans aura visible. Elle est invisible aux yeux de tous, excepté quelqu'un comme Jerome ou Carter, mais un mortel particulièrement sensible pourrait se montrer capable de sentir sa force – et faire preuve d'une prudence bien compréhensible. C'était le cas d'Erik et, pour cette raison, il m'avait toujours témoigné le plus grand respect. Helena ne possédait pas ce don.

— Ouah… Et tout ça sans même utiliser votre appareil photo spécial auras. (*Krystal Starz* proposait fièrement un appareil censé photographier votre aura pour 9,95 dollars.) Combien je vous dois ?

Elle fit la moue.

— Je n'en ai pas besoin pour voir l'aura des gens. Je suis un Maître. D'ailleurs, les esprits réunis pour ce Rassemblement m'en ont dit long sur vous.

Mon sourire s'élargit.

— Quoi par exemple ?

J'avais eu peu de contacts avec les esprits ou d'autres êtres éthérés durant ma longue vie, mais j'aurais néanmoins su si l'un d'eux se trouvait parmi nous.

Elle ferma les yeux, porta de nouveau ses mains à son front, et son visage se plissa sous l'effort de concentration. Les spectateurs l'observaient avec émerveillement.

— Ils me disent que vous avez bien des soucis. Que l'indécision et la monotonie dans votre vie expliquent votre comportement brutal et que, tant que vous choisirez la voie des ténèbres et de la méfiance, vous ne trouverez jamais le chemin de la paix et de la lumière. (Ses yeux bleus s'ouvrirent, gagnés par une expression d'extase mystique.) Ils vous demandent de vous joindre à nous. De prendre place dans le cercle, de sentir leur énergie apaisante. Les esprits vous aideront à mener une vie meilleure.

— Comme ils vous ont aidée à sortir de l'industrie du porno ?

Elle resta figée sur place, blême, et je me sentis presque coupable l'espace d'un instant. Les adeptes comme Erik n'étaient pas les seuls à jouir d'une réputation dans la communauté des immortels. Cette cinglée d'Helena avait aussi acquis une certaine notoriété. Apparemment, un de ses anciens admirateurs l'avait reconnue et s'était empressé de colporter ce ragot au reste d'entre nous.

— Je ne sais pas de quoi vous parlez, finit-elle par répondre, luttant visiblement pour garder son sang-froid devant ses disciples.

— Je dois me tromper. Vous me rappeliez une actrice nommée Moana Licka. Vous frottez vos cristaux un peu comme elle frottait… enfin, vous voyez ce que je veux dire.

— Vous faites erreur, insista Helena, sa voix sur le point de se briser. Erik ne travaille plus ici. Partez maintenant.

J'avais une réplique toute prête sur le bout de la langue lorsque j'aperçus Seth derrière elle. Il se tenait en marge de la foule, observant le spectacle avec les autres. En le voyant ainsi, je me sentis soudain ridicule, le frisson que me procurait l'humiliation d'Helena me parut mesquin et futile. Embarrassée, je gardai mes réflexions pour moi, mais réussis néanmoins à m'éloigner la tête haute. Seth m'emboîta le pas.

— Laissez-moi deviner, lançai-je d'un ton sec. Certaines personnes écrivent les histoires, d'autres les vivent.

— Je pense que vous ne pouvez pas vous empêcher de faire sensation où que vous alliez.

Je supposai qu'il se montrait sarcastique. Puis, regardant vers lui, je vis son expression franche, pas le moins du monde narquoise ou critique. Devant une sincérité aussi inattendue, je trébuchai légèrement, faisant plus attention à lui qu'à l'endroit où je posais les pieds. Jouissant d'une réputation de grâce bien méritée, je me rétablis presque immédiatement. Mais Seth tendit instinctivement le bras pour me rattraper.

À cet instant, j'éprouvai une brusque sensation… que j'avais du mal à identifier. Un peu comme ce moment, la veille, au rayon des cartes, où nous nous étions sentis si proches l'un de l'autre. Ou ce sentiment de satisfaction que je ressentais à la lecture de ses livres. Il sembla partager ma surprise et relâcha timidement mon bras, presque avec hésitation. Juste après, une voix derrière moi vint définitivement rompre le charme.

— Excusez-moi ? (Je me retournai et vis une adolescente mince avec des cheveux rouges coupés court et des piercings aux oreilles.) C'est vous qui cherchiez Erik ?

— Oui…

— Je sais où il est. Voilà cinq mois qu'il est parti ouvrir sa propre boutique. C'est à Lake City… J'ai oublié le nom. C'est près d'un feu rouge, il y a une épicerie et un grand restaurant mexicain aussi…

Je hochai la tête.

— Je connais le secteur. Je trouverai. Merci. (Je la dévisageai avec curiosité.) Tu travailles ici ?

— Ouais. Erik a toujours été très sympa avec moi, alors je préfère faire marcher ses affaires plutôt que celles de cet endroit. Je serais bien partie avec lui, mais il n'avait pas vraiment besoin d'aide, alors je suis coincée avec l'autre tarée.

Elle agita le pouce en direction d'Helena.

À la différence des autres employés de *Krystal Starz*, cette fille semblait avoir la tête sur les épaules. Je me rappelai l'avoir vue servir des clients en arrivant.

— Pourquoi travailles-tu ici, si tu n'aimes pas ça ?

— Je ne sais pas. J'aime les livres et j'ai besoin d'argent.

Je fouillai dans mon sac, à la recherche d'une des cartes de visite dont j'avais si rarement l'usage.

— Tiens. Si tu veux changer de boulot, passe me voir.

Elle saisit la carte et la lut, une expression de surprise apparaissant sur ses traits.

— Ben… merci.

— Merci pour l'info sur Erik.

Après une courte réflexion, je tirai une autre carte de mon sac.

— Si tu connais quelqu'un d'autre comme toi qui travaille ici et que ça pourrait intéresser, donne-la-lui.

— Est-ce bien légal ? demanda Seth un peu plus tard.

— Pas sûr. Mais *Emerald City* manque de personnel.

Songeant qu'une librairie spécialisée comme celle d'Erik devait être fermée à cette heure, je tournai vers Lake Forest Park afin de ramener Seth chez son frère. Je dois avouer que j'éprouvai un soulagement immense. Passer la journée avec son héros se révélait fatigant, sans compter que toute interaction entre nous ressemblait à une perpétuelle oscillation entre deux pôles opposés. Il vaudrait mieux pour moi que je me limite à la lecture de ses livres.

Je le déposai devant un charmant pavillon de banlieue, au jardin jonché de jouets – aucune trace des enfants eux-mêmes, à mon grand regret. Seth ramassa sa moisson de livres, me remercia avec un sourire confus et disparut à l'intérieur de la maison. J'étais presque arrivée dans le quartier de Queen Anne quand je pris conscience que j'avais oublié de lui demander mon exemplaire du *Pacte de Glasgow*.

Agacée, je venais à peine d'entrer dans mon immeuble quand le gardien m'interpella depuis la réception.

— Mademoiselle Kincaid ?

J'avançai jusqu'au comptoir et il me tendit un bouquet de fleurs fourmillant de nuances violettes et rose foncé.

— On a apporté ça pour vous aujourd'hui.

J'acceptai le vase avec grand plaisir, respirant les parfums mêlés des roses, des iris et des lis orientaux. Pas de carte. Bien sûr.

— Qui les a déposées ?

Il désigna un point derrière moi.

— L'homme là-bas.

Chapitre 7

Je me retournai et vis Roman assis dans un coin du petit hall d'entrée. Dans son pull à col roulé vert foncé et avec ses cheveux noirs coiffés en arrière, il avait une allure impressionnante. Il me sourit quand je croisai son regard et j'allai m'asseoir à côté de lui.

— Bon sang, vous avez décidé de me harceler…

— Allons, allons. Ne soyez pas présomptueuse. Je suis simplement venu récupérer mon manteau.

— Ah. (Je rougis, me sentant plutôt ridicule.) Vous m'attendez depuis longtemps ?

— Pas trop. J'ai d'abord tenté ma chance à la librairie, pensant que ça ferait un peu moins « harceleur ».

— C'est mon jour de repos. (Je baissai les yeux sur l'explosion de couleurs que je tenais dans mes bras.) Merci pour les fleurs. Vous n'aviez pas besoin de ça pour que je vous rende votre manteau.

Roman haussa les épaules – ces yeux bleu-vert me mettaient dans tous mes états.

— C'est vrai, mais je me suis dit qu'elles pourraient vous convaincre d'accepter d'aller boire un verre ce soir.

Il n'était donc pas venu sans arrière-pensée.

— Vous n'allez pas recommencer…

— Hé ! C'est votre faute, vous n'aviez qu'à pas m'attirer chez vous la nuit dernière. Maintenant, il est trop tard. Autant abréger vos souffrances et vous débarrasser de cette corvée le plus vite possible.

Un peu comme quand on doit retirer un pansement. Ou se faire couper un membre.

—Ouah! Qui a dit qu'il n'y avait plus de place pour les romantiques en ce bas monde?

Malgré mon sarcasme, je trouvai le sens de la repartie de Roman plutôt rafraîchissant, après l'atmosphère pesante de ma journée avec Seth.

—Alors? Est-ce que vous rendez enfin les armes, mon général? Je reconnais que vous avez fait preuve d'une résistance digne d'estime afin de m'éviter jusque-là.

—Je ne sais pas. Je vous retrouve chez moi – pas vraiment une réussite. (Quand il se contenta d'attendre, l'air plein d'espoir, mon sourire disparut. Je soupirai et le contemplai en essayant de comprendre ses motivations.) Roman, vous semblez être un type sympa…

Il gémit.

—Non. Ne commencez pas… Ce n'est jamais bon signe quand une femme dit « Vous semblez être un type sympa. » Ça signifie qu'elle s'apprête à vous larguer en douceur.

Je secouai la tête.

—C'est juste qu'en ce moment, je ne suis pas intéressée par une relation durable avec quelqu'un.

—Doucement! Qui a parlé de relation durable? Je ne vous demande pas de m'épouser, mais juste de sortir ensemble à l'occasion, peut-être d'aller voir un film, de boire un verre et de dîner. Peut-être un baiser en fin de soirée si la chance me sourit. Bon sang, n'en faites pas toute une histoire ou alors autant en rester là.

Je renversai ma tête contre le mur et nous restâmes ainsi un moment, tachant de nous jauger l'un l'autre. Je savais qu'il était tout à fait possible à un homme et à une femme de sortir ensemble sans nécessairement finir au lit, mais la plupart de mes rendez-vous ne se terminaient pas ainsi. Mon instinct me poussait à conclure par un rapport sexuel et, en le regardant, je pris conscience que j'en aurais très envie, même sans mes appétits de succube. J'aimais son allure, sa façon de s'habiller et son odeur. Et j'appréciais tout particulièrement ses tentatives de séduction maladroites. Malheureusement, je ne pouvais pas mettre en veilleuse l'absorption destructrice qu'exerçait un succube sur la force vitale de son amant. Cela se produirait avec lui, indépendamment de ma volonté, et fortement sans doute. Même ce baiser à propos duquel il plaisantait lui volerait un peu de sa vie.

— Je ne sais rien de vous, finis-je par dire, comprenant que j'étais restée silencieuse trop longtemps.

Il sourit paresseusement.

— Que voulez-vous savoir ?

— Eh bien… je ne sais pas. Qu'est-ce que vous aimez faire ? Est-ce que vous travaillez, au moins ? Vous devez avoir des horaires flexibles pour pouvoir traîner autour de moi tout le temps.

— Tout le temps, hein ? Je vous trouve bien présomptueuse de nouveau, mais oui, je travaille. Dans une université publique où j'enseigne la linguistique. Mais à part les quelques cours que je donne là-bas, je gère mon temps comme je l'entends – je corrige des copies, ce genre de choses…

— D'accord. Quel est votre nom de famille ?

— Smith.

— À d'autres…

— Je vous assure !

— Pas vraiment cohérent avec Duc Roman. (J'essayai de penser à une autre question pertinente.) Depuis combien de temps vivez-vous à Seattle ?

— Quelques années.

— Des hobbies ?

— Oui. (Il marqua une pause et pencha la tête vers moi quand je ne repris pas mon interrogatoire.) Y a-t-il autre chose que vous aimeriez savoir ? Je peux vous ressortir mes relevés de notes universitaires, si vous voulez ? Un CV complet ou une enquête sur mes antécédents ?

Je chassai ces propositions d'un geste de la main.

— Je me fiche des informations de ce genre, je ne m'intéresse qu'aux choses vraiment importantes.

— Par exemple ?

— Par exemple… quelle est votre chanson préférée ?

Ma question le prit visiblement par surprise, mais il réagit au quart de tour, comme il l'avait fait la nuit dernière. J'aimais beaucoup cela en lui.

— La seconde moitié d'*Abbey Road*…

— La seconde moitié d'*Abbey Road* ?

— Oui, ça fait plusieurs chansons, mais elles semblent n'en former qu'une...

Je le coupai d'un geste brusque de la main.

— C'est bon, je connais cet album.

— Alors ?

— Alors ? Pas mal du tout comme réponse. (Je tirai sur ma queue-de-cheval, me demandant comment négocier pareille situation. Il m'avait presque convaincue.) Je... non. Je suis désolée, mais c'est impossible. Trop compliqué. Même pour un seul rendez-vous. Il y en aurait forcément un deuxième, puis un autre, puis...

— Comme vous y allez ! Et si je vous donnais ma parole de scout – croix de bois, croix de fer, si je mens, je vais en enfer – de ne plus jamais vous importuner après cet unique rendez-vous ?

— Vous feriez cela ? demandai-je avec scepticisme.

— Bien sûr, si c'est ce que vous voulez. Mais je ne crois pas qu'il en sera ainsi une fois que vous aurez passé une soirée avec moi.

Le ton suggestif de sa voix provoqua en moi une sensation que je n'avais pas éprouvée depuis longtemps. Avant que j'aie eu le temps de mettre un nom dessus, mon téléphone portable sonna.

— Désolée, m'excusai-je en allant le pêcher au fond de mon sac. (Je jetai un coup d'œil sur l'écran qui affichait le numéro de l'appelant et reconnus celui de Cody.) Allô ?

— Salut, Georgina. Il s'est passé un truc bizarre cette nuit...

Mon Dieu. Venant de lui, il pouvait aussi bien s'agir d'une nouvelle victime du « chasseur » que de Peter se rasant le crâne.

— Ne quitte pas.

Jonglant avec le vase et les fleurs, je me levai et regardai Roman. Il se leva également, l'air inquiet.

— Tout va bien ?

— Oui. En fait, non. Enfin, je n'en sais rien. Écoutez, Roman, je dois monter chez moi prendre cet appel. Vos fleurs me font plaisir, mais je ne peux vraiment pas m'engager en ce moment. Je suis désolée. Vous n'êtes pas en cause. C'est moi. Vraiment.

Alors que je faisais mine de m'éloigner, il avança de quelques pas vers moi.

— Attendez.

Il fouilla dans ses poches et en tira un stylo à bille et un bout de papier. Il griffonna quelque chose à la hâte et me le tendit. Je baissai les yeux et lus un numéro de téléphone.

—Pour quand vous changerez d'avis.

—Ça n'arrivera pas.

Il se contenta de sourire, inclina légèrement la tête et quitta le hall d'entrée. Je le suivis du regard un court instant avant de regagner mon appartement, pressée d'entendre ce que Cody avait à me dire. Une fois rentrée, je posai les fleurs sur mon guéridon et remis le téléphone à mon oreille.

—Toujours là ?

—Ouais. Qui est ce Roman et pourquoi lui as-tu servi ton fameux « Vous n'êtes pas en cause. C'est moi. » ?

—Laisse tomber. Qu'est-ce qui se passe ? Il y a un autre mort ?

—Non… non. C'est juste que… quelque chose est arrivé et Peter ne croit pas que c'est important. Hugh a dit que tu penserais que ça pouvait l'être.

—Je t'écoute.

—Je crois que nous avons été suivis la nuit dernière.

Cody me raconta comment, peu de temps après avoir quitté mon appartement, il avait entendu des pas qui les suivaient, lui et Peter. Mais chaque fois qu'il s'était retourné, il n'y avait eu personne. Comme ils n'avaient senti aucun autre être à proximité, Peter avait choisi d'ignorer le problème.

—Peut-être que tu ne sais pas ce que tu devrais ressentir en présence d'un chasseur de vampires ?

—J'aurais quand même senti quelque chose. Et Peter encore plus. Peut-être qu'il a raison et que je me fais des idées. Ou alors il s'agissait d'un mortel qui voulait nous agresser…

J'en doutais. Nous n'étions pas capables de sentir la présence de mortels de la même manière que celle de nos semblables, mais je voyais mal comment l'un d'eux pouvait prétendre prendre un vampire par surprise.

—Merci d'avoir appelé. Tu as bien fait.

—Et maintenant ?

Un étrange sentiment d'inquiétude s'insinua en moi, alors que je songeais qu'un détraqué quelconque harcelait peut-être Peter et Cody. Aussi dysfonctionnels soient-ils, je les aimais. Pour moi, ils représentaient ce qui se rapprochait le plus d'une famille. Je ne permettrais pas qu'on leur fasse du mal.

— Tu suis les conseils de Jerome. Faire preuve de prudence. Rester ensemble. Et tu me préviens immédiatement en cas de nouveaux développements.

— Et toi, qu'est-ce que tu comptes faire ?

Je pensai à Erik.

— Je vais tirer cette affaire au clair une bonne fois pour toutes.

Chapitre 8

En arrivant à mon travail le lendemain matin, je fus accueillie par une Paige tout sourires.

— Beau travail avec Seth Mortensen, me félicita-t-elle, levant les yeux de la paperasserie soigneusement organisée sur son bureau.

À l'inverse, le bureau que nous partagions, Doug et moi, dans l'arrière-boutique ressemblait à un champ de bataille – une vision d'apocalypse.

— Comment cela ?

— Tu l'as convaincu de venir écrire chez nous.

Je clignai des yeux. Entre notre virée dans le U District et nos aventures chez *Krystal Starz*, je n'avais pas abordé avec lui le sujet d'en faire notre écrivain en résidence.

— Oh ?

— Je viens de le croiser à l'étage – au café. Il m'a dit qu'il avait passé une très bonne journée.

Perplexe, je quittai son bureau, me demandant si j'avais loupé quelque chose la veille. Notre balade ne m'avait pas laissé une impression aussi éblouissante, mais je supposai qu'il se sentait heureux et reconnaissant de la remise que j'avais négociée pour ses recueils de contes. S'était-il produit quoi que ce soit d'autre de notable ?

Spontanément, le souvenir du contact de la main de Seth me revint brusquement, l'étrange onde de choc que le sentiment de familiarité avait provoquée en moi. Non, décidai-je, cela n'avait été que le fruit de mon imagination. Rien d'autre.

Toujours déconcertée, je montai prendre un moka. Seth, son ordinateur portable devant lui, était assis à une table dans un coin. Il avait presque la même allure qu'hier, mais le tee-shirt du jour arborait Becker, des Muppets. Ses doigts se déplaçaient à une vitesse folle sur les touches du clavier ; ses yeux ne quittaient pas l'écran.

— Salut, dis-je.

— Salut.

Rien de plus. Pas même un regard.

— Vous travaillez ?

— Oui.

J'attendis qu'il m'en dise un peu plus, mais rien ne vint.

— Paige m'a appris que vous aviez décidé d'emménager chez nous, continuai-je.

Il ne répondit pas. M'avait-il seulement entendue ? Brusquement, il leva la tête et me lança un regard perçant.

— Vous êtes déjà allée au Texas ?

Pour une surprise...

— Bien sûr. Un endroit en particulier ?

— Austin. J'ai besoin d'informations sur le climat.

— Quand ? À cette époque de l'année ?

— Non... plutôt au printemps ou au début de l'été.

Je me creusai la tête.

— Chaud. De la pluie et des orages. Pas mal d'humidité. C'est presque une région de tornades, vous savez ?

— Ah. (Seth devint pensif, puis hocha la tête d'un air entendu et retourna à son clavier.) Cady va adorer. Merci.

Il me fallut un moment avant de comprendre qu'il parlait d'un de ses personnages. L'aversion de Nina Cady pour les conditions climatiques inclémentes était bien connue des lecteurs. Soudain, mon cœur se mit à battre la chamade – si fort que Seth ne pouvait pas ne pas l'entendre.

— Vous... vous écrivez quelque chose avec Cady et O'Neill ? Là ? Maintenant ?

— Oui, répondit-il sur un ton désinvolte, comme si nous discutions de la pluie et du beau temps. Pour le prochain livre. Enfin, celui d'après pour être précis. Le prochain se trouve déjà chez mon éditeur, en attente de publication. J'en suis environ au quart de celui-ci.

Je fixai l'ordinateur portable avec une sorte de crainte teintée de respect, comme s'il s'agissait de l'idole en or d'un dieu d'antan, un dieu capable de provoquer des miracles. De faire pleuvoir. De nourrir le peuple. J'en restai sans voix. J'assistais à la création d'un chef-d'œuvre. Penser que mes paroles puissent en influencer le contenu était insoutenable. J'avalai péniblement ma salive, détournai les yeux et me forçai à reprendre mon calme. Après tout, je pouvais difficilement me sentir excitée par un nouvel épisode, alors que je n'avais pas encore lu le dernier paru.

— Un roman de Cady et O'Neill ? Ouah. Ça, c'est vraiment...

— Euh, je suis comme qui dirait occupé, là. L'histoire n'attend pas, vous comprenez. Désolé.

Ses mots me firent l'effet d'une douche froide. Il me congédiait.

— Quoi ?

— Pouvons-nous remettre cette conversation à plus tard ?

Je n'avais pas rêvé : éconduite, sans même un regard ! Le rouge me monta aux joues.

— Et mon livre alors ? lâchai-je sans grâce.

— Hein ?

— *Le Pacte de Glasgow*. Vous me l'avez dédicacé ?

— Oh. Ça.

— Mais encore ?

— Je vous enverrai un e-mail.

— Vous m'env... vous n'avez pas mon livre, alors ?

Seth secoua la tête et continua de travailler.

— Oh. D'accord. (Je ne comprenais pas cette histoire d'e-mail, mais je n'allais pas perdre mon temps à le supplier de m'accorder son attention.) Bien. On se voit plus tard alors. N'hésitez pas à faire appel à nous si vous avez besoin de quoi que ce soit, conclus-je d'une voix tendue et glaciale, mais je doutais qu'il s'en soit rendu compte.

J'essayai de ne pas exploser de colère en descendant au rez-de-chaussée. Comment osait-il me traiter de cette façon ? Tout particulièrement après que j'eus passé la journée d'hier à lui faire visiter la ville ! Écrivain célèbre ou pas, il n'avait pas le droit de se conduire en goujat avec moi. Je me sentais humiliée.

Humiliée ? Pourquoi ? Parce qu'il t'a snobée ? m'admonesta une petite voix raisonnable en moi. *Ce n'est pas comme s'il t'avait fait une scène. Il était occupé, voilà tout. N'était-ce pas toi qui te plaignais qu'il n'écrive pas assez vite ?*

J'ignorai la voix et retournai au travail, toujours mécontente. Mais l'activité de la librairie l'après-midi, plus le manque de personnel, ne me permit pas de m'apitoyer sur mon sort bien longtemps. Je ne repassai par mon bureau qu'à la fin de mon service, le temps de récupérer mon sac.

Alors que je m'apprêtais à quitter le magasin, je vis un message de Seth dans la boîte de réception de mon e-mail. Je m'assis devant l'ordinateur et lut.

« Georgina,

Avez-vous déjà prêté beaucoup d'attention aux agents immobiliers – à leur manière de s'habiller, aux voitures qu'ils conduisent ? La réalité dépasse la fiction, comme on dit. Hier soir, après que j'eus informé mon frère de mon intérêt pour le quartier de l'université, il a appelé un agent immobilier de ses amis. Moins de deux minutes plus tard, elle sonnait à sa porte – un véritable exploit, étant donné que son bureau est situé à l'ouest de Seattle. Elle est arrivée dans une Jaguar dont la blancheur brillante n'avait d'égale que celle de son sourire radieux de Miss America. Tout en m'ensevelissant sous un flot ininterrompu de paroles – quelle joie de vous avoir parmi nous, ce genre de choses –, elle s'est attelée à un ordinateur afin de chercher des résidences appropriées, tapant sur le clavier avec des ongles assez longs pour empaler des enfants en bas âge. (Vous avez remarqué ? Je me suis souvenu que vous portiez une affection toute particulière au mot "empaler".)

Chaque fois qu'elle dénichait un endroit qui aurait pu convenir, elle devenait tout excitée : "Oui… oui. Oh oui ! Ça y est ! Ça y est ! Oui ! Oui !" Je dois avouer que quand elle eut terminé, je me sentais un peu sale et épuisé – j'aurais peut-être dû jeter quelques billets sur l'oreiller. Malgré ses manières un rien théâtrales, nous avons fini par trouver un appart sympa, pas très loin du campus et flambant neuf – et aussi cher que vous l'aviez craint, mais je pense qu'il correspond précisément à ce que j'avais en tête. Mistee – oui, c'est son nom – et moi allons le visiter plus tard dans la soirée. J'ai un peu peur de sa réaction si je fais une offre. Il ne fait aucun doute que la perspective de sa commission provoque chez elle de multiples orgasmes. (Et dire que j'ai toujours pensé que la position du missionnaire constituait le principal obstacle à la totale satisfaction des femmes.)

Quoi qu'il en soit, je voulais vous tenir au courant puisque c'est vous qui m'avez fait découvrir le U District. Je suis désolé de n'avoir pas eu le temps de vous parler plus tôt ; j'aurais eu besoin de vos lumières concernant les restaurants du quartier. Je ne connais toujours pas très bien la ville, et mon frère et ma belle-sœur sont trop obnubilés par leur vie de famille pour recommander un établissement qui ne serve pas de menu enfants.

Eh bien, il faut que je me remette à écrire, si je veux pouvoir m'offrir ce nouvel appartement. Cady et O'Neill sont des maîtresses impatientes – enfin, une maîtresse et un maître, pour être exact – comme vous avez pu en faire le constat plus tôt. À ce propos, je n'ai pas oublié votre exemplaire du Pacte de Glasgow. Hier soir, après la belle journée que nous avions passée ensemble, j'avais l'intention de me fendre d'une dédicace un peu originale, mais j'ai été emporté par le tourbillon immobilier. Je m'en excuse. Je vous le rapporterai bientôt.

À plus,

Seth »

Je relus le message à deux reprises, à peu près certaine que, dans le cours laps de temps où j'avais connu Seth, je ne l'avais jamais entendu prononcer à haute voix autant de mots qu'il venait juste de m'écrire. Qui plus est, dans une prose amusante, distrayante – comme une mini-aventure de Cady et O'Neill, destinée à moi seule. Rien à voir avec son comportement hésitant de ce matin. S'il m'avait dit quelque chose de vaguement comparable en personne, je me serais probablement évanouie.

—Je n'arrive pas à le croire, grommelai-je devant l'écran.

Une partie de moi se sentait apaisée par cette lettre, mais une autre partie continuait de penser qu'il aurait pu faire preuve d'un peu plus de tact auparavant, occupé ou non. Le reste de ma personne fit remarquer que toutes ces « parties » feraient sans doute bien de se soigner, et par ailleurs, je devais vraiment partir voir Erik afin de tirer au clair cette histoire de chasseur de vampires. J'envoyai rapidement ma réponse :

« Merci pour cette lettre. Je suppose que je survivrai un jour de plus sans mon livre. Bonne chance avec l'agent immobilier ; assurez-vous de porter un préservatif quand vous ferez une offre. Pour les restaurants, je vous conseille *Han & Sons*, le *Plum Tomato Café* et *Lotus Chinese*.

Georgina »

Je quittai le magasin et oubliai rapidement Seth. Il était encore tôt et je me réjouis d'éviter les bouchons. En arrivant à Lake City, je trouvai sans peine le carrefour que m'avait décrit la fille chez *Krystal Starz*. Le magasin lui-même se révéla plus difficile à dénicher parmi les nombreux commerces et entreprises en tout genre qui prospéraient dans le secteur et je dus lire une myriade d'enseignes et scruter autant de devantures avant de tomber sur quelque chose de prometteur. Finalement, je remarquai une petite enseigne sombre, perdue au fin fond d'un groupe de boutiques moins fréquenté. « ARCANA, LTD ». J'étais sans doute au bon endroit.

Je me garai devant, espérant que le magasin était ouvert. Personne n'avait pensé à accrocher un écriteau avec les horaires d'ouverture sur la porte, mais cette dernière céda sans offrir de résistance quand je la poussai. Je fus accueillie par une odeur d'encens au bois de santal et par le son discret d'une harpe s'échappant d'un petit lecteur de CD posé sur le comptoir. Ne voyant personne dans la pièce, je flânai, admirant ce que cet endroit avait à offrir. Des livres sérieux sur la mythologie et la religion – pas les foutaises tape-à-l'œil vendues chez *Krystal Starz* – tapissaient les murs ; des bijoux de fabrication artisanale étaient exposés avec soin dans plusieurs vitrines. Je reconnus le travail de quelques artistes locaux. Des articles rituels – des bougies, de l'encens et des statues – remplissaient les coins et les recoins, donnant à la boutique un côté fouillis très accueillant.

— Mademoiselle Kincaid. C'est un honneur de vous revoir.

Je me retournai et cessai d'admirer une statue de Tara blanche. Erik entra dans la pièce et je contins ma surprise devant son apparence. Quand était-il devenu aussi vieux ? Il n'était plus tout jeune lors de notre précédente rencontre – sa peau noire ridée, ses cheveux grisonnants – mais je ne me rappelais pas ce dos légèrement voûté, ni ces yeux caves. J'essayai de me souvenir de la dernière fois où nous nous étions parlé. Il n'y avait pas si longtemps. Cinq ans ? Dix ? Avec les mortels, on perd facilement le compte.

— Heureuse de vous voir, moi aussi. Vous n'êtes plus aussi facile à trouver. J'ai dû jouer les détectives chez *Krystal Starz* pour savoir ce que vous étiez devenu.

— Ah. J'espère que cette expérience n'a pas été trop... embarrassante.

— Rien d'insurmontable. En plus, je suis contente que vous ayez quitté cet endroit. (Je jetai un coup d'œil à l'échoppe encombrée et mal éclairée.) J'aime bien ce que vous avez fait ici.

— Ce n'est pas grand-chose – et ça ne rapporte d'ailleurs pas grand-chose – mais c'est à moi. J'y ai consacré toutes mes économies et c'est là que j'ai l'intention de passer mes dernières années.

Je grimaçai.

— Épargnez-moi les violons ! Vous n'êtes pas si vieux.

Son sourire s'élargit, son expression devenant légèrement ironique.

— Vous non plus, mademoiselle Kincaid. Vous êtes aussi belle que la première fois que je vous ai vue. (Il me salua, s'inclinant probablement plus bas que n'aurait dû le faire quelqu'un avec un dos tel que le sien.) Que puis-je faire pour vous ?

— J'ai besoin d'informations.

— Bien sûr. (Il me désigna une petite table près du comptoir principal, couverte de livres et sur laquelle se trouvait également un chandelier très travaillé.) Prenez le thé avec moi et nous parlerons. À moins que vous soyez pressée ?

— Non, j'ai le temps.

Pendant qu'Erik préparait le thé, je débarrassai la table, posant les livres en piles bien droites sur le sol. Quand il réapparut avec la théière, nous commençâmes par échanger des banalités en buvant à petites gorgées, mais je n'avais pas la tête à ça – mes doigts dansaient sur le bord de la tasse et je tapais du pied avec impatience. Je me décidai enfin à aborder le sujet qui m'amenait.

— J'ai besoin d'informations sur les chasseurs de vampires.

Ma demande aurait surpris la plupart des gens, mais Erik se contenta de hocher la tête avec l'air d'attendre quelque chose.

— Que voudriez-vous savoir en particulier ?

— Tout. Leurs habitudes. Comment les reconnaître. Tout ce que vous savez.

Tenant sa tasse avec délicatesse, il s'adossa au dossier de sa chaise.

— D'après ce que je sais, on ne devient pas un chasseur de vampires, on naît ainsi, avec le « don », si l'on peut dire, de tuer les vampires.

Puis il me rapporta plusieurs autres détails corroborant, pour la plupart, ce que j'avais appris de Peter.

Songeant à ce que m'avait raconté Cody à propos de son sentiment d'avoir été suivi par quelqu'un qu'il n'avait pas vu, je demandai :

— Est-ce qu'ils possèdent d'autres capacités sortant de l'ordinaire ? Ont-ils le pouvoir de se rendre invisible ?

— Pas à ma connaissance. Certains immortels le peuvent, bien sûr, mais pas les chasseurs de vampires. Après tout, ils restent de simples mortels, malgré leur étrange talent.

Je hochai la tête, disposant moi-même du pouvoir de devenir invisible, bien que j'en fasse rarement usage. Je jouai avec l'idée que le fantôme de Cody aurait très bien pu être un immortel invisible voulant lui faire une farce, mais il aurait tout de même senti la signature caractéristique que nous portons tous. Il est vrai qu'il aurait également dû sentir un mortel chasseur de vampires. Le fait qu'il n'avait vu ni senti quoi que ce soit rendait crédible la théorie de Peter selon laquelle le chasseur n'avait existé que dans l'esprit de Cody.

— Les chasseurs de vampires peuvent-ils faire du mal à quelqu'un d'autre ? À un démon… ou à une autre créature immortelle ?

— Il est très difficile d'infliger des dégâts corporels à un immortel, répondit-il d'un air songeur. Certains représentants du bien – des prêtres puissants, par exemple – peuvent chasser les démons, mais pas leur faire du mal de manière permanente. De même, j'ai entendu parler de mortels capturant des créatures surnaturelles, mais au-delà de ça… Je ne prétends pas que c'est impossible, mais on ne m'a jamais rien rapporté de la sorte. De but en blanc, je dirais que les chasseurs de vampires ne peuvent s'attaquer qu'aux vampires. À rien d'autre. Mais il ne s'agit que d'une opinion.

— Votre opinion m'est plus précieuse que la plupart des faits bien établis.

Il me dévisagea avec curiosité.

— Mais ce n'est pas la réponse que vous attendiez.

— Ce n'est pas ça. Vous confirmez *grosso modo* ce qu'on m'avait déjà dit. J'espérais en apprendre un peu plus.

Il était tout à fait possible que Jerome ait dit la vérité et que toute cette affaire se résume à un chasseur de vampires lâché dans la nature. Dans ce cas, les conseils de prudence prodigués à Hugh et moi-même n'avaient été qu'une manifestation de courtoisie, destinée à nous protéger de toute gêne. Mais je ne parvenais pas à me défaire du sentiment que Jerome nous cachait quelque chose et je ne croyais pas vraiment Cody du genre à se faire des idées pour rien.

Ma perplexité devait se lire sur mon visage.

— Je peux me renseigner, si vous le souhaitez, offrit Erik d'une voix hésitante. Je n'ai jamais entendu parler de quelque chose capable de faire du mal à d'autres immortels, mais cela ne signifie pas que c'est totalement hors du domaine du possible.

Je hochai la tête.

— Je vous en serais reconnaissante. Merci.

— C'est un privilège de pouvoir apporter mon aide à quelqu'un comme vous. Et si vous voulez, je pourrais aussi faire des recherches sur les chasseurs de vampires en général. (Il marqua une pause, pesant soigneusement chaque mot.) Une telle personne en liberté est sûre de laisser des traces dans la communauté occulte – des fournitures achetées, des questions posées. De tels êtres ne passent pas inaperçus.

J'hésitai à mon tour. Jerome nous avait recommandé la prudence. J'avais le sentiment qu'il n'apprécierait pas du tout que quelqu'un joue les justiciers, mais m'entretenir avec Erik n'entrait certainement pas dans cette catégorie de comportements condamnables. Il ne pourrait pas me tenir rigueur de tâter le terrain de mon côté. Je ne me lançais à la poursuite de personne, je me contentais de rassembler des informations.

— Oui, merci. Tout ce que vous trouverez me sera utile. (Je finis mon thé et reposai la tasse vide.) Je ferais mieux d'y aller, maintenant.

Nous nous levâmes.

— Merci d'avoir bien voulu prendre le thé avec moi. La compagnie d'une femme telle que vous est généralement réservée aux rêves d'un homme.

Je ris doucement à la plaisanterie à peine voilée – une référence à l'ancienne croyance voulant que les succubes visitent les hommes dans leur sommeil.

— Dormez tranquille, Erik.

Il me rendit mon sourire.

— Revenez dans quelques jours et je vous dirai ce que j'ai appris. Nous prendrons le thé.

Je balayai du regard le magasin désert. À la pensée qu'aucun client ne nous avait dérangés pendant notre conversation, je me sentis brusquement obligée de lui acheter quelque chose.

— Je vais vous prendre un peu de ce thé.

Il me dévisagea avec indulgence, une lueur d'amusement brillant dans ses yeux marron foncé, absolument pas dupe du jeu auquel je me livrais.

— Je vous ai toujours considérée comme une adepte du thé noir – ou au moins une admiratrice de la caféine.

— J'ai bien le droit de changer de temps en temps ! En plus, je l'ai trouvé plutôt bon… pour une tisane sans caféine…

— Je transmettrai vos compliments à mon amie. Elle fait les mélanges et je les vends pour elle.

— Une amie ? Tiens, tiens…

— Rien de plus, mademoiselle Kincaid.

Il avança jusqu'à une étagère derrière la caisse où reposaient plusieurs variétés de thés. M'approchant du comptoir pour payer, j'admirai certains des bijoux exposés sous la vitre. Une pièce attira particulièrement mon attention, un collier à trois rangs en perles d'eau douce couleur pêche, auxquelles se mêlaient des perles de cuivre ou des morceaux de vert glauque. Une croix ansée en cuivre servait de pendentif.

— C'est le travail d'un de vos artisans locaux ?

— Un vieil ami de Tacoma. (Erik sortit le collier de la vitrine pour moi et le déposa sur le comptoir. J'effleurai du bout des doigts les perles fines et lisses, chacune de forme légèrement irrégulière.) Il a introduit quelques influences égyptiennes, je crois, mais il voulait invoquer l'esprit d'Aphrodite et de la mer, créer un objet que les prêtresses d'antan auraient pu porter.

—Elles n'ont jamais rien porté d'aussi beau, murmurai-je, retournant le collier et notant le prix élevé sur l'étiquette. (Je me surpris à parler sans en avoir conscience.) Et l'influence égyptienne s'est exercée sur de nombreuses anciennes cités grecques. Les croix ansées sont apparues sur des pièces de monnaie de Chypre, au même titre qu'Aphrodite.

Au contact du cuivre de la croix, je me remémorai un autre collier, un bijou perdu depuis bien longtemps sous la poussière du temps. Plus simple aussi : un seul rang de perles gravées avec de minuscules croix ansées. Mais mon mari me l'avait apporté le matin de notre mariage, se glissant sans se faire remarquer dans notre maison juste après l'aube, un geste étonnamment audacieux pour lui.

Je l'avais réprimandé pour son écart de conduite.

—Qu'est-ce qui t'a pris ? Tu me verras cet après-midi... et tous les jours qui suivront !

—Je devais te le donner avant le mariage. (Il brandit le rang de perles.) Il appartenait à ma mère. Je veux que tu le portes aujourd'hui.

Il se pencha en avant, plaçant les perles autour de mon cou. Quand ses doigts effleurèrent ma peau, une sensation de chaleur, une sorte de picotement, me parcourut tout le long du corps. À peine âgée de quinze ans, je ne comprenais pas exactement ce que signifiaient de telles sensations, mais je me sentais impatiente de les explorer. Avec les années, j'apprendrais à les reconnaître comme les premières manifestations du désir, mais il y avait aussi eu autre chose, quelque chose que je ne comprends toujours pas, même aujourd'hui. Une connexion électrique, le sentiment que nous étions liés par quelque chose qui nous dépassait. Que rien ni personne ne pourrait nous empêcher d'être ensemble.

—Voilà, dit-il une fois les perles autour de mon cou et mes cheveux revenus à leur place. Parfait.

Il n'ajouta rien. C'était inutile. Ses yeux me disaient tout ce que j'avais besoin de savoir et je frissonnai. Avant Kyriakos, aucun homme ne m'avait jamais prêté attention. Après tout, j'étais la fille

– trop grande – de Marthanes, celle qui n'avait pas sa langue dans sa poche et ne réfléchissait pas avant de parler. (Mes pouvoirs de transformation avaient au moins réglé un de ces deux problèmes.) Mais Kyriakos, lui, m'avait toujours écoutée et regardée comme si j'étais plus que cela, quelqu'un de séduisant et de désirable, à l'instar des superbes prêtresses d'Aphrodite qui continuaient de célébrer leurs rituels, à l'abri des regards des prêtres chrétiens.

J'avais envie qu'il me touche, mais je ne pris conscience de la force de mon désir que lorsque, contre toute attente, je saisis soudain sa main et la plaçai autour de ma taille avant de l'attirer vers moi. Ses yeux s'écarquillèrent de surprise, mais il ne recula pas. Nous faisions à peu près la même taille, sa bouche n'eut donc aucune difficulté à trouver la mienne pour un baiser dévastateur. Je m'appuyai contre le mur derrière moi et me retrouvai donc pressée entre Kyriakos et la pierre chaude. Je sentais chaque partie de son corps contre le mien, mais nous n'étions pas encore assez proches à mon goût. De loin pas.

Nos baisers se firent plus fougueux, comme si nos lèvres pouvaient, à elles seules, combler la distance douloureuse qui subsistait entre nous. De nouveau, je déplaçai sa main, cette fois afin de relever ma jupe le long d'une de mes cuisses. Il caressa la chair douce et, sans encouragement supplémentaire de ma part, glissa la main à l'intérieur de ma cuisse. Je cambrai le bas de mon corps vers le sien, me tordant presque contre lui à présent. Je voulais sentir ses mains partout sur moi.

—Letha ? Où es-tu ?

La voix de ma sœur porta, par-dessus le vent ; elle ne se trouvait pas à proximité, mais elle n'allait pas tarder. Pantelants, le cœur battant, Kyriakos et moi interrompîmes notre étreinte. Il me regardait comme s'il ne m'avait jamais vue auparavant. Un feu brûlait dans son regard.

—As-tu déjà été avec un homme ? demanda-t-il avec étonnement.

Je secouai négativement la tête.

—Comment as-tu… je n'aurais jamais imaginé que tu…

—J'apprends vite.

Il me fit un grand sourire et pressa ma main contre ses lèvres.

—Cette nuit, souffla-t-il. Cette nuit, nous…

— Cette nuit, confirmai-je.

Puis il s'éloigna à reculons, me regardant toujours de ses yeux de braise.

— Je t'aime. Tu es ma vie.

— Je t'aime aussi.

Je souris et le regardai partir. Une minute plus tard, j'entendis de nouveau ma sœur.

— Letha ?

— Mademoiselle Kincaid ?

La voix d'Erik me tira de ma rêverie et je me retrouvai brusquement dans sa boutique, loin de la maison de ma famille, depuis longtemps tombée en ruines. Je croisai son regard interrogateur et tendis le collier.

— Je vais prendre ça aussi.

— Mademoiselle Kincaid, reprit-il d'une voix mal assurée, tripotant l'étiquette du prix. L'aide que je vous apporte… vous n'avez pas à faire cela… vous ne me devez rien…

— Je sais, le rassurai-je. Je sais. Mettez-le sur ma note. Et demandez à votre ami s'il peut fabriquer une paire de boucles d'oreilles assorties.

Je quittai le magasin avec le collier autour du cou, la tête encore pleine du souvenir du matin de mon mariage, du sentiment que j'avais éprouvé quand un homme m'avait touchée pour la première fois, un homme que j'aimais. J'expirai à fond et chassai ces pensées de mon esprit. Comme je l'avais déjà fait des centaines de fois.

Chapitre 9

Sur le chemin du retour, je découvris que j'avais toujours une bonne partie de la soirée devant moi. Malheureusement, je n'avais rien à faire. Un succube sans vie sociale... Quelle tristesse ! Encore plus triste : j'avais systématiquement décliné toutes les propositions qui m'avaient été faites pour que cela change. Je ne comptais plus les invitations de Doug ; il passait sans doute son jour de repos avec une femme qui savait l'apprécier, elle. J'avais également envoyé balader Roman, avec ses beaux yeux et tout le reste. Je souris d'un air triste et rêveur au souvenir de son badinage décontracté, de son sens de la repartie et de son charme. O'Neill, en chair et en os, tout droit sorti des romans de Seth.

Pensant à Seth, je me rappelai qu'il avait toujours mon livre et que j'entamais un troisième jour sans. Je soupirai, brûlant de connaître la suite, de me perdre entre les pages de Cady et O'Neill. Voilà qui aurait occupé ma soirée ! L'enfoiré. Il ne me le rapporterait jamais et je ne saurais jamais ce qui...

Avec un gémissement, je fus prise d'une soudaine envie de me donner une grande claque sur le front pour me punir de ma propre stupidité. Je travaillais dans une grande libraire, n'est-ce pas ? Après avoir garé ma voiture, je regagnai *Emerald City* et me dirigeai vers le présentoir imposant du *Pacte de Glasgow*, resté en place après la séance de signature. Je saisis un exemplaire et l'emportai à la caisse principale. Beth, l'une des caissières, était momentanément disponible.

— Tu veux bien démagnétiser ça pour moi ? lui demandai-je en glissant le livre sur le comptoir.

— Pas de problème, répondit-elle en s'exécutant. J'applique la remise « employés » ?

Je secouai la tête.

— Je ne l'achète pas. Je l'emprunte, c'est tout.

— On peut faire ça ?

Elle me rendit le livre.

— Bien sûr, mentis-je. Les responsables, en tout cas.

Quelques minutes plus tard, je montrai mon butin à une Aubrey blasée et décidai de me faire couler un bain. Pendant que la baignoire se remplissait, je consultai mon répondeur – aucun nouveau message – et triai le courrier que j'avais récupéré en rentrant – rien de bien intéressant non plus. Satisfaite que rien d'autre ne réclame mon attention, je retirai mes vêtements et m'enfonçai dans les profondeurs de la baignoire, prenant soin de ne pas mouiller le livre. Tapie non loin de là, Aubrey m'observait de ses yeux mi-clos, se demandant apparemment ce qui pouvait bien pousser quelqu'un à se plonger volontairement dans de l'eau, et à plus forte raison à y rester aussi longtemps.

Comme j'avais été privée de ce plaisir ces deux derniers jours, j'estimais avoir droit à plus de cinq pages. Arrivée au bas de la quinzième, je découvris que seulement trois pages me séparaient du chapitre suivant. Autant aller jusqu'au bout. Une fois que j'eus terminé, je poussai un soupir et m'adossai ; je me sentais décadente et épuisée – comme après un orgasme, les complications en moins. Le bonheur à l'état pur !

Le lendemain matin, j'allai travailler de bonne humeur et reposée. Paige vint me trouver à l'heure du déjeuner, alors que je regardais Doug jouer au Démineur, assise sur un coin de mon bureau. En la voyant, je quittai ma position d'un bond pendant qu'il se hâtait de refermer le jeu.

Ignorant Doug, Paige fixa ses yeux sur moi.

— Je veux que tu fasses quelque chose avec Seth Mortensen.

Mal à l'aise, je me remémorai ma proposition de devenir son esclave sexuelle.

— À quoi tu penses ?

— Je ne sais pas, fit-elle avec un haussement d'épaules indifférent. Peu importe. Il vient d'arriver en ville. Il ne connaît personne pour l'instant, alors il ne doit pas sortir beaucoup.

Vu l'accueil glacial qu'il m'avait réservé la veille et ses difficultés à entretenir une conversation, je n'étais pas vraiment surprise.

— Je lui ai fait visiter la ville.

— Ce n'est pas la même chose.

— Et son frère ?

— Quoi, son frère ?

— Je suis persuadée qu'ils font plein de choses ensemble.

— Pourquoi te montres-tu aussi récalcitrante ? Je te croyais une de ses admiratrices.

Une de ses plus grandes, même. Mais lire son œuvre et avoir des rapports avec lui se révélaient deux choses bien différentes. *Le Pacte de Glasgow* était un roman sensationnel, à l'instar de l'e-mail qu'il m'avait envoyé. Mais Seth manquait de conversation. Pas question d'en parler à Paige, bien sûr. Notre discussion se poursuivit donc sous le regard intéressé de Doug. Je pensais que c'était une erreur et redoutais la perspective de simplement lui proposer pareille entreprise, à plus forte raison de m'y embarquer, mais je finis par céder.

Quand je me décidai enfin à approcher Seth, plus tard le même jour, j'avais eu tout le temps de me préparer à une nouvelle rebuffade. Au lieu de cela, il se détourna de son travail et m'accueillit avec un sourire.

— Salut, dit-il.

Son humeur semblait s'être améliorée au point que je fus tentée de mettre l'épisode de la veille sur le compte de la malchance.

— Salut. Comment ça avance ?

— Pas très bien. (Du bout du doigt, il tapota légèrement l'écran de l'ordinateur, le fixant du regard, sourcils froncés.) Mes personnages se font un peu prier. Je ne parviens pas à trouver la bonne façon de traiter cette scène.

Je tendis l'oreille. Un jour sans ! Pour le créateur de Cady et O'Neill ! Moi qui avais toujours imaginé l'interaction avec de tels personnages comme un plaisir ininterrompu. Un boulot de rêve.

— On dirait que vous avez besoin de faire une pause. Paige se fait du souci pour votre vie mondaine.

Ses yeux marron revinrent se poser sur moi.

—Ah bon ?

—Elle pense que vous ne sortez pas assez. Que vous ne connaissez personne dans cette ville.

—Je connais mon frère et sa famille. Et Mistee. (Il marqua une pause.) Et je vous connais.

—C'est une bonne chose, parce qu'à partir de maintenant, je deviens votre directrice de croisière.

Seth fit une petite grimace, puis il secoua la tête et se concentra de nouveau sur son écran.

—C'est vraiment gentil de votre part – à toutes les deux – mais vous n'avez pas à faire ça.

Il ne me rejetait pas comme il l'avait fait la veille, mais je me sentais néanmoins froissée de voir mon offre pourtant généreuse accueillie avec si peu d'enthousiasme, d'autant que j'agissais sous la contrainte.

—Allez… Qu'est-ce que vous avez d'autre à faire ?

—Écrire.

Je n'avais rien à répondre à ça. L'écriture de ces romans était une mission divine. Qui étais-je pour entraver le travail de leur auteur ? Oui, mais… Paige m'avait donné des instructions – presque l'équivalent d'un commandement divin en soi. Un compromis me vint brusquement à l'esprit.

—Vous pourriez faire quelque chose en lien avec le livre. Je ne sais pas moi, des recherches, ce genre de choses… D'une pierre deux coups.

—J'ai déjà toutes les informations qu'il me faut pour ce roman.

—Et, euh, que diriez-vous de quelque chose concernant l'évolution des personnages ? Comme… visiter le planétarium. (Cady était fascinée par l'astronomie. Il lui arrivait fréquemment de pointer du doigt une constellation et d'en tirer une histoire symbolique, analogue à l'intrigue du roman.) Ou alors… un match de hockey ? Vous avez besoin d'idées nouvelles pour les matchs de O'Neill. Autrement vous finirez par en manquer.

Il secoua la tête.

—Non. De toute façon, je n'ai jamais mis les pieds dans un match de hockey.

— Je… Quoi ? C'est… non. Vraiment ?

Il haussa les épaules.

— Alors où… où allez-vous pêcher vos informations ? Les phases de jeu ?

— Je connais les règles de base. Je me renseigne sur Internet et je rassemble le tout.

Je le dévisageai, avec le sentiment d'avoir été trahie. O'Neill était absolument obsédé par les Red Wings de Detroit. Cette passion déterminait sa personnalité et se trouvait reflétée dans ses actions : rapide, habile et quelquefois brutal. Croyant que Seth portait une attention méticuleuse à tous les détails, j'avais naturellement présumé que, pour en avoir fait un trait aussi déterminant de son protagoniste, le hockey n'avait pas de secret pour lui.

Seth me regarda, troublé par l'expression manifestement stupéfaite qui devait s'afficher sur mon visage.

— Nous allons voir un match de hockey, déclarai-je.

— Non, nous…

— Nous *allons* voir un match de hockey. Une seconde.

Je courus au rez-de-chaussée, chassai Doug de l'ordinateur que nous partagions et obtins l'information dont j'avais besoin. Je m'en doutais : la saison des Thunderbirds venait de commencer.

— Dix-huit heures trente, lançai-je à Seth quelques minutes plus tard. Retrouvez-moi à la Key Arena, devant le guichet principal. J'achèterai les billets. (Il parut dubitatif.) Dix-huit heures trente, répétai-je. Ce sera formidable, vous verrez. Ça vous fera une pause et vous saurez enfin comment se déroule réellement un match. En plus, vous avez dit que vous étiez bloqué aujourd'hui.

— Je ne sais pas où se trouve la Key Arena.

— Vous pouvez y aller à pied depuis la librairie. Marchez en direction de la Space Needle. Elles font toutes les deux partie du Seattle Center.

— Je…

— Quelle heure ? demandai-je avec comme un avertissement dans la voix, le défiant de me contrarier.

Il fit une grimace.

— Dix-huit heures trente.

Après le travail, j'allai faire quelques courses. Mon enquête sur le chasseur de vampires était au point mort tant qu'Erik ne m'aurait pas fourni de nouvelles informations. Malheureusement, le quotidien réclamait, lui aussi, mon attention et j'occupai la majeure partie de ma soirée à régler des problèmes de la vie courante – me réapprovisionner en nourriture pour chat, en café et en vodka ; découvrir les nouveaux brillants à lèvres chez MAC. Je me rappelai même d'acheter une étagère en kit bon marché afin de ranger les piles de livres qui encombraient mon salon et présentaient un risque réel d'incendie.

Ma productivité ne connaissait pas de limites.

Pour le dîner, j'avalai en vitesse de la nourriture indienne et réussis à me trouver devant la Key Arena à dix-huit heures trente précises. Aucune trace de Seth, mais je ne paniquai pas immédiatement. On pouvait facilement se perdre dans le Seattle Center et Seth devait probablement tourner autour de la Space Needle en se demandant comment arriver jusqu'ici.

J'achetai les billets et m'assis sur l'une des imposantes marches en ciment. Il faisait plutôt frais ce soir et je me pelotonnai dans mon gros pull en laine polaire, profitant de mon pouvoir de transformation pour le rendre un peu plus épais. Pendant que je patientais, j'observai les gens. Des couples, des mecs en groupe et des enfants excités, tous étaient venus applaudir l'énergique petite équipe de Seattle. Elle s'y entendait pour faire le spectacle.

À partir de 18 h 50, je commençai à me sentir nerveuse. Il nous restait encore dix minutes et je m'inquiétais de savoir Seth irrémédiablement perdu. J'appelai la librairie sur mon mobile. Il ne s'y trouvait pas, me répondit-on, mais Paige avait son numéro de portable. J'essayai immédiatement de le joindre, mais tombai sur sa messagerie.

Agacée, je refermai mon téléphone d'un coup sec et me serrai un peu plus dans ma propre étreinte pour avoir chaud. Nous n'étions pas encore en retard. En plus, le fait que Seth ait quitté le magasin semblait de bon augure : il était en route.

Mais à 19 heures – le début du match – il n'était toujours pas arrivé. Je tentai de nouveau ma chance sur son mobile, puis regardai avec envie en direction des portes. Je ne voulais pas louper le coup d'envoi. Seth n'avait peut-être jamais assisté à un match de hockey, mais moi si, et j'aimais ça. Le mouvement continuel et l'énergie déployée retenaient mon attention plus que dans aucun autre sport, même si les accrochages me mettaient parfois mal à l'aise. Je ne voulais manquer cela pour rien au monde, mais je ne pouvais pas prendre le risque que Seth finisse par arriver et ne sache pas quoi faire en mon absence.

Je patientai encore quinze minutes, écoutant les bruits du match qui parvenaient jusqu'à moi, avant de regarder la vérité en face.

Il m'avait posé un lapin.

C'était sans précédent. Pareil événement ne s'était pas produit depuis… plus d'un siècle. La stupéfaction l'emportait en moi sur l'embarras ou la colère. C'était à n'y rien comprendre…

Non, décidai-je un instant plus tard, je me trompais. Seth s'était certes montré réticent, mais il n'aurait pas simplement refusé de venir, pas sans me prévenir. Et peut-être… peut-être lui était-il arrivé malheur. Il avait très bien pu se faire renverser par une voiture. Après la mort de Duane, je savais que nul n'était à l'abri d'une tragédie.

Cependant, jusqu'à plus ample informé, la seule tragédie qui me menaçait pour l'instant était de manquer le match. Je le rappelai sur son portable et laissai un message, cette fois, indiquant mon numéro et où me trouver. En cas de besoin, j'irais le récupérer à l'extérieur. J'entrai voir le match.

Assise toute seule, j'avais l'impression de ne pas passer inaperçue, ce qui ne faisait que souligner la tristesse de ma situation. Autour de moi, des couples et une bande de mecs qui n'arrêtaient pas de me regarder, encourageant du coude l'un des leurs à venir m'adresser la parole. Ce n'était pas tant de me faire draguer qui me gênait, mais plutôt d'avoir l'air d'en avoir besoin. Je ne sortais avec personne, mais cela ne voulait pas dire que je ne pouvais pas le faire si l'envie m'en prenait. Je n'aimais pas être perçue comme une femme seule et désespérée. Je n'avais vraiment pas besoin qu'on vienne me le rappeler.

À la fin du premier tiers temps, je m'achetai un corn-dog pour me consoler. Alors que je fouillais dans mon sac afin de trouver de quoi payer, je tombai sur le bout de papier avec le numéro de téléphone de Roman. Je le fixai en mangeant, me rappelant son obstination et combien il m'en avait coûté de le rejeter. Mon soudain et douloureux abandon me remplit du désir d'être avec quelqu'un – une manière de me convaincre que je pouvais réellement établir un contact social quand j'en avais envie.

Mon sens commun se rappela brièvement à mon bon souvenir alors que je m'apprêtais à composer le numéro : je m'étais fait le vœu, voilà plusieurs décennies, de ne pas sortir avec des types bien, et j'allais rompre ce vœu. *Il existe d'autres façons, plus prudentes, de se remettre d'un billet de hockey qui n'a pas servi*, s'immisça la petite voix raisonnable en moi. Avec Hugh ou les vampires. En appelant l'un d'eux, je pourrais m'apitoyer sur mon sort sans prendre de risque.

Mais… ils me traitaient comme une sœur et j'avais beau les considérer, moi aussi, comme ma famille, je n'avais pas envie de me sentir la sœur de quelqu'un en ce moment. De toute façon, ce n'était même pas un vrai rendez-vous, mais plus une occasion de faire quelque chose ensemble. En plus, les circonstances impliquaient un très faible degré d'interaction entre nous – ce qui valait pour Seth valait pour Roman. Aucun risque, donc. Je composai le numéro.

—Allô ?

—Vous n'avez toujours pas récupéré votre manteau.

Je pouvais entendre son sourire au bout du fil.

—Je pensais que vous l'auriez jeté.

—Vous êtes malade ? C'est un Kenneth Cole. Mais ce n'est pas vraiment pour ça que j'appelle.

—Je me disais aussi…

—Assister à un match de hockey ce soir, ça vous dit ?

—À quelle heure est le coup d'envoi ?

—Euh… il y a une quarantaine de minutes.

Une pause digne de Seth.

—Et c'est maintenant que vous pensez à m'inviter ?

—Eh bien… la personne qui devait m'accompagner est… comme qui dirait… pas vraiment là.

—Et alors vous décidez de m'appeler ?

—Vous sembliez tellement tenir à sortir avec moi…

—Oui, mais je… une petite minute ! Je suis votre second choix ?

— Ne voyez pas les choses ainsi. Dites-vous qu'on fait appel à vous pour vous acquitter d'une tâche là où un autre a échoué.

— Comme la dauphine de Miss America ?

— Bon, vous venez, oui ou non ?

— C'est très tentant, mais je suis occupé en ce moment. Je vous assure. (Une nouvelle pause.) Mais je peux passer chez vous après le match…

Non, ce n'était pas du tout le scénario que j'avais en tête.

— Je suis occupée, après le match.

— Quoi, vous et votre poseur de lapins avez d'autres projets ?

— Je… non. Je dois… monter une étagère. Ça va prendre un certain temps. Un travail pénible, vous comprenez ?

— Je suis le roi du bricolage ! On se retrouve d'ici deux heures.

— Attendez, vous ne pouvez pas…

Il avait mis fin à la communication.

Je fermai les yeux, dans un moment d'exaspération, puis les rouvris et revins à l'action sur la glace. Que venais-je de faire ?

Après le match, je rentrai chez moi sans enthousiasme. L'euphorie de la victoire ne parvenait pas à masquer l'angoisse d'accueillir Roman dans mon appartement.

— Aubrey, fis-je en entrant, comment vais-je me sortir de ce guêpier ?

Elle bâilla, dévoilant ses minuscules canines de chat domestique. Je secouai la tête en guise de réponse.

— Je ne peux pas faire comme toi et me cacher sous le lit. Il ne marchera jamais.

Nous sursautâmes toutes les deux en entendant soudain frapper à la porte. Pendant une fraction de seconde, j'envisageai sérieusement de me réfugier sous le lit, puis je fis entrer Roman. Aubrey l'examina un moment avant de filer dans ma chambre, apparemment bouleversée par la vision d'un apollon parmi nous.

Roman, habillé sport, tenait un pack de six Mountain Dew et deux sachets de Doritos. Et une boîte de céréales.

— Des Lucky Charms ? m'étonnai-je.

— Délicieusement magiques, expliqua-t-il. Indispensable dans tout projet de construction.

Je secouai la tête, encore impressionnée par la façon dont il avait réussi à s'introduire chez moi.

— Ceci n'est pas un rendez-vous.

Il me lança un regard choqué.

— C'est évident. Sinon j'aurais apporté des Count Chocula !

— Je suis sérieuse. Pas un rendez-vous, insistai-je.

— C'est bon, j'ai compris. (Il posa le tout sur le plan de travail et se tourna vers moi.) Bien, où est-elle ? Mettons-nous au travail !

Je soufflai, soulagée par son comportement terre à terre. Ni flirt ni avances manifestes – un simple coup de main entre amis. Une fois l'étagère montée, il repartirait chez lui.

De l'énorme carton – éventré par nos soins – s'échappèrent panneaux et tablettes, ainsi qu'un assortiment de vis et de boulons. Les instructions ne s'encombraient pas de longues phrases et comportaient essentiellement des schémas sibyllins avec des flèches pointant vers les endroits où venaient se loger certaines pièces. Après plusieurs minutes d'un examen attentif, nous décidâmes enfin qu'il valait mieux commencer avec la grande planche du fond, en la posant à plat sur le sol avant de placer les tablettes et les parois dessus. Une fois que tout fut correctement aligné, Roman ramassa les vis et observa soigneusement les endroits où elles devaient fixer les différentes parties entre elles.

Il étudia les vis, regarda le carton, puis se tourna vers l'étagère.

— Bizarre…

— Quoi ?

— Je crois… généralement ces meubles en kit ont des trous dans le bois et sont livrés avec une sorte de clé pour y mettre les vis.

Je me penchai par-dessus le bois. Pas de trous. Pas d'outils.

— Nous allons devoir les visser nous-mêmes. (Il approuva d'un signe de la tête.) J'ai un tournevis… quelque part.

Il regarda le bois.

— Je ne pense pas que ça suffira. Il nous faut une perceuse.

Je ressentis une admiration mêlée de respect devant son expertise en matière d'outillage.

— Je suis certaine de ne rien posséder de tel.

Un vendeur visiblement agacé nous accueillit dix minutes avant l'heure de fermeture d'un magasin d'une grande chaîne de bricolage et nous conduisit au rayon des perceuses, puis s'éclipsa en quatrième vitesse, non sans nous avoir prévenus que nous ne disposions que de très peu de temps.

Face aux outils électriques, je me tournai vers Roman pour qu'il prenne les choses en main.

— Pas la moindre idée, finit-il par admettre après un long silence.

— Je croyais que vous étiez « le roi du bricolage »...

— Oui... bon... (Il prit l'air penaud – je ne l'avais jamais vu ainsi.) J'ai un peu exagéré...

— Quoi ? Un mensonge ?

— Non, une simple exagération.

— C'est la même chose.

— Absolument pas.

J'abrégeai le débat sur la sémantique.

— Pourquoi avoir « exagéré » alors ?

Il secoua tristement la tête.

— En partie parce que je voulais vous revoir. Pour le reste... je ne sais pas. Mais je crois que quand je vous ai entendue dire qu'un travail pénible vous attendait, j'ai eu envie de vous aider.

— Comme si j'étais une belle éplorée ? le taquinai-je.

Il me dévisagea sérieusement.

— Je n'emploierais pas ce terme vous concernant. Mais vous êtes quelqu'un que j'aimerais apprendre à mieux connaître et je me suis dit que ce serait l'occasion de vous prouver que je ne pensais pas uniquement à vous mettre dans mon lit.

— Alors comme ça, si je vous proposais de me prendre là, maintenant, dans ce rayon, vous refuseriez ?

Ma remarque, qui se voulait désinvolte, sortit de ma bouche avant que je puisse l'arrêter. C'était un mécanisme de défense, une plaisanterie destinée à masquer mon désarroi devant la franchise de ses explications. La plupart des hommes voulaient juste coucher avec moi. Je n'étais pas sûre de savoir quoi faire avec les autres.

Ma légèreté réussit à briser ce moment de gravité. Roman redevint l'homme sûr de lui et charmeur que je connaissais, et je regrettai presque d'avoir provoqué ce retour – qui sait ce qui aurait pu se produire ?

— Bien obligé. Il ne nous reste que six minutes. Ils nous mettraient dehors avant que nous ayons terminé. (Il retourna brusquement son attention vers les perceuses avec un regain d'énergie.) Quant à mes talents de bricoleur, ajouta-t-il, j'apprends remarquablement vite, je n'exagérais donc pas vraiment. Quand nous aurons terminé, je serai devenu un expert.

Faux.

Après avoir arbitrairement choisi une perceuse, Roman entreprit, une fois de retour chez moi, d'aligner les pièces de l'étagère et de les assembler. Il fixa une des tablettes au panneau du fond, positionna la vis – et perça.

Le foret traversa de biais, complètement à côté de la tablette.

— Saloperie ! jura-t-il.

Je m'avançai et poussai un cri quand j'aperçus la vis qui dépassait à l'arrière de mon étagère. Après l'avoir extraite, nous regardâmes fixement d'un air lugubre le trou bien visible qu'elle avait laissé.

— Une fois les livres en place, ça ne se verra probablement pas, suggérai-je.

Les lèvres serrées en une grimace sévère, il fit une nouvelle tentative. Cette fois, la vis entra en contact avec le bois, mais toujours de biais. Après l'avoir ressortie, il parvint à l'insérer correctement à son troisième essai.

Malheureusement, le processus se répéta à mesure qu'il continuait. Voyant apparaître les trous les uns après les autres, je me décidai à demander si je pouvais tenter ma chance. Il agita la main dans un geste défaitiste et me tendit la perceuse. Je positionnai une vis, me penchai et perçai un trou parfait à mon premier essai.

— Bon sang, fit-il. Je me sens complètement inutile. C'est moi, la belle éplorée.

— Pas du tout. Vous avez apporté les céréales.

Je finis de fixer les tablettes et m'attaquai aux parois. Sur le panneau du fond se trouvaient de petits dièses destinés à faciliter l'alignement. Après un examen approfondi, j'essayai de bien l'aligner contre les bords.

Ce qui se révéla impossible, et je compris rapidement pourquoi. Malgré mes prouesses à la perceuse, toutes les tablettes étaient posées de travers, et certaines trop vers la droite ou la gauche. Les parois ne pouvaient pas être de niveau avec les bords du panneau.

Assis sur mon canapé, Roman se passa une main sur les yeux.

— Mon Dieu.

Je croquai une poignée de Lucky Charms et réfléchis.

— On n'a qu'à les aligner du mieux qu'on peut.

— Cette chose ne tiendra jamais sous le poids des livres.

— Je sais. On fera au mieux.

Suivant ma suggestion, nous vînmes à bout de la première paroi et le résultat, bien qu'offrant un spectacle désolant, parut solide. Nous passâmes à la suivante.

— Je crois que je suis prêt à reconnaître que le bricolage n'est pas mon fort, observa-t-il. Mais vous semblez avoir le coup de main. Une vraie femme à tout faire…

— Je ne sais pas. Je pense que j'ai un don pour me tirer de justesse de tout ce que je dois faire, rien de plus.

— Je crois distinguer une grande lassitude dans votre voix. Je me trompe ? Vous avez beaucoup de choses que vous « devez » faire ?

Je faillis m'étrangler de rire – dur, dur, d'être un succube.

— On peut le dire comme ça. Mais c'est le cas de tout le monde, pas vrai ?

— Oui, bien sûr, mais c'est une question d'équilibre. Le tout est de ne pas laisser les corvées empiéter sur vos envies. Si la vie se limite à une question de survie, à quoi bon vivre ?

Je finis de fixer une vis.

— Vous devenez un peu trop profond pour moi, Descartes.

— Ne faites pas la maligne. Je suis sérieux. Qu'est-ce que vous attendez réellement de la vie ? Pour votre avenir ? Par exemple, est-ce que vous pensez travailler éternellement dans cette librairie ?

— Pour un moment. Pourquoi ? Vous trouvez à y redire ?

— Non. Cela semble juste un peu banal. Comme une manière de s'occuper en attendant mieux.

Je souris.

— Non, absolument pas. Et quand bien même, rien ne nous empêche d'apprécier les choses du quotidien.

— Non, mais mon expérience m'a appris que la plupart des gens nourrissent des rêves d'une vocation plus excitante. Le rêve trop fou pour songer sérieusement à le réaliser. Ou celui trop difficile, ou qui demande trop de travail. Le pompiste qui rêve de devenir une star du rock. Le comptable qui regrette de ne pas avoir suivi des cours d'histoire de l'art au lieu de statistiques. Les gens remettent leurs rêves à plus tard, parce qu'ils croient que c'est impossible ou qu'ils y reviendront « un jour ».

Il avait cessé de travailler à notre étagère, le visage grave de nouveau.

— Qu'est-ce que vous voulez, Georgina Kincaid ? Quel est votre rêve le plus fou ? Celui qui vous paraît irréalisable, mais qui occupe vos pensées les plus secrètes ?

Honnêtement, mon désir le plus profond se résumait à avoir une relation amoureuse normale, aimer et être aimée sans complications surnaturelles. Vraiment une petite chose, pensai-je tristement, en comparaison de ses exemples grandioses. Pas fou, juste impossible. Je ne savais pas si ce besoin d'amour était ma façon de rattraper le mariage mortel que j'avais détruit ou témoignait simplement de la prise de conscience qu'après toutes ces années, servir continuellement la chair ne suffisait plus à me satisfaire. Il y avait de bons moments, bien sûr. Se sentir désirée et adorée avait son charme – la plupart des mortels et des immortels s'en seraient contenté. Mais l'amour et le désir n'étaient pas la même chose.

Le choix le plus logique semblait de me cantonner aux autres immortels, mais les employés de l'enfer ne se révélaient pas des candidats idéaux en matière de stabilité et d'engagement sur la durée. Au cours des années, j'avais connu quelques expériences semi-satisfaisantes avec de tels hommes, mais ça n'avait débouché sur rien de concret.

Toutes explications qui n'avaient – et n'auraient – jamais leur place dans une conversation avec Roman. À la place, je confessai mon rêve secondaire, à moitié surprise de me rendre compte combien j'avais envie d'en parler. Les gens s'intéressaient rarement à ce que j'attendais de la vie. La plupart se contentaient de me demander dans quelle position j'avais envie de le faire.

— Eh bien, si je ne travaillais pas dans une librairie – et croyez-moi, j'en suis très heureuse – je crois que j'aimerais faire la chorégraphie de spectacles à Las Vegas.

Le visage de Roman se fendit en un large sourire.

—Là, vous voyez? C'est précisément le genre de projets loufoques et excentriques dont je parlais. (Il se pencha vers moi.) Alors, qu'est-ce qui vous retient de réaliser votre rêve de paillettes et de seins nus? La peur du risque? Du sensationnel? Le qu'en-dira-t-on?

—Non, répondis-je tristement. Simplement le fait que j'en suis incapable.

—Ce n'est pas une...

—Vous m'avez mal comprise: je ne *peux* pas chorégraphier un spectacle, parce que je suis incapable d'écrire des enchaînements. J'ai essayé. D'ailleurs, je suis... je suis incapable de créer quoi que ce soit. Je ne suis pas une personne créative.

Il s'esclaffa.

—Je n'en crois pas un mot.

—C'est pourtant vrai.

Quelqu'un m'avait expliqué un jour que la création était un domaine exclusivement réservé aux humains qui brûlaient du désir de laisser un héritage à la fin de leur si courte existence – nous autres immortels en étions exclus. Mais j'avais connu des immortels qui en étaient capables. Peter n'arrêtait pas d'inventer d'originales surprises culinaires. Hugh se servait du corps humain comme d'une toile. Mais moi? Même mortelle, j'en avais été incapable. Je n'avais pas ça en moi.

—Vous n'avez pas idée des efforts que j'ai faits. J'ai pris des cours de peinture. Des cours de musique. Au pire j'échoue lamentablement, au mieux je parviens à copier le génie d'un autre.

—Vous avez pourtant fait preuve d'une certaine adresse dans le montage de cette étagère.

—Conçue par quelqu'un d'autre. Et j'ai suivi les instructions du créateur. J'excelle dans ce domaine. Je suis intelligente. Je sais raisonner. Je comprends les gens et je m'entends parfaitement avec eux. Je sais imiter, apprendre les bons mouvements et les différentes étapes d'un processus. Prenons mes yeux. (Je les pointai du doigt.) Je sais appliquer mon maquillage aussi bien – sinon mieux – que les vendeuses des grands magasins. Mais je pique toutes mes idées et mes palettes chez les autres – sur les photos des magazines. Je n'invente rien. Las Vegas? Je pourrais danser dans un spectacle à la perfection. Sérieusement. Je pourrais devenir la vedette de n'importe quelle revue – en suivant la chorégraphie d'un autre. Mais je ne pourrais pas écrire les pas moi-même – rien d'original en tout cas.

La paroi était en place.

— Je n'en crois rien, protesta-t-il. (Sa défense passionnée me surprit et me charma.) Vous êtes pleine de vie et visiblement – très – intelligente. Donnez-vous une chance ! Commencez petit et regardez où cela vous mènera…

— C'est le moment où vous me dites que je dois croire en moi ? Que tout est possible ?

— Non. C'est le moment où je vous dis qu'il se fait tard et que je dois rentrer. Votre étagère est terminée et j'ai passé une très bonne soirée.

Nous soulevâmes l'étagère et l'appuyâmes contre le mur. Nous fîmes un pas en arrière afin d'examiner notre œuvre en silence. Même Aubrey vint se joindre à nous pour l'inspection.

Toutes les tablettes étaient de travers. L'une des parois latérales semblait presque parfaitement alignée au bord du panneau du fond – où apparaissaient six trous bien visibles –, l'autre présentait un jeu d'environ un demi-centimètre. Et inexplicablement, l'ensemble semblait pencher légèrement vers la gauche.

J'éclatai de rire – impossible de m'arrêter. Une fois remis du choc, Roman se joignit à moi.

— Grand Dieu, finis-je par dire en essuyant mes larmes. Je n'ai jamais rien vu de pire.

Roman ouvrit la bouche pour me contredire, puis il réfléchit.

— C'est possible, mais je crois qu'elle va tenir, mon capitaine, fit-il avec un salut militaire.

Nous échangeâmes encore quelques commentaires railleurs avant que je le raccompagne jusqu'à ma porte, me souvenant au passage de lui rendre son manteau. Malgré ses plaisanteries, il paraissait plus sincèrement déçu que moi par notre fiasco en kit, comme s'il m'avait laissé tomber. D'une certaine manière, je trouvai cela encore plus séduisant que son sens de la repartie ou ses bravades charmantes – que j'aimais aussi, d'ailleurs. Pendant que nous nous disions au revoir, je l'observai attentivement, repensant à son côté « chevaleresque » et à sa conviction profonde que je devais aller au bout de mes rêves. La peur qui me nouait généralement l'estomac en compagnie des gens que j'appréciais s'atténua un peu.

— Hé ! Vous ne m'avez pas dit quel était votre rêve impossible !

Il fronça les sourcils.

— Rien d'impossible. Juste sortir avec vous.

Rien d'impossible. Comme le mien. Trouver l'âme sœur – au diable la richesse et la célébrité.

— Très bien… que faites-vous demain ?

Son visage s'éclaira.

— Rien pour l'instant.

— Alors passez à la librairie un peu avant l'heure de fermeture. Je donne un cours de danse.

Mon cours accueillait de nombreux participants – un compromis sans risques pour nous.

Son sourire vacilla légèrement.

— Un cours de danse ?

— Ça vous pose un problème ? Vous préférez changer d'avis ?

— Euh, non, mais… ce sera comme à Las Vegas ? Vous serez couverte de strass ? Parce qu'alors j'en suis !

— Pas exactement.

Il haussa les épaules, le charisme à pleine puissance.

— Pas grave. Gardons ça pour le deuxième rendez-vous.

— Non. Il n'y aura pas de deuxième rendez-vous, rappelez-vous. Juste celui-là et après, terminé ! Nous ne nous reverrons plus. Vous m'avez donné votre parole de scout.

— Peut-être une exagération de ma part.

— Non. Ça s'appelle un mensonge.

— Ah. (Il me fit un clin d'œil.) Je suppose que ce n'est décidément pas la même chose, n'est-ce pas ?

— Je…

Son raisonnement me laissa sans voix.

Il me gratifia d'une de ses révérences espiègles avant de s'éclipser.

— Bonne nuit, Georgina.

Je regagnai mon appartement, espérant n'avoir pas fait une erreur, et découvris Aubrey assise sur une des étagères.

— Holà ! Sois prudente, l'avertis-je. Je ne crois pas que cette structure soit vraiment solide.

Malgré l'heure tardive, je ne me sentais pas fatiguée. Pas après cette soirée loufoque avec Roman. Je me sentais sur les nerfs, sa présence affectant aussi bien mon corps que mon esprit. Saisie d'une soudaine inspiration, je chassai Aubrey de mon étagère et commençai à transférer mes livres. À chaque ajout de poids, je m'attendais à ce que l'édifice s'écroule, mais il tint bon.

Quand j'arrivai aux œuvres de Seth Mortensen, je me remémorai brusquement le cataclysme qui avait provoqué cette folle soirée. Mon sang ne fit qu'un tour. L'écrivain ne s'était même pas manifesté. Un accident de voiture restait une hypothèse, mais mon instinct prétendait le contraire. Il m'avait bel et bien posé un lapin.

J'envisageai de donner des coups de pied dans ses livres en guise de représailles, mais je savais pertinemment que j'en serais incapable. Je les aimais trop pour cela et je n'avais aucune raison de les punir pour les défauts de leur créateur. Je ramassai *Le Pacte de Glasgow*, soudain impatiente de lire ma prochaine série de cinq pages. J'abandonnai le reste de mes livres sur le sol et me retirai sur le canapé, Aubrey à mes pieds.

Quand j'atteignis la dernière de mes cinq pages quotidiennes, je découvris quelque chose d'incroyable. Dans cet épisode de la série, Cady tombait amoureuse. Du jamais vu. O'Neill, l'homme à femmes, passait d'une aventure à l'autre. Mais Cady restait vertueuse et pure, quel que soit le nombre d'allusions et de blagues sexuelles qu'elle échangeait avec O'Neill. Rien de tangible pour l'instant, mais en lisant entre les lignes, je compris que l'inévitable allait se produire avec cet enquêteur rencontré à Glasgow.

Je poursuivis ma lecture, incapable de lâcher l'intrigue à ce stade. Et plus je lisais, plus il devenait difficile d'arrêter. Je ressentis bientôt une satisfaction secrète et irrationnelle à l'idée d'enfreindre la règle des cinq pages – ma revanche sur Seth en quelque sorte.

La nuit passa. Cady coucha avec ce type et O'Neill réagit avec une jalousie qui ne lui ressemblait pas, complètement déboussolé sous son charme de surface habituel. Merde alors ! Je quittai le canapé, enfilai mon pyjama et me pelotonnai dans mon lit. Aubrey me suivit. Je continuai à lire.

Épuisée, j'achevai le livre à 4 heures du matin, les yeux troubles. Cady avait revu le type plusieurs fois pendant qu'elle et O'Neill résolvaient leur affaire – aussi passionnante qu'à l'accoutumée, mais soudain moins intéressante que le développement de la relation entre les personnages – et ensuite elle et son bel Écossais avaient chacun repris le cours de leur vie. Cady et O'Neill étaient rentrés à Washington – retour au *statu quo*.

Je poussai un long soupir et posai le livre sur le sol, ne sachant pas quoi penser, en grande partie à cause de la fatigue. Mais, avec un gros effort, je sortis du lit, allumai mon ordinateur portable et me connectai à mon compte e-mail d'*Emerald City*. J'envoyai un message laconique à Seth : « Cady amoureuse ? Qu'est-ce qui vous a pris ? » Puis j'ajoutai après coup : « Au fait, le match de hockey était super. »

Satisfaite d'avoir fait part de mon opinion, je ne tardai pas à m'endormir… pour être tirée du sommeil par mon réveil quelques heures plus tard.

Chapitre 10

Bon sang! Où avais-je la tête? Je travaillais aujourd'hui. Et dans dix minutes! Pas le temps de me maquiller ou de m'habiller «pour de vrai». Avec un soupir, je changeai de forme, mon peignoir cédant la place à un pantalon gris et un chemisier ivoire, cheveux et maquillage retrouvant brusquement leur habituelle perfection immaculée. Je me brossai les dents et me parfumai – impossible de faire semblant – avant de saisir mon sac et de me précipiter hors de mon appartement.

Dans l'entrée, le réceptionniste m'interpella.

—J'ai quelque chose pour vous.

Il me tendit un paquet plat.

Comme j'étais pressée, je déchirai rapidement l'emballage et réprimai un hoquet de surprise en découvrant son contenu. «Kit de peinture par numéros Black Velvet», disait la boîte. Un sous-titre proclamait: «Créez votre propre chef-d'œuvre! Contient tout ce dont vous avez besoin pour peindre comme un véritable artiste!» Le «chef-d'œuvre» en question représentait un paysage désertique avec un cactus géant d'un côté et un coyote hurlant de l'autre. Un aigle planait dans le ciel et la tête d'un Indien désincarné flottait non loin de là. Terriblement stéréotypé et ringard.

Quelqu'un avait scotché un petit bout de papier dessus. «Commencez petit», disait la note. «Affectueusement, Roman.» L'écriture était si parfaite qu'elle en semblait irréelle.

J'en riais encore en arrivant au travail. Une fois dans mon bureau, je m'installai devant l'ordinateur où m'attendait ma deuxième surprise de la matinée : un nouvel e-mail de Seth, envoyé à 5 heures du matin.

« Georgina,

Quelques années plus tôt, pendant l'écriture des *Dieux de l'or*, j'ai fait la connaissance d'une femme lors d'un cours que je suivais sur l'archéologie en Amérique du Sud. Je ne sais pas comment cela se traduit chez les femmes et cela ne se passe probablement pas de la même façon pour tous les hommes. Mais pour moi, quand je rencontre quelqu'un qui me plaît, le temps suspend son vol. Les planètes s'alignent et je cesse de respirer. Les anges eux-mêmes descendent se poser sur mes épaules, me chuchotant des promesses d'amour et de dévouement pendant que d'autres créatures – moins célestes – me soufflent à l'oreille des promesses qui n'ont rien d'angélique, elles. Les hommes sont comme ça, je suppose.

Quoi qu'il en soit, c'est l'effet que m'a fait cette femme. Nous sommes tombés très amoureux l'un de l'autre et notre relation a duré très longtemps, mais de manière épisodique. Certains jours, nous ne parvenions pas à nous séparer l'un de l'autre plus d'une minute, mais ensuite il pouvait s'écouler plusieurs mois sans le moindre contact entre nous. Je dois avouer que ce dernier comportement tenait plus à moi qu'à elle. Je vous ai dit à quel point Cady et O'Neill pouvaient se montrer exigeants. Dans mes phases d'écriture intense, je ne suis pas capable de penser ou faire quelque chose qui n'ait pas de lien avec mon roman. Je savais qu'elle en souffrait, qu'elle était le genre de personne qui souhaitait fonder une famille et vivre une vie simple. Je n'étais pas ce genre de personne – je ne suis pas sûr d'avoir changé d'ailleurs – mais j'aimais l'idée d'avoir quelqu'un pour me tenir compagnie, quelqu'un sur qui compter quand j'en ressentais le besoin. Je n'avais pas le droit de lui faire cela, de la laisser perpétuellement dans l'attente. J'aurais dû mettre un terme à notre liaison beaucoup plus tôt, mais je me suis conduit comme un égoïste satisfait de son petit confort.

Un jour, après ne pas lui avoir parlé depuis quelques mois, je lui ai téléphoné et j'ai eu la surprise d'entendre un homme me répondre. Quand elle a pris le combiné, elle m'a expliqué qu'elle avait rencontré quelqu'un d'autre et préférait ne pas me revoir. Dire que j'ai été choqué serait un euphémisme. J'ai commencé à parler à tort et à travers, lui disant combien elle comptait pour moi, qu'elle ne pouvait pas simplement tirer un trait sur notre histoire. Elle l'a pris plutôt bien, si l'on considère que je radotais comme un cinglé, mais à la fin elle a conclu en disant que je ne pouvais pas lui reprocher de ne pas avoir voulu attendre éternellement. Elle devait penser à sa propre vie.

Deux raisons m'amènent à partager avec vous cet épisode plutôt embarrassant de la vie du grand Seth Mortensen. D'abord, je vous dois des excuses pour ce qui s'est passé hier soir. Malgré mes ronchonnements, j'avais bien l'intention de venir à notre rendez-vous. Deux heures avant le match, je suis passé chez moi pour récupérer quelque chose et j'ai brusquement trouvé la solution au problème qui m'avait bloqué toute la journée. Je me suis mis au travail immédiatement, pensant en avoir tout au plus pour une heure. Comme vous l'avez sans doute deviné à présent, cela m'a pris beaucoup plus longtemps. J'étais tellement concentré sur ce que j'écrivais que j'ai complètement oublié le match – et vous par la même occasion. Je n'ai jamais entendu la sonnerie du téléphone. Je n'avais conscience de rien excepté la nécessité de coucher mon histoire sur le papier – mon écran pour être exact.

C'est un problème fréquent chez moi, j'en ai peur. Mon ex en a souffert, ma famille en souffre et malheureusement cela vous est arrivé à vous aussi. Mon frère pourrait vous raconter comment j'ai bien failli manquer son mariage. Les univers et les gens dans ma tête sont tellement vivants pour moi que j'en oublie la réalité. Parfois j'en viens même à douter que le monde de Cady et O'Neill ne soit pas réel. Je n'ai jamais l'intention de blesser qui que ce soit et je m'en veux beaucoup après coup, mais c'est un défaut que je n'arrive pas à surmonter.

Rien de tout cela ne justifie de vous avoir abandonnée hier soir, mais j'espère avoir réussi à vous expliquer à quel point ma vision du monde est déformée. Je vous prie encore d'accepter mes plus plates excuses.

La seconde raison de ce déballage concerne votre commentaire sur la vie amoureuse de Cady. En réfléchissant aux personnages de

Cady et O'Neill, j'ai décidé qu'elle n'était pas du genre à attendre éternellement non plus. Comprenez-moi bien : je ne prétends pas que Cady et mon ex-petite amie aient beaucoup en commun. Cady n'a aucunement l'ambition de mener une petite existence tranquille en banlieue et de choisir ses rideaux avec O'Neill. C'est une femme intelligente, pleine d'entrain et passionnée ; elle aime la vie et veut la croquer à pleines dents. De nombreux lecteurs n'ont pas supporté de la voir quitter son rôle de chien fidèle – et chaste – aux côtés d'O'Neill, mais je crois que c'était devenu nécessaire. Soyons francs : O'Neill la traite comme si elle n'existait pas et il avait besoin d'un coup de semonce. Cela signifie-t-il, comme me l'ont demandé bon nombre de lecteurs, que j'ai commencé à envisager d'en faire un couple ? Naturellement, étant leur créateur, je ne dirai rien, à part ceci : j'ai en tête un grand nombre d'autres livres avec eux et le public semble se désintéresser des personnages quand ces derniers sortent ensemble.

Seth

PS : à propos, j'ai acheté l'appartement. Mistee était tellement excitée qu'elle m'a littéralement sauté dessus et nous avons fait l'amour comme des bêtes sur les comptoirs en granit.

PPS : d'accord, j'ai inventé la dernière partie. Que voulez-vous, je suis un homme. Et un écrivain. »

Les yeux encore lourds de sommeil, je méditai lentement le contenu de ce message. Waou. Cela n'aurait pas dû me surprendre, considérant les scènes de sexe qu'il écrivait. Il ne pouvait pas avoir tout imaginé. Mais quand même, difficile de se représenter le Seth introverti que je connaissais participant à tous les échanges sociaux habituellement requis par une relation durable.

Et que penser des raisons invoquées pour m'avoir posé un lapin ? Il avait raison de dire que sa soudaine inspiration n'excusait en rien ce qu'il avait fait. Mais son explication me mettait un peu de baume au cœur ; il n'était pas impoli, juste inconséquent. Inconséquent était peut-être un peu fort. Isolé, voilà le mot juste. Isolé de la réalité. Pas forcément une mauvaise chose d'ailleurs, si, en ignorant le monde réel, il parvenait à travailler dans celui de son imagination. En fait, je n'en savais rien.

Je ruminai tout cela le reste de la matinée, ma colère de la veille se calmant à mesure que le temps s'écoulait et que je me perdais en conjectures sur l'esprit d'un brillant écrivain. Quand arriva l'heure du déjeuner, je pris conscience que je m'étais remise de ma mésaventure du match de hockey. Il ne m'avait pas volontairement posé un lapin et je n'avais finalement pas passé une si mauvaise soirée que cela.

En fin d'après-midi, Warren vint me tourner autour.

— Non, fis-je immédiatement, reconnaissant cette lueur dans son regard. (Je détestais sa présomption, mais la trouvais aussi étrangement attirante.) Je suis d'une humeur de chien.

— Je vais arranger ça.

— Tu as entendu ce que je viens de te dire ?

— J'aime bien quand tu es dans cet état d'esprit.

Mon instinct de succube commença à se réveiller. Je déglutis, agacée par ces appétits que je ne contrôlais pas et par ma faiblesse.

— Et j'ai du travail. J'ai des… des choses… à faire.

Mais mes excuses manquaient de conviction, ce qui n'échappa apparemment pas à Warren.

Il avança vers moi et s'agenouilla à côté de ma chaise, passant la main sur ma cuisse. Je portais un pantalon dans un tissu fin et soyeux et le contact de ses doigts me caressant à travers l'étoffe me parut presque plus sensuel que sur la peau nue.

— Comment s'est passé ton rendez-vous d'hier soir ? murmura-t-il, approchant sa bouche de mon oreille, puis de mon cou.

Malgré mes velléités de résistance, je renversai obligeamment la tête ; j'aimais la façon dont sa bouche se faisait plus insistante sur ma peau, la taquinant avec ses dents. Warren ne remplaçait pas un petit ami, mais pour moi il était ce qui se rapprochait le plus d'une relation durable. C'était mieux que rien.

— Bien.

— Tu l'as baisé ?

— Non. J'ai dormi seule – hélas.

— Bien.

— Mais il revient ce soir. Pour le cours de danse.

— Vraiment ?

Warren défit les deux premiers boutons de mon chemisier, révélant un soutien-gorge rose pâle en dentelle. Du bout des doigts, il dessina la forme d'un de mes seins, suivant sa courbe intérieure jusqu'au point de rencontre avec son jumeau. Puis il remonta la main vers ce dernier, jouant avec le mamelon à travers la dentelle. Je fermai les yeux, surprise par la montée de mon désir. Après avoir aidé à conclure le contrat avec Martin, je n'aurais pas cru être en manque si tôt. Et pourtant, la faim me tenaillait, mêlée au désir sexuel. L'instinct à l'état pur.

— Nous le présenterons à Marla.

Marla était la femme de Warren. Marla et Roman – ensemble ! C'était trop drôle.

— Tu sembles jaloux, le taquinai-je.

Je tirai Warren vers moi et il réagit en me poussant sur le plateau du bureau. Je descendis les mains afin de défaire la fermeture de son pantalon.

— Je le suis, grogna-t-il. (Il se pencha, fit glisser mon soutien-gorge vers le bas et dénuda mes seins ; approchant sa bouche d'un mamelon, il hésita.) Tu me jures que vous n'avez pas baisé ?

— Je pense que je m'en souviendrais.

On frappa à la porte et Warren s'écarta précipitamment de moi, remontant son pantalon.

— Merde !

Je me redressai et retournai m'asseoir. À l'abri du regard de Warren – tourné vers la porte –, j'usai de mon pouvoir de transformation afin de me refaire rapidement une beauté et de reboutonner mon chemisier. Une fois que je nous trouvai tous deux présentables, je lançai :

— Entrez !

Seth ouvrit la porte.

Je dus faire appel à toute ma volonté pour ne pas en rester bouche bée de stupéfaction.

— Salut, fit Seth, regardant alternativement Warren et moi. Je ne vous dérange pas, j'espère ?

— Non, non, pas le moins du monde, l'assura Warren, passant instantanément en mode « relations publiques ». Nous avions une réunion rapide.

— Rien d'important, ajoutai-je.

Warren me lança un regard curieux.

— Oh, fit Seth, qui semblait toujours pressé de déguerpir. Je suis juste passé voir si vous aviez envie de déjeuner. Je… je vous ai envoyé un e-mail concernant l'incident de l'autre soir.

— Je sais. Je l'ai lu. Merci.

Je lui souris, espérant lui faire comprendre en silence que tout était pardonné. Avec son air tellement inquiet, il faisait peine à voir ; j'étais convaincue que sa conscience avait plus souffert que ma fierté la nuit dernière.

— Excellente idée ! tonna Warren. Allons tous déjeuner ensemble. Georgina et moi pouvons remettre notre réunion à plus tard.

— Je ne peux pas.

Je lui rappelai combien nous manquions de personnel, ce qui rendait ma présence nécessaire. Il se renfrogna.

— Pourquoi n'avons-nous engagé personne ?

— Je m'en occupe.

Finalement, Warren se contenta d'accompagner l'écrivain – visiblement anxieux – et je me retrouvai seule, en proie à un sentiment d'abandon. J'aurais presque voulu entendre Seth continuer à me parler de la manière dont l'écriture avait pris le contrôle de sa vie. Ou même m'envoyer en l'air avec Warren. Aucun des deux n'allait se produire. Ah, les injustices de l'univers…

Mais il me restait apparemment une faveur karmique. Vers 16 heures, Tammi – la fille aux cheveux rouges rencontrée chez *Krystal Starz* – se présenta et vint m'aider à régler mes problèmes d'effectif. Comme je le lui avais suggéré, elle avait amené une amie. Lors d'un rapide entretien, je m'assurai de leurs compétences et les engageai sur-le-champ, trop contente de rayer une des tâches de ma liste.

À l'heure de la fermeture, le manque de sommeil commença à se faire sentir. Je ne me sentais pas d'humeur à animer un cours de danse.

Prenant conscience de la nécessité de changer de tenue, je fermai la porte de mon bureau et usai de nouveau de mon pouvoir de transformation. J'avais l'impression de tricher – comme d'habitude. Pour danser, je choisis une robe sans manches, moulante au niveau du corsage et flottante à partir de la taille – idéale pour virevolter. J'espérais que la robe, qui mêlait des nuances pêche et orange, me remonterait le moral. J'espérais également que personne ne remarquerait que je n'avais pas apporté de vêtements de rechange avec moi ce matin.

Par les haut-parleurs du plafond, j'entendis l'une des caissières annoncer que le magasin fermait ; au même moment on frappa à la porte.

— Entrez ! fis-je, me demandant si Seth était revenu.

Mais Cody fit son apparition.

— Salut, lança-t-il avec un sourire forcé. Tu te sens d'attaque ?

Environ un an plus tôt, j'avais appris à Cody à danser le swing et il avait fait preuve de grandes facilités, probablement en partie dues à ses réflexes de vampire. En conséquence, je l'avais recruté – à son corps défendant – pour en faire mon assistant lors de ces leçons impromptues que je donnais au personnel de la librairie. Il continuait de prétendre qu'il n'était pas bon, mais en l'espace de deux sessions, il s'était révélé remarquablement efficace.

— Quoi ? Pour danser ? Bien sûr, pas de problème. (Je jetai un coup d'œil aux alentours, m'assurant que nous étions bien seuls.) Aucun événement étrange à me signaler ?

Cody secoua sa tête encadrée de cheveux blonds, telle la crinière d'un lion.

— Non. C'est le calme plat. Je me suis peut-être emballé.

— Prudence est mère de sûreté, l'avisai-je, ayant l'impression d'endosser le costume de la grand-mère peu avare de clichés. Quels sont tes projets après le cours ?

— Je dois retrouver Peter dans un bar du centre-ville. Tu veux nous rejoindre ?

— D'accord.

Nous serions tous plus en sécurité en restant groupés.

On poussa la porte et Seth glissa la tête dans l'entrebâillement.

— Salut, je… oh, désolé, bredouilla-t-il en apercevant Cody. Je ne voulais pas vous déranger.

— Mais non, mais non, le coupai-je, lui faisant signe d'entrer. Nous discutions, c'est tout. (Je lui lançai un regard curieux.) Que faites-vous encore parmi nous ? Vous restez pour le cours de danse ?

— Euh, je… c'est-à-dire… Warren m'a invité, mais… je ne crois pas que je vais vraiment danser. Ça pose un problème ?

— Ne pas danser ? Qu'est-ce que vous comptez faire, alors ? Regarder ? Jouer les voyeurs, en quelque sorte…

Seth me dévisagea avec gravité, apparaissant pour la première fois depuis longtemps comme l'homme qui avait écrit ces observations amusantes sur les agents immobiliers et les ex-petites amies. Celui avec qui j'avais maladroitement flirté.

— Je ne suis pas désespéré à ce point. Pas encore en tout cas. Mais il vaut mieux que je ne danse pas, je vous assure. Pour le bien de ceux qui m'entourent.

— Je disais la même chose avant qu'elle me fasse essayer, fit observer Cody. Avec elle, vous êtes entre de bonnes mains. Après, vous ne serez plus le même, vous verrez.

Avant qu'aucun de nous relève la nature suggestive de ce commentaire, Doug apparut derrière Seth, ayant échangé sa tenue d'employé responsable pour celle de rocker grunge.

— Et alors, quand est-ce qu'on commence ? Je suis revenu exprès pour cette leçon, Kincaid ! Ne me le fais pas regretter. Salut, Cody !

— Salut, Doug.

— Salut, Seth.

— Salut, Doug.

Je levai les yeux au ciel.

— Très bien. Allons-y.

Nous nous dirigeâmes tous ensemble vers le café où l'on déplaçait les tables pour nous donner de l'espace. En chemin, je présentai Cody et Seth. Ils échangèrent une poignée de mains, le jeune vampire me lançant un regard lourd de sous-entendus quand il comprit de quel « Seth » il s'agissait.

— Vous êtes sûr de ne pas vouloir danser ? demandai-je à l'écrivain, rendue perplexe par son obstination.

— Sans façon. Je ne le sens pas.

— Vous savez, après la journée de merde que je viens de vivre, l'idée d'animer cette fiesta ne m'enchante pas non plus, mais nous avons tous notre croix à porter. Haut les cœurs et ce genre de choses, vous comprenez ?

Seth n'en avait pas l'air en tout cas, me gratifiant seulement d'un petit sourire déconcerté. L'instant d'après, l'intensité de ce sourire baissa encore.

— Vous avez lu mon e-mail... est-ce que... est-ce que vous...

— C'est bon. Oubliez tout ça. (Ses habitudes en société ne cadraient peut-être pas avec les miennes, mais je ne supportais pas de le voir continuer à se faire du mouron à propos d'hier soir.) Sérieusement.

Je lui tapotai le bras et lui offris mon sourire à la Hélène de Troie, avant de tourner mon attention vers la scène qui se déroulait à l'étage ; là patientaient la plupart des employés qui avaient travaillé aujourd'hui, plus quelques autres qui, à l'instar de Doug, étaient revenus. Warren et sa femme étaient également présents. Ainsi que Roman.

Quand il me vit, il s'approcha de moi en souriant et je me sentis balayée par une légère vague de désir, totalement indépendante de mon appétit de succube. Toujours aussi canon, il portait un pantalon noir et une chemise turquoise qui brillait comme ses yeux.

— Un rendez-vous de groupe, alors ?

— Pour ma sécurité. J'ai toujours pensé qu'il valait mieux que je garde quelques dizaines de chaperons sous la main.

— Il vous en faudra quelques dizaines de plus dans cette robe, me prévint-il à voix basse, me déshabillant du regard.

Je rougis, m'éloignant de quelques pas.

— Vous attendrez votre tour, comme tout le monde.

Je lui tournai le dos et, par inadvertance, croisai le regard de Seth. Il avait manifestement entendu mon bref échange avec Roman. Rougissant de plus belle, je fuis les deux hommes en direction du centre de la piste, entraînant Cody dans mon sillage.

Tâchant de faire bonne figure, je chassai ma longue journée de mon esprit et répondis par un large sourire aux acclamations de mes collègues de travail.

— Bienvenue à tous. Commençons sans tarder. Doug est un peu pressé et veut en terminer le plus vite possible. On m'a laissé entendre que c'était fréquent chez lui, dans pas mal de domaines – y compris dans ses rapports avec les femmes.

Cette dernière remarque me valut les sifflets – approbateurs ou non – de la foule, ainsi qu'un geste obscène de la part de Doug.

Je présentai de nouveau Cody, bien moins à l'aise en public que je ne l'étais, et commençai à jauger le groupe. Il comptait plus de femmes que d'hommes, comme d'habitude, et tous les niveaux étaient représentés. Je formai les couples en conséquence, associant les femmes particulièrement expertes avec d'autres femmes, pleinement confiante dans leur capacité à endosser le rôle de l'homme le temps de cette danse et à changer sans effort pour la suivante. Je n'accordais pas la même confiance à tous les participants ; certains luttaient encore pour simplement suivre un rythme.

Par conséquent, j'entamai la leçon du jour par une révision, en musique, des pas de base appris lors de la précédente session. Cody et moi suivions de près les progrès des élèves, faisant des ajustements mineurs et des suggestions. La tension de la longue journée se relâcha légèrement pendant que je travaillais avec le groupe. J'adorais le swing, j'avais accroché dès l'apparition de cette danse au début du XXe siècle et j'avais été enchantée quand elle était récemment revenue à la mode. Je savais que cela ne durerait pas et c'était en partie la raison pour laquelle je tenais à partager mon savoir.

Ne connaissant pas le niveau de compétence de Roman, je l'avais associé à Paige, une danseuse plutôt expérimentée. Après les avoir observés environ une minute, je secouai la tête et m'approchai d'eux.

— Escroc, va ! le réprimandai-je. Vous m'avez joué la comédie, vous dansez comme un pro.

— Il m'est arrivé de fréquenter les pistes, avoua-t-il modestement, entraînant sa partenaire dans une figure que je ne leur avais pas encore apprise.

— Ça suffit. Je vous sépare. On a besoin de vos compétences ailleurs.

— Oh, s'il te plaît, supplia Paige. Laisse-moi le garder. Depuis le temps que j'attends de pouvoir danser avec un homme qui sait ce qu'il fait...

Roman me lança un regard.

— Je ne l'ai pas forcée à le dire.

Je levai les yeux au ciel et leur assignai de nouveaux partenaires.

Après quelques autres interventions de ma part, je m'estimai satisfaite des prouesses du groupe dans son ensemble, convaincue que je ne verrais plus guère de changements. Cody et moi décidâmes alors de passer à quelques pas de lindy hop. Sans surprise, le chaos ne tarda pas à régner. Les plus doués du groupe adoptèrent les pas en un tournemain, alors que ceux qui avaient du mal à suivre précédemment continuaient à rencontrer des difficultés ; enfin, certains participants qui s'en étaient bien sortis avec les pas et les figures de base semblaient atteindre leurs limites.

Cody et moi passâmes parmi les danseurs, essayant de limiter les dégâts et offrant des paroles réconfortantes.

— Ne relâche pas la tension dans ton poignet, Beth… pas trop, attention ! Ne te fais pas mal !

— Compte, bon sang ! Compte. Le rythme est le même qu'avant.

— Reste en face de ta partenaire… ne la perds pas de vue.

Mon rôle de professeur m'épuisait – et j'adorais ça. Oubliés, les chasseurs de vampires et les luttes éternelles du bien et du mal !

J'aperçus Seth, assis sur le bord de la piste, comme il en avait fait la promesse.

— Hé, monsieur le voyeur ! Toujours pas tenté ? le grondai-je, essoufflée et excitée à force de courir aux quatre coins de la piste de fortune.

Il secoua la tête, un léger sourire jouant sur ses lèvres pendant qu'il m'observait.

— Je profite du spectacle.

Se levant de sa chaise, il se pencha vers moi avec familiarité ; je sursautai quand il tendit la main et remonta une bretelle de ma robe qui avait glissé de mon épaule sur mon bras.

— Voilà, déclara-t-il. Parfait.

Au contact doux et chaud de ses doigts, j'eus la chair de poule. L'espace d'un instant, une expression que je ne lui avais jamais vue traversa son visage, gommant l'image de l'écrivain distrait que j'avais connu jusqu'à présent pour la remplacer par quelque chose de… disons… plus viril. Un regard admiratif, songeur. Un rien prédateur, même. Il disparut aussi vite qu'il était apparu, mais je me sentis néanmoins prise au dépourvu.

— Attention à cette bretelle, me prévint doucement Seth. Il faut qu'il la mérite.

Il inclina légèrement la tête en direction d'un groupe de danseurs et je suivis son regard jusqu'à Roman qui expliquait une figure complexe à l'une des *baristas*.

J'admirai les mouvements gracieux de Roman un instant, avant de me retourner vers Seth.

— Ce n'est pas si compliqué. Je peux vous apprendre.

Je lui tendis la main en guise d'invitation.

Il parut sur le point d'accepter, mais secoua la tête au dernier moment.

— Je me ridiculiserais.

— Ah oui ? Parce que vous croyez qu'en restant assis sur le bord de la piste quand tout le monde danse et que nous manquons d'hommes, vous n'avez pas l'air ridicule ?

Il laissa échapper un petit rire.

— Vous avez peut-être raison.

Comme il semblait à court d'excuses, je haussai les épaules et regagnai la piste où je continuai à donner mes instructions. Cody et moi ajoutâmes quelques nouveaux pas et aidâmes encore quelques couples, avant de nous retirer sur le côté afin d'admirer nos élèves.

— Tu crois qu'ils sont prêts pour le *Moondance* ? demanda-t-il.

Le *Moondance Lounge* était un club de danse de salon qui organisait tous les mois une nuit du swing. L'apparition de ce groupe à l'une de ces soirées constituerait l'équivalent d'une cérémonie de remise des diplômes.

— Encore une leçon, je pense. Ensuite, nous pourrons les faire évoluer en public.

Un bras s'enroula autour de ma taille, m'entraînant sur la piste. Je recouvrai bien vite mon équilibre et m'alignai sur le pas de Roman tandis qu'il me faisait tournoyer en exécutant une figure complexe. Près de nous, quelques personnes s'interrompirent pour nous regarder.

— C'est mon tour d'être le chouchou de la prof, me réprimanda-t-il. Je vous ai à peine vue de toute la soirée. Je ne crois pas que cela compte comme un rendez-vous.

Je le laissai me conduire de manière extravagante, curieuse de découvrir la réelle étendue de son talent.

— Vous n'arrêtez pas de changer les règles, me plaignis-je.

D'abord vous voulez sortir avec moi et maintenant ça ne vous suffit plus, vous voulez en plus que nous soyons seuls. Il faut vous décider. Être plus précis.

—Ah, je comprends. Personne ne m'avait expliqué cela. (Il m'entraîna dans un *reverse whip* et je le suivis parfaitement, gagnant un regard approbateur de sa part.) Je suppose que vous n'avez pas en rayon de *Mode d'emploi de Georgina Kincaid* qui me permettrait d'éviter l'embarras de pareils impairs à l'avenir ?

—Il est en vente au rez-de-chaussée.

—Vraiment ? (Il commença à improviser et je m'amusai à relever le défi consistant à anticiper ses pas.) Comporte-t-il une page sur la façon de s'attirer les faveurs de la belle Georgina ?

—Une page ? Un chapitre entier, plutôt !

—Lecture exigée, j'imagine.

—Absolument. À propos, merci pour la boîte de peinture par numéros.

—J'espère bien admirer le résultat sur votre mur lors de mon prochain passage.

—Avec cet horrible stéréotype indien ? Estimez-vous heureux que je ne vous dénonce pas à l'ACLU [1] !

Il termina avec panache par un *swing out* de toute beauté, pour le plus grand plaisir de tous. Ils avaient arrêté de danser depuis un moment afin de me regarder me donner en spectacle. Je me sentais un peu mal à l'aise, mais je chassai mon embarras d'un haussement d'épaules. Savourant l'instant présent, je saisis Roman par la main avant de saluer de manière un peu théâtrale sous les applaudissements de mes collègues.

—Vous avez intérêt à vous entraîner, annonçai-je, parce que la semaine prochaine, ce sera votre tour !

Les rires et les bravos se prolongèrent, mais à mesure qu'ils diminuaient et que le groupe se dispersait pour la nuit, Roman persista à me tenir la main, ses doigts croisant les miens. Je n'avais rien contre. Nous fîmes le tour de la piste de danse, échangeant des banalités et saluant les élèves.

1. *American Civil Liberties Union*, soit « Organisation américaine pour les libertés civiles ». (*NdT*)

— Vous avez envie d'aller prendre un verre ? demanda-t-il, une fois que nous fûmes momentanément seuls.

Je me tournai vers lui, tout près de lui, étudiant ses traits superbes. À présent, il faisait chaud dans la pièce et je sentais nettement son odeur de transpiration mélangée à l'eau de Cologne ; j'eus envie de plonger mon visage dans son cou.

— Je veux..., commençai-je lentement, me demandant si l'alcool combiné au désir sexuel purement animal était conseillé en compagnie de quelqu'un avec qui je préférais éviter de coucher.

Derrière Roman, je croisai le regard de Cody en pleine conversation avec Seth, ce qui ne manqua pas de me surprendre. Brusquement, je me rappelai ma promesse de retrouver les vampires au bar.

— Bon sang, grommelai-je. Je ne pense pas pouvoir.

Sans lâcher la main de Roman, je l'entraînai voir Cody et Seth. Ils s'arrêtèrent de parler.

— Je me sens exclu, plaisanta Cody un instant plus tard. Je viens de te voir faire des trucs avec lui que tu ne m'as jamais appris.

— C'est que tu n'as pas fait tes devoirs. (J'inclinai la tête d'un air interrogatif.) Cody, tu connais Roman ? Et vous, Seth ?

Je fis rapidement les présentations et ils échangèrent tous des poignées de mains polies, comme de vrais mecs.

Après cela, la main de Roman vint se poser confortablement sur ma taille.

— J'essaie de convaincre Georgina d'accepter d'aller prendre un verre avec moi, mais elle se fait désirer.

Cody sourit.

— Georgina est comme ça.

Je lançai un regard contrit à Roman.

— J'ai promis à Cody de passer la soirée avec lui et un de nos amis.

Le jeune vampire rejeta mon objection d'un geste de la main.

— Oublie ça. Va t'amuser !

— D'accord, mais... (Je m'interrompis, essayant de faire passer un message par la seule force de mon regard, un peu comme l'auraient fait Jerome ou Carter. Je ne voulais pas que Cody s'en aille seul, de peur qu'il devienne la cible du chasseur de vampires, mais je pouvais difficilement m'en inquiéter devant les autres.) Prends un taxi, finis-je par dire. N'y va pas à pied.

— C'est bon, fit-il machinalement.

Trop machinalement.

— Je ne plaisante pas, insistai-je.

— Oui, oui, maugréa-t-il. Tu veux peut-être l'appeler pour moi ?

Je levai les yeux au ciel, puis me souvins soudain de la présence de Seth. Un peu gênée de le voir rester en plan pendant que nous faisions tous des projets pour le reste de la soirée, je me demandai si je devais l'inviter à se joindre à nous ou l'envoyer avec Cody.

Comme s'il lisait mes pensées, Seth déclara brusquement :

— Bon allez, à la prochaine.

Il fit volte-face et partit sans laisser à aucun de nous le temps de répondre.

— Il est en colère ou quoi ? demanda Cody au bout d'un moment.

— Je pense qu'il est comme ça, c'est tout, expliquai-je, certaine de ne jamais comprendre l'écrivain.

— Bizarre. (Roman se retourna vers moi.) Prête ?

J'oubliai rapidement Seth. Roman m'emmena dans un petit restaurant situé en face d'*Emerald City*. Une fois confortablement installés tous les deux du même côté d'un box, je commandai mon gimlet et il prit un cognac.

Une fois nos verres servis, il demanda :

— Devrais-je me sentir jaloux de quelqu'un là-bas ?

Je gloussai.

— Vous ne me connaissez pas suffisamment pour revendiquer quoi que ce soit me concernant ou vous inquiéter d'un éventuel rival. Ne brûlez pas les étapes.

— Je suppose que vous avez raison. Tout de même, entre la compagnie d'écrivains célèbres et celle de jeunes cavaliers élégants, vous n'avez pas à vous plaindre.

— Cody n'est pas si jeune.

— Il l'est bien assez pour moi. C'est un ami proche ?

— Assez. Mais il n'y a rien de romantique entre nous, si c'est là où vous voulez en venir. (Roman et moi nous étions blottis l'un contre l'autre dans le box et je lui donnai un coup de coude complice dans les côtes.) Arrêtez de vous préoccuper de mes proches. Parlons d'autre chose. Je veux tout savoir sur le monde de la linguistique.

Je ne plaisantais qu'à moitié, mais il se conforma à ma demande, m'expliquant sa spécialité – les langues de l'antiquité, comble de l'ironie. Roman maîtrisait son sujet et en parlait avec le même esprit et la même intelligence que lorsqu'il flirtait. Je suivis ses explications avec avidité, appréciant d'aborder un sujet que peu de personnes connaissaient. Malheureusement, je dus tempérer mon enthousiasme, de peur de lui dévoiler l'étendue réelle de mes connaissances. Il aurait pu s'étonner que la sous-directrice d'une librairie en sache autant que lui sur un domaine auquel il avait consacré toute sa vie professionnelle.

Pendant cet échange passionnant, Roman et moi restâmes constamment en contact – nos bras, nos mains et nos jambes se touchaient. Il n'essaya jamais de m'embrasser et je lui en fus reconnaissante, car cela nous aurait entraînés sur un terrain dangereux. Pour moi, c'était le rendez-vous parfait : une conversation stimulante et autant de contacts physiques que pouvait en supporter un succube en toute sécurité. Notre tête-à-tête progressait sans effort, comme lu à partir d'un scénario.

Je ne vis pas passer le temps et, avant que je m'en rende compte, nous nous retrouvâmes à l'extérieur du restaurant, chacun rentrant chez soi après avoir convenu d'un prochain rendez-vous. Je protestai pour la forme, mais ne trompai personne. Il continuait de prétendre que je lui devais une vraie sortie – sans chaperon. Alors que je me tenais là avec lui, réchauffée par sa présence, je constatai avec surprise combien j'avais envie de le revoir. Le problème avec ma politique consistant à éviter les types bien, c'est que je finissais par me retrouver tout le temps seule. Levant les yeux vers Roman, je décidai d'un moratoire sur la solitude – pas pour longtemps.

J'acceptai donc de sortir de nouveau avec lui, choisissant d'ignorer les sonneries d'alarme mentales que déclenchait cette décision. Son visage s'éclaira et je songeai que le moment était venu de l'embrasser sur la bouche. Mon cœur battait fort dans ma poitrine ; je me sentais à la fois impatiente et effrayée.

Mais apparemment, mes précédentes harangues névrotiques sur ma volonté de ne pas m'engager avaient porté leurs fruits. Il se contenta de me tenir la main, d'effleurer ma joue de ses lèvres dans un baiser qui n'en avait que le nom. Il s'éloigna dans les rues de Queen Anne et, un instant plus tard, je parcourus les quelques centaines de mètres qui me séparaient de mon appartement.

Quand j'arrivai à ma porte, je découvris une note scotchée dessus. Mon nom, écrit dans une calligraphie impeccable, à l'encre épaisse, s'étalait à la surface. Un frisson glacial, plein d'appréhension, me parcourut. Ce que disait la note :

« Tu es une belle femme, Georgina. Suffisamment belle, selon moi, pour tenter un ange – une chose qui n'arrive plus aussi souvent qu'elle le devrait. Mais une beauté telle que la tienne ne demande aucun effort, elle n'est qu'affaire de volonté puisque tu as le pouvoir de te transformer en ce que bon te semble. Ton grand ami ne peut s'offrir ce luxe – quel dommage après ce qui est arrivé aujourd'hui. Heureusement, il travaille dans le bon secteur d'activité pour rectifier tout dégât causé à son apparence. »

Je fixai le billet, comme s'il risquait de me mordre. Aucune signature, bien entendu. Je l'arrachai de la porte et me ruai dans mon appartement où je décrochai le téléphone. Je composai le numéro de Hugh sans hésiter. Je n'avais qu'un « grand » ami travaillant dans le « bon secteur d'activité » ; il ne pouvait s'agir de personne d'autre.

Son téléphone sonna et sonna encore, jusqu'à ce que les sonneries s'effacent devant un répondeur. Agacée, j'appelai son mobile.

Au bout de trois sonneries, la voix d'une femme inconnue me répondit.

— Est-ce que Hugh Mitchell est là ?

Il y eut une longue pause.

— Il… il ne peut pas vous parler pour l'instant. Qui est à l'appareil ?

— Georgina Kincaid. Je suis une amie.

— Il m'a parlé de vous, Georgina. C'est Samantha.

Ce nom ne signifiait rien pour moi et je n'avais pas le temps de faire des politesses.

— Vous pouvez me le passer, alors ?

— Non… (Sa voix semblait tendue, bouleversée.) Georgina, un malheur est arrivé aujourd'hui…

Chapitre 11

Les hôpitaux sont des lieux sinistres, froids et stériles. Un rappel de la nature précaire de la vie. La pensée de Hugh prisonnier d'un endroit pareil me soulevait le cœur, mais je fis de mon mieux pour ignorer cette sensation tandis que je courais dans les couloirs à la recherche de la chambre que m'avait indiquée Samantha.

Quand j'arrivai enfin, je trouvai Hugh calmement étendu dans son lit, son grand corps habillé d'une blouse, la peau contusionnée et bandée. Une silhouette blonde assise à son chevet lui tenait la main. Surprise, elle se tourna vers moi quand j'entrai brusquement dans la pièce.

— Georgina, m'accueillit Hugh avec un sourire fragile. C'est gentil d'être passée me voir.

La femme blonde, vraisemblablement Samantha, m'observa avec inquiétude. Mince, des yeux de biche, elle raffermit sa prise sur la main de Hugh ; j'en déduisis qu'il s'agissait sans doute de la nouvelle secrétaire dont il m'avait parlé. Ses seins – qui défiaient réellement les lois de la pesanteur – le confirmaient.

— Ça ira, la rassura-t-il. Georgina est une amie. Georgina, Samantha.

— Salut, fis-je en lui offrant ma main.

Elle la serra. Je remarquai combien la sienne semblait froide et pris conscience que sa nervosité ne provenait pas tant du fait de me rencontrer que de son inquiétude concernant le sort de Hugh. C'était touchant.

— Tu veux bien nous excuser, mon chou ? Georgina et moi avons à discuter. Peut-être que tu peux aller boire quelque chose à la cafétéria ?

Il lui parlait avec douceur et gentillesse, un ton que je lui avais rarement entendu employer avec le reste d'entre nous lors de nos soirées au pub.

Samantha se tourna vers lui avec anxiété.

— Je ne veux pas te laisser seul.

— Je ne serai pas seul. Georgina et moi devons parler, c'est tout. En plus, elle est… euh… ceinture noire ; je ne risque rien.

Je fis une grimace derrière son dos pendant qu'elle réfléchissait.

— Alors ça devrait aller… appelle-moi sur mon mobile si tu as besoin de moi, compris ? Je n'en ai pas pour longtemps.

— C'est d'accord, promit-il en déposant un baiser sur sa main.

— Tu vas me manquer.

— Tu vas me manquer encore plus.

Elle se leva, me lança un autre regard incertain et se dirigea vers la porte.

Je la regardai s'éloigner un instant avant de m'accaparer sa chaise à côté de Hugh.

— C'est trop mignon. Je crois que je sens mes caries qui me travaillent.

— Inutile de faire preuve d'amertume, simplement parce que tu es incapable de nouer de véritables liens avec les mortels.

Sa plaisanterie me blessa probablement plus qu'elle n'aurait dû, mais il est vrai que j'avais toujours Roman à l'esprit.

— En outre, poursuivit-il, elle est un peu bouleversée par ce qui est arrivé aujourd'hui.

— Je veux bien le croire. Bon sang. Tu t'es vu ?

J'examinai ses blessures avec une plus grande attention, devinant des points de suture sous certains pansements, tandis que des contusions sombres lui marbraient la peau çà et là.

— Ç'aurait pu être pire.

— Ah bon ? m'étonnai-je d'un air espiègle.

Je n'avais jamais vu un immortel dans un tel état.

— Bien sûr. D'abord, je pourrais être mort et je ne le suis pas. Ensuite, je guéris exactement comme toi. Tu aurais dû me voir cet après-midi quand j'ai été admis à l'hôpital ! Maintenant, la difficulté va être de sortir d'ici avant que quelqu'un se rende compte de la vitesse avec laquelle je me remets de mes blessures.

— Jerome est au courant ?

— Bien entendu. Je lui ai téléphoné un peu plus tôt, mais il l'avait déjà senti. Il ne devrait plus tarder. C'est lui qui t'a prévenu ?

— Pas exactement, avouai-je, hésitant à mettre sur le tapis le billet collé à ma porte. Que s'est-il passé ? Quand as-tu été agressé ?

— Je ne me rappelle pas grand-chose. (Hugh haussa légèrement les épaules, une manœuvre délicate pour quelqu'un d'allongé. J'imaginais qu'il avait déjà dû raconter cette histoire un certain nombre de fois.) Je suis sorti pour prendre un café. Je me trouvais seul sur le parking et en revenant à ma voiture, ce... cette personne, je suppose, s'est jetée sur moi. Sans prévenir.

— Tu *supposes* ?

Il fronça les sourcils.

— Je n'ai pas vraiment eu l'occasion de bien voir mon agresseur. Corpulent, je peux au moins dire ça. Et fort – très fort. Bien plus que je ne l'aurais cru.

Hugh, lui-même, n'avait rien d'un avorton. Il est vrai qu'il ne faisait guère d'exercice ni n'entretenait vraiment son corps, mais il remplissait plutôt bien sa large carrure.

— Pourquoi s'est-il arrêté ? demandai-je. Quelqu'un a interrompu votre tête-à-tête ?

— Non, je ne sais pas ce qui l'a empêché de m'achever, mais tout d'un coup la pluie de coups a cessé. J'ai dû attendre un bon quart d'heure avant que quelqu'un arrive et me porte secours.

— Tu dis sans arrêt « il ». Tu penses que c'était un homme ?

Il tenta un nouveau haussement d'épaules.

— Je n'en sais rien, en fait. C'est juste une impression. Ç'aurait très bien pu être une blonde sexy.

— Tiens donc ? Peut-être que je devrais interroger Samantha ?

— À en croire Jerome, tu ne devrais interroger personne. Tu as eu l'occasion de parler à Erik ?

—Oui… il a entrepris des recherches pour moi. Il m'a aussi réaffirmé que les chasseurs de vampires ne peuvent pas nous tuer, ni toi ni moi, et qu'il n'a pas connaissance de quelque chose qui le pourrait.

Hugh devint pensif.

—Mon agresseur ne m'a pas tué.

—Tu crois qu'il en avait l'intention ?

—J'ai l'impression qu'il l'aurait fait s'il avait pu.

—Mais il n'a pas pu, fit remarquer une voix derrière moi, parce que – comme je l'ai dit – les chasseurs n'ont pas d'autre pouvoir que celui de vous incommoder.

Je me retournai, étonnée d'entendre la voix de Jerome. Plus étonnant encore : Carter l'accompagnait.

—On peut toujours compter sur Jerome pour se faire l'avocat du diable, plaisanta l'ange.

—Qu'est-ce que tu fais là, Georgina ? demanda le démon sur un ton glacial.

Je le regardai bouche bée et il me fallut un moment avant de trouver mes mots.

—Comment… comment tu as fait ça ?

Carter se tenait là, vêtu de manière aussi honteuse que d'habitude. Là où Doug et Bruce ressemblaient aux membres d'un groupe grunge, l'ange donnait l'impression d'avoir été viré par le groupe. Il me gratifia d'un sourire en coin.

—Fait quoi ? Trouver un jeu de mots spirituel faisant référence au statut diabolique de Jerome ? À dire vrai, j'en garde toujours quelques-uns sous la main…

—Non. Pas ça. Je ne te sens pas… ta présence… (Je voyais Carter avec mes yeux, mais je ne sentais pas cette signature si puissante, cette aura – peu importe – qu'émettait normalement un immortel. Me tournant brusquement vers Jerome, je fis la même constatation.) Pareil pour toi. Déjà l'autre nuit, je n'avais pas repéré votre présence.

L'ange et le démon échangèrent un regard au-dessus de ma tête.

—Nous sommes capables de la masquer, finit par admettre Carter.

—Alors ça marche comme un interrupteur ? Vous pouvez l'allumer et l'éteindre à volonté ?

— C'est un peu plus compliqué que ça.

— Eh bien, je l'ignorais. Et Hugh et moi ? Est-ce qu'on peut faire la même chose ?

— Non, répondirent de conserve Jerome et Carter. (Jerome ajouta :) Seuls les immortels de haut rang possèdent ce pouvoir.

Hugh essaya faiblement de se redresser.

— Pourquoi... le faites-vous ?

— Tu n'as pas répondu à ma question, Georgie, fit remarquer Jerome, visiblement décidé à éviter le sujet. (Il jeta un coup d'œil au démon.) Je t'avais pourtant ordonné de ne pas contacter les autres.

— J'ai obéi. Elle est venue d'elle-même.

Jerome tourna de nouveau son regard vers moi et je pêchai le mystérieux billet dans mon sac. Je le lui remis et le démon le lut, sans la moindre expression, avant de le tendre à Carter. Quand l'ange eut terminé, lui et Jerome se regardèrent de cette manière qui m'agaçait tant. Jerome déposa la note dans une poche intérieure de sa veste.

— Hé ! C'est à moi.

— Plus maintenant.

— Tu n'espères tout de même pas continuer à nous faire avaler qu'il s'agit d'un chasseur de vampires ! répliquai-je.

Jerome me transperça de ses yeux noirs.

— Et pourquoi pas ? L'agresseur de Hugh l'a pris pour un vampire, mais, comme tu l'as déjà observé, Nancy Drew [1], il n'a pas réussi à le tuer.

— Je pense qu'il savait que Hugh n'était pas un vampire.

— Tiens donc ? Et qu'est-ce qui te fait dire ça ?

— Le billet. Celui qui l'a écrit mentionne mon pouvoir de transformation. Cette personne sait que je suis un succube et il sait probablement que Hugh est un démon.

— Le fait qu'il sache que tu es un succube suffit à expliquer pourquoi il ne s'est pas attaqué à toi. Il savait qu'il ne pourrait pas te tuer. Comme il avait un doute concernant Hugh, il a tenté sa chance.

1. Alice Roy (appelée Nancy Drew en anglais) est l'héroïne d'une série de romans pour la jeunesse de Caroline Quine publiés en français dans la collection Bibliothèque verte. (*NdT*)

— Avec un couteau. (Je me rappelai : *« Comment savoir si un démon ment ? Ses lèvres bougent. »*) Je croyais que la version officielle était qu'un chasseur de vampires amateur traînait dans les parages et s'attaquait aux gens avec un pieu parce qu'il n'y connaissait rien. Mais dans le cas présent, cette personne sait ce que je suis et a agressé Hugh en se servant d'un couteau.

Carter étouffa un bâillement et vint prêter main-forte à Jerome.

— Peut-être que notre chasseur a acquis une certaine expérience et étendu son choix en matière d'armes. Après tout, personne ne reste éternellement un novice. Même les chasseurs de vampires finissent par apprendre.

Je m'emparai du seul détail que personne n'avait abordé jusqu'alors.

— Même un enfant sait que les vampires ne sortent pas en plein jour. À quelle heure as-tu été attaqué, Hugh ?

Une expression singulière traversa le visage du démon.

— Tard dans l'après-midi. Le soleil était encore levé.

Je me tournai triomphalement vers Jerome.

— Cette personne savait que Hugh n'était pas un vampire.

Jerome s'appuya contre un mur, apparemment peu impressionné, tandis qu'il prélevait des peluches imaginaires sur son pantalon. Il ressemblait plus que jamais à John Cusack.

— Et alors ? Un mortel en proie à la folie des grandeurs réussit à tuer un vampire et décide dans la foulée de nettoyer cette ville des forces du mal qui l'habitent. Qu'est-ce que ça change ?

— Je ne crois pas qu'il s'agisse d'un mortel.

Jerome et Carter, ce dernier jusque-là très occupé à regarder ailleurs dans la chambre, se retournèrent soudain vers moi.

— Vraiment ?

Je déglutis, un rien nerveuse de me retrouver sous le feu des projecteurs.

— Vous… vous venez de prouver que des immortels de haut rang peuvent masquer leur aura, et personne n'a senti approcher l'agresseur de Hugh. Et puis, regardez dans quel état il l'a mis. Erik m'a affirmé que les mortels sont incapables de provoquer des dégâts substantiels…

Je me mordis la lèvre, comprenant mon erreur.

Carter rit doucement.

— Bon sang, Georgie. (Jerome se redressa, tel un fouet.) Je t'avais demandé de ne pas t'en mêler. À qui d'autre en as-tu parlé ?

Jerome en oublia de masquer sa présence et je pris brusquement conscience de la puissance qui crépitait autour de lui. On aurait dit un de ces films de science-fiction où une porte s'ouvre sur l'espace intersidéral et tous les débris sont aspirés dehors à cause du vide. Dans la chambre, tout semblait entraîné vers Jerome, vers son pouvoir et sa force grandissants. À mes yeux d'immortelle, il se transforma en un feu de joie rougeoyant de fureur et d'énergie.

Je me recroquevillai contre le lit de Hugh, luttant contre l'envie de m'abriter les yeux. Le démon posa une main sur mon bras – pour mon réconfort ou le sien, j'aurais été bien incapable de me prononcer.

— Personne. Je le jure. J'ai simplement posé quelques questions à Erik...

Avec son visage d'un calme angélique, Carter fit un pas vers l'archidémon furieux.

— On se détend. C'est comme si tu envoyais un signal à tous les immortels dans un rayon de dix kilomètres.

Les yeux de Jerome restèrent fixés sur moi et, devenue la cible d'une telle intensité, je ressentis une peur bien réelle pour la première fois depuis des siècles. Puis, comme si quelqu'un avait actionné l'interrupteur à propos duquel j'avais plaisanté plus tôt, tout cela disparut. En un clin d'œil, Jerome se tint de nouveau devant moi, ses intentions et ses motivations redevenues un mystère. Comme un mortel. Il expira profondément et se frotta la naissance du nez, entre les yeux.

— Georgina, reprit-il enfin. Contrairement à ce que tu crois, ceci n'est pas un vaste complot élaboré dans le seul but de te contrarier. Je te demande d'arrêter de t'opposer à moi. Nous avons nos raisons pour agir comme nous le faisons. Tes intérêts nous tiennent à cœur.

Par esprit de contradiction, je brûlais d'envie de lui demander si les démons avaient un cœur, mais un autre détail frappa mon esprit.

— Pourquoi ce « nous » ? Je suppose que tu parles de lui. (Je fis un signe de la tête en direction de Carter.) Qu'est-ce qui peut bien conduire un ange et un démon à masquer leur présence et à rôder partout comme vous le faites ?

— « Rôder » ? releva jovialement Carter avec une indignation feinte.

— Georgie, je t'en prie, reprit Jerome d'une voix monocorde, visiblement à bout de patience. Ne te mêle pas de ça. Si tu tiens à te rendre utile, contente-toi d'éviter les situations potentiellement dangereuses comme je te l'ai déjà conseillé. Je ne peux pas te forcer à accepter une protection en permanence, mais si tu persistes à nous casser les pieds, je trouverai un endroit commode où te cacher en attendant que les choses se calment. Nous sommes tous dans le même bain et tu ne risques que d'embrouiller des choses qui te dépassent.

Inconsciemment, je serrai la main de Hugh en quête de soutien. Je préférais ne pas penser au genre d'endroit « commode » que Jerome avait en tête.

— Me suis-je bien fait comprendre ? demanda doucement l'archidémon.

Je hochai la tête.

— Bien. Tu me rendras un grand service en veillant à ta propre sécurité. J'ai déjà bien assez de soucis sans avoir à t'ajouter à ma liste.

Je hochai de nouveau la tête, préférant ne pas parler. Sa petite démonstration avait produit l'effet escompté : j'allais temporairement me tenir à carreau, même si une partie de moi – la plus obstinée – savait que je serais incapable de tenir parole une fois sortie de cet hôpital. Mais mieux valait garder ça pour moi.

— Ce sera tout, Georgie, me congédia Jerome.

— Je te raccompagne, proposa Carter.

— Non, merci.

Mais l'ange me suivit néanmoins.

— Alors, comment ça s'est passé avec Seth Mortensen ?

— Bien.

— Sans plus ?

— Sans plus.

— J'ai appris qu'il vivait à Seattle à présent. Et qu'il passait beaucoup de temps à *Emerald City*.

Je lui lançai un regard interrogateur.

— Qui t'a dit ça ?

Il se contenta d'afficher un large sourire.

— Alors ? Raconte !

— Il n'y a rien à raconter, répliquai-je d'un ton sec, ne sachant pas trop pourquoi je discutais de ça avec lui. Nous avons bavardé et je lui ai fait visiter la ville. Mais ça ne colle pas entre nous. Nous ne parvenons pas à communiquer.

— Pourquoi ? voulut savoir Carter.

— C'est un introverti endurci. Il ne parle pas beaucoup ; il observe. En plus, je préfère ne pas l'encourager.

— Donc tu le laisses s'enfermer dans son silence.

Je haussai les épaules et poussai le bouton afin d'appeler l'ascenseur.

— Je pense connaître un livre qui pourrait t'aider. Je vais tâcher de remettre la main dessus et je te le prêterai.

— Non, merci.

— Attends d'avoir essayé ! Il te permettra d'améliorer ta communication avec Seth. Je l'ai vu dans une émission de télévision.

— Tu m'écoutes, oui ou non ? Je ne veux rien améliorer du tout.

— Ah, commenta Carter avec sagesse. Tu n'es pas attirée par les introvertis.

— Je… non, ce n'est pas ça. Je n'ai aucun problème avec les introvertis.

— Alors pourquoi est-ce que tu n'aimes pas Seth ?

— Je l'aime bien ! Bon sang, arrête ça !

L'ange se fendit d'un sourire.

— C'est ton droit, tu sais. Tes antécédents prouvent que tu préfères les hommes un peu frimeurs, les charmeurs…

— Qu'est-ce que tu sous-entends par là ?

Je songeai immédiatement à l'attraction qu'exerçait Roman sur moi.

Une lueur malicieuse brilla dans les yeux de Carter. Nous nous trouvions à la sortie de l'hôpital.

— Je ne sais pas, Letha. À toi de me le dire.

J'avais presque franchi la porte quand sa dernière remarque me retint. Je fis volte-face si vite que mes cheveux me fouettèrent le visage.

— *Où as-tu entendu ce prénom ?*

— J'ai mes sources.

Une grande émotion nébuleuse enfla dans ma poitrine, quelque chose que je n'arrivais pas entièrement à identifier – entre la haine et le désespoir, sans réellement souscrire à l'une ou à l'autre. Provoquant une chaleur de plus en plus intense en moi, elle me donna envie de crier contre Carter et son air entendu et suffisant. Je voulus abattre mes poings contre lui ou me transformer en une créature terrifiante. J'ignorais où il avait appris ce prénom, mais cela réveilla un monstre endormi, quelque chose de profondément lové en moi.

Il continua à me regarder froidement, lisant sans aucun doute dans mes pensées.

Lentement, je me rappelai l'endroit où je me trouvais. Les couloirs froids. Les visiteurs inquiets. Le personnel compétent. Je calmai ma respiration et foudroyai l'ange du regard.

— Ne m'appelle plus jamais ainsi. Plus jamais.

Il haussa les épaules, toujours souriant.

— Cela ne se reproduira plus.

Je tournai vivement les talons et le plantai là. Je me précipitai vers ma voiture ; je ne pris conscience que je conduisais qu'une fois arrivée à la moitié du pont, le visage baigné de larmes.

Chapitre 12

— La vache ! Si Jerome m'avait menacé de me trouver un « endroit commode », j'éviterais de fouiner…

— Je ne fouine pas. Je fais des suppositions, c'est tout.

Peter secoua la tête et décapsula sa bière. Je me trouvais en sa compagnie et celle de Cody dans leur cuisine, le lendemain de l'agression contre Hugh. On venait de nous livrer une pizza jambon ananas et Cody et moi nous régalions pendant que l'autre vampire se contentait de nous regarder.

— Pourquoi refuses-tu d'accepter l'évidence ? Jerome dit la vérité : c'est l'œuvre d'un chasseur de vampires.

— Non. Pas question. Il y a quelque chose qui cloche. Jerome et Carter avec leur numéro de duettistes ridicules, le fait de s'attaquer à Hugh, le billet complètement dingue qu'on a scotché sur ma porte : tout ça ne colle pas.

— Et moi qui croyais que tu recevais des billets doux un peu bizarres tout le temps. « Mon cœur saigne pour toi, Georgina. » Écrit avec le sang de l'auteur. Ce genre de trucs…

— T'as raison, l'automutilation, il n'y a que ça de vrai pour exciter les filles, maugréai-je. (J'avalai une gorgée de Mountain Dew et retournai à ma pizza. Pour ce qui était de la teneur en caféine et en sucre, une bouteille de Mountain Dew pouvait pratiquement rivaliser avec un de mes mokas.) Hé ! Pourquoi tu ne manges pas ?

Peter brandit sa bouteille de bière en guise d'explication.

— Je suis au régime.

J'étudiai l'étiquette. « Golden Village, bière à faible teneur en glucides. »

Je restai figée en plein milieu d'une bouchée. Faible teneur en glucides ?

— Peter… tu es un vampire. Est-ce que tu ne suis pas en permanence – par définition – un régime à faible teneur en glucides ?

— Tu perds ton temps, gloussa Cody, prenant la parole pour la première fois. J'ai déjà eu cette discussion avec lui. Il ne veut rien entendre.

— Tu ne peux pas comprendre. (Peter lorgna notre pizza d'un air triste et rêveur.) Tu peux donner à ton corps la forme qui te plaît.

— C'est vrai, mais… (Je me tournai vers Cody.) Est-ce qu'il est seulement capable de prendre du poids ? Un corps d'immortel n'est-il pas – disons – immuable ? Intemporel ? Tu vois ce que je veux dire ?

— Tu en sais sans doute plus que moi là-dessus.

— Nous mangeons d'autres choses. (Peter se frotta timidement le ventre.) Pas seulement du sang. Ça finit par s'additionner.

C'était sans doute le truc le plus bizarre que j'avais entendu depuis la mort de Duane.

— Arrête ton char, Peter. Tu es ridicule. Bientôt tu vas demander à Hugh de pratiquer une liposuccion sur toi.

Son visage s'éclaira.

— Tu penses que ça marcherait ?

— Non ! Tu es très bien comme ça. Tu n'as pas changé d'un iota depuis que je te connais.

— Je ne suis pas convaincu. Quand nous sortons, tout le monde se retourne sur le passage de Cody. Peut-être que je devrais ajouter quelques mèches blondes supplémentaires.

Je me gardai bien de faire remarquer que Peter avait presque quarante ans quand il était devenu un vampire, et qu'il commençait déjà à se dégarnir. Cody était bien plus jeune – à peine vingt ans – et d'une beauté léonine. Les immortels qui avaient été humains auparavant gardaient l'âge et l'apparence qui avaient été les leurs avant leur changement. Si les deux vampires fréquentaient encore les bars et les clubs étudiants, je ne doutais pas un instant que Cody fût plus chanceux.

— Nous perdons du temps, m'exclamai-je, voulant distraire Peter de son problème d'image. Je veux trouver qui a attaqué Hugh.

— Bon sang, tu ne renonces jamais, lâcha-t-il sèchement. Pourquoi ne pas attendre que le problème soit réglé ?

Bonne question. Et je n'avais aucune réponse satisfaisante. Quelque chose en moi m'incitait à découvrir la vérité, à faire ce qui était en mon pouvoir afin de nous protéger, mes amis et moi. Je me sentais tout bonnement incapable de rester passive.

— Le coupable ne peut pas être un mortel. Pas de la façon dont Hugh a décrit l'attaque.

— Oui, mais aucun immortel n'aurait pu tuer Duane. Je te l'ai déjà dit.

— Aucun *simple* immortel, fis-je remarquer. Mais un immortel de haut rang…

Peter éclata de rire.

— Ho ho, tu pousses un peu, tu ne crois pas ? Tu penses à un démon vindicatif ?

— Il en serait tout à fait capable.

— Oui, mais il n'aurait aucune motivation.

— Pas nécess…

Une sensation étrange m'envahit brusquement, une sorte de picotement doux et argentin. Je songeai au parfum des lilas, à un tintement de clochettes. Je lançai un regard perçant aux autres.

— Qu'est-ce que…, commença Cody, mais Peter se dirigeait déjà vers la porte.

La signature que nous avions tous sentie semblait similaire à celle de Carter, mais plus légère et plus douce. Moins puissante.

Un ange gardien.

Peter ouvrit la porte. Lucinda se tenait avec raideur sur le seuil, un livre serré entre ses bras.

Je faillis m'étrangler. J'aurais dû m'en douter. En règle générale, je n'avais que peu de rapports avec les anges de ce secteur, Carter constituant une exception. Mais je les connaissais quand même – je savais donc qui était Lucinda. Elle n'était pas un véritable ange comme Carter. Les gardiens représentaient en quelque sorte l'équivalent céleste de Hugh : d'anciens mortels corvéables à merci pour l'éternité.

Je ne doutais pas que Lucinda accomplisse quotidiennement toutes sortes de bonnes actions. Elle travaillait probablement dans des soupes populaires ou faisait la lecture à des orphelins pendant son temps libre. Mais en notre compagnie, elle se comportait invariablement comme une petite garce un peu bêcheuse. Peter partageait mon sentiment.

— Oui ? demanda-t-il fraîchement.

— Bonjour, Peter. Intéressant... ce que vous avez fait à vos cheveux, observa-t-elle avec diplomatie, sans bouger de l'embrasure de la porte. Je peux entrer ?

Peter se renfrogna en entendant son commentaire sur ses cheveux, mais en hôte parfait il ne put se résigner à la chasser. Il avait beau me taquiner à propos des manies des mortels, les vampires avaient un sens des convenances et de l'étiquette à la limite du trouble obsessionnel compulsif.

Elle entra, convenablement vêtue d'une jupe écossaise qui lui arrivait au niveau des chevilles et d'un pull à col roulé, ses cheveux blonds coiffés dans une coupe au carré frisée parfaite.

Tout le contraire de moi. Entre mon décolleté plongeant, mon jean ultra-moulant et mes talons hauts, j'avais l'impression que j'aurais tout aussi bien pu m'étendre sur le sol et écarter les jambes. Le regard d'une modestie affectée qu'elle me lança me confirma qu'elle pensait exactement la même chose.

— Quel plaisir de tous vous revoir, nous salua-t-elle sur un ton brusque et formel. Je suis venue vous apporter quelque chose de la part de M. Carter.

— *Monsieur* Carter ? s'étonna Cody. C'est son nom de famille ? J'ai toujours cru qu'il s'agissait de son prénom.

— Je pense qu'il n'en a qu'un, supposai-je. Comme Cher ou Madonna.

Lucinda ne releva pas l'impertinence de notre échange. Au lieu de cela, elle me tendit un livre. *Les hommes viennent de Mars, les femmes viennent de Vénus : le guide de la compréhension du sexe opposé.*

— Qu'est-ce que c'est que ça ? s'exclama Peter. Je crois que j'en ai entendu parler à la télévision.

Soudain, je me souvins de ma sortie de l'hôpital en compagnie de Carter et de sa proposition de me prêter un livre afin de m'aider à améliorer mes relations avec Seth. Je le jetai sur le plan de travail d'un air désintéressé.

— Une démonstration de l'humour de ce malade de Carter...

Lucinda s'empourpra.

— Comment osez-vous parler avec une telle insouciance ? Où vous croyez-vous ? Dans... dans un vestiaire ?

Je lissai mon débardeur.

— Certainement pas. Ce n'est pas une tenue pour un vestiaire.

— Ouais, elle n'est même pas aux couleurs de l'école, renchérit Peter.

Je ne pus résister à l'envie de taquiner l'ange gardien.

— Si je me trouvais dans un vestiaire, je porterais probablement une jupe courte de pom pom girl. Et aucun sous-vêtement.

Peter saisit la balle au bond.

— Et tu ferais ta spécialité ? Tu sais bien, cette figure où tu as les mains appuyées contre le mur des douches et le cul offert ?

— Tout juste, approuvai-je. Le bien-être de l'équipe avant tout !

Notre vulgarité parvint même à faire rougir Cody. Lucinda était pratiquement écarlate.

— Vous... vous n'avez aucune pudeur ! Aucune !

— Oh, laisse tomber, la coupai-je. Dans le club sélect où vous vous retrouvez avec les autres enfants de chœur, tu portes probablement une version plus courte de cette jupe. Avec des chaussettes montantes. Je parie que les autres anges sont excités par le look écolière.

Si Lucinda avait été un de mes amis, une telle observation m'aurait valu en retour une pluie de sarcasmes et de remarques narquoises. S'agissant de l'ange gardien, elle monta sur ses grands chevaux et me répondit avec le plus grand sérieux.

— *Nous* ne nous conduisons pas de manière aussi inconvenante, déclara-t-elle. *Nous* avons le sens des convenances. *Nous* nous traitons avec respect. Et nous ne nous en prenons pas les uns aux autres.

Cette dernière remarque s'accompagna d'un bref coup d'œil dans ma direction.

— Qu'est-ce que ça veut dire ?

Elle rejeta ses cheveux en arrière – le peu qui en restait.

— Oh, je pense que vous le savez parfaitement. Nous avons tous entendu parler de votre façon de jouer les justiciers. D'abord le vampire, maintenant le démon. Rien ne peut plus me surprendre de la part de gens tels que vous.

Je rougis à mon tour.

— Ce sont des conneries ! J'ai été blanchie pour la mort de Duane. Et quant à Hugh… c'est tout bonnement stupide. C'est mon ami.

— Quelle est la signification du mot amitié dans la bouche de créatures telles que vous ? Il ne vaut guère mieux. D'après ce qu'on m'a rapporté, il s'est beaucoup amusé en racontant à tous ceux qui voulaient bien l'écouter votre petite escapade avec le fouet et les ailes. D'ailleurs, à propos, si vous me permettez une observation, je crois bien que c'est la chose la plus dégradante que j'aie jamais entendue. Même pour un succube. (Elle jeta un coup d'œil en direction du livre que j'avais jeté sur le plan de travail.) J'informerai M. Carter que vous avez bien reçu le livre.

Sur ces mots, elle tourna les talons et sortit, refermant la porte derrière elle.

— Espèce de garce moralisatrice, grommelai-je. Et à ce propos, combien de personnes sont au courant de cette histoire de dominatrice diabolique ?

— Oublie-la, répondit Peter. C'est un zéro. Et un ange. Ils sont imprévisibles, tu le sais bien.

Je me renfrognai. Puis, soudain : une illumination. Comment n'y avais-je pas pensé plus tôt ? Merci Lucinda.

— J'ai trouvé !

— Quoi ? marmonna Cody, la bouche pleine de pizza presque froide.

— C'est un ange qui a tué Duane et agressé Hugh ! Ça colle parfaitement. Tu avais raison en affirmant qu'un démon n'aurait aucune raison de s'attaquer à l'un d'entre nous. Mais un ange ? Pourquoi pas ? Un vrai ange, bien sûr, pas un gardien comme Lucinda…

Peter secoua la tête.

— Un ange en aurait le pouvoir, mais ce serait bien trop mesquin. La grande lutte cosmique entre le bien et le mal ne se joue pas sur des détails de ce genre. Tu le sais. Tenter d'éliminer les représentants du mal les uns après les autres constituerait un gaspillage des ressources.

Cody réfléchit.

— Peut-être un ange renégat ? Quelqu'un qui ne respecterait plus les règles du jeu…

Surpris, Peter et moi nous tournâmes vers le jeune vampire. Il était plus ou moins resté à l'écart de nos spéculations depuis le début de la soirée.

— Ça n'existe pas, riposta son mentor. Pas vrai, Georgina ?

Je sentis les yeux des deux vampires se poser sur moi, dans l'attente de mon opinion.

— Jerome prétend qu'il n'y a pas d'anges mauvais. S'ils franchissent la ligne qui sépare le bien du mal, ils se transforment immédiatement en démons.

— Alors ta théorie ne tient pas. Devenu un démon, un ange déchu apparaîtrait forcément sur le radar de Jerome.

Je fronçai les sourcils, intriguée de l'usage par Cody du mot « renégat » au lieu de « déchu ».

— Peut-être que ça fonctionne pour les anges de la même façon que pour les humains : un péché n'est pas nécessairement « mauvais » si le coupable est convaincu de faire le bien. Je n'ai pas dit mon dernier mot…

Cela nous fit réfléchir. Les mortels vivent en permanence dans l'illusion qu'il existe réellement un ensemble de règles précises définissant ce qui constitue – ou pas – un péché, des règles qu'il est possible de violer sans même en avoir conscience. En réalité, la plupart des gens savent pertinemment quand ils ont fait quelque chose de mal. Ils le sentent. La notion de péché repose sur des critères plus subjectifs qu'objectifs. Du temps des puritains, un succube ne rencontrait aucune difficulté pour corrompre les âmes, puisque presque rien de ce qui touchait de près ou de loin au sexe et au plaisir ne trouvait grâce aux yeux de ces hommes. De nos jours, la plupart des gens ne trouvent rien à redire au sexe avant le mariage, aucun péché n'est donc commis. Ces dernières années, les succubes ont dû faire preuve de plus en plus d'imagination afin d'obtenir leur dose d'énergie et de corrompre quelques âmes.

En suivant la même logique, rien n'empêchait de concevoir qu'un ange renégat, sûr de son bon droit, évite de passer dans le royaume du mal. Pas de péché, pas d'ange déchu. À moins que... Cette idée même avait de quoi faire tourner la tête – et apparemment Peter était du même avis.

— De toute façon, qu'est-ce que ça change ? Ange déchu ou pas, quelle différence ? Tu ne crois pas que tu vas un peu vite en besogne ?

Je n'étais pas loin de partager ses doutes, mais je me rappelai autre chose.

— Le billet.

— Quel billet ? demanda Cody.

— Celui qu'on a laissé sur ma porte et qui disait que j'étais suffisamment belle pour tenter un ange.

— Ben, c'est vrai que tu es plutôt canon... (Quand je haussai un sourcil, Peter admit à contrecœur :) D'accord, c'est suspect... mais presque trop. Pourquoi le meurtrier signerait-il aussi ouvertement ses crimes ?

Cody bondit presque de son fauteuil.

— C'est un ange psychopathe qui aime les jeux de l'esprit ! Comme dans ces films où le tueur laisse des indices sur le corps de ses victimes pour le simple plaisir de donner du fil à retordre à la police et de l'observer à l'œuvre.

Je frissonnai en imaginant la scène et tâchai de passer en revue ce que je savais des anges – pas grand-chose en fait. À l'inverse de notre camp, les forces du bien ne reposaient pas sur quelque hiérarchie occulte de superviseurs organisée en réseaux géographiques – oubliez les histoires sur les chérubins et les séraphins. Après tout, l'enfer avait inventé les cadres moyens – pas eux. J'avais toujours eu l'impression que la plupart des anges et des représentants du bien fonctionnaient comme des détectives privés ou des agents de terrain, remplissant diverses missions angéliques dans le cadre d'une organisation très souple. Une telle souplesse offrirait de grandes facilités à quelqu'un voulant furtivement mener une croisade personnelle.

L'implication d'un ange expliquerait également la tentative d'étouffer l'affaire. Leur camp était plongé dans la confusion –

typique, vraiment. Peu de chose réussissait à embarrasser les forces du mal ; en revanche, eux avaient honte d'admettre que l'un des leurs avait pété les plombs et Carter, très copain avec Jerome, avait persuadé le démon de garder le silence sur toute cette affaire. Ses sarcasmes et ses railleries à mon égard ne constituaient qu'une tentative de plus – faiblarde au demeurant – pour sauver la face.

Plus je réfléchissais à cette théorie farfelue, plus elle me plaisait. Un ange mécontent, voulant jouer les héros, se transforme en justicier et s'attaque aux forces du mal. L'hypothèse de l'ange renégat permettait d'expliquer pourquoi nous pouvions tous devenir des cibles potentielles et aussi de comprendre pourquoi personne n'avait senti sa présence, sachant que les immortels de haut rang étaient capables de la dissimuler.

À se demander pour quelle raison Jerome et Carter masquaient également leur présence. Espéraient-ils surprendre l'ange en flagrant délit et le capturer ? Et aussi…

— Comment expliques-tu que Hugh ait été épargné ? (Je regardai les vampires l'un après l'autre.) Un ange pourrait éliminer n'importe lequel d'entre nous. Hugh a dit qu'il était plutôt en mauvaise posture et que personne n'est venu interrompre son agresseur. Il a fini par se lasser et il est parti. Pourquoi ? Pourquoi tuer Duane et pas Hugh ? Ou moi d'ailleurs, puisque cette personne sait ce que je suis.

— Parce que Duane était un connard ? suggéra Peter.

— Sans tenir compte de la personnalité de chacun, nous pesons tous autant sur la balance du bien et du mal. Hugh peut-être un peu plus.

En effet, à l'échelle des immortels, Hugh était dans la fleur de l'âge. Il avait laissé derrière lui le manque d'expérience des novices comme Cody, mais le démon ne peinait pas encore sous le poids de la lassitude et de l'ennui comme Peter et moi. Hugh en savait assez à présent pour bien accomplir sa mission – et son travail lui plaisait vraiment. Il aurait dû faire une cible de premier choix pour un justicier angélique soucieux de rendre le monde meilleur.

Cody se rangea à l'avis de Peter.

— C'est vrai. Mauvais ou pas, certains d'entre nous sont plus sympathiques que d'autres. Peut-être qu'un ange pourrait en tenir compte.

— J'ai du mal à imaginer qu'un ange puisse trouver l'un de nous « sympathique »...

Je m'interrompis. Un ange nous aimait bien. Un ange passait beaucoup de temps avec nous. Le même ange qui semblait être devenu l'ombre de Jerome depuis que les attaques avaient commencé et connaissait toutes nos habitudes et nos faiblesses. Quel meilleur moyen de nous suivre à la trace et de nous observer que d'infiltrer notre groupe en se faisant passer pour notre ami ?

Une idée explosive, dangereuse. Je me sentais mal à l'aise rien que d'y penser. Je n'aurais jamais osé la formuler à haute voix. Pas encore. Cody et Peter avaient déjà du mal à croire à ma théorie de l'ange renégat. J'avais peu de chance de les convaincre en accusant Carter.

— Tout va bien, Georgina ? s'enquit Cody comme mon silence se prolongeait.

— Oui... oui... ça va. (Je jetai un coup d'œil à l'horloge de la cuisinière et me levai brusquement, la tempête dans ma tête pas encore calmée.) Merde ! Il faut que je retourne à Queen Anne.

— Pourquoi ? demanda Peter.

— J'ai un rendez-vous.

— Avec qui ?

Cody me lança un sourire espiègle et je rougis.

— Roman.

Peter se tourna vers son apprenti.

— C'est lequel ?

— Le gars qui dansait comme un dieu. Georgina ne l'a pas quitté d'une semelle.

— C'est faux ! Je l'aime trop pour ça.

Ils éclatèrent de rire. Pendant que je récupérais mon manteau, Peter m'interpella :

— Hé ! Je me demandais si tu pouvais me rendre un service à l'occasion.

— De quoi s'agit-il ?

J'avais toujours l'esprit occupé par le mystère qui se jouait dans notre petite communauté. Et par Roman. Lui et moi nous étions parlés au téléphone à plusieurs reprises depuis notre dernière rencontre et je n'en revenais pas de constater à quel point ça collait entre nous.

— Eh bien, tu sais, ces programmes informatiques qu'ils ont dans les salons de coiffure, pour te montrer à quoi tu vas ressembler avec telle couleur ou telle coupe ? Je me disais que tu pourrais remplir la même fonction pour moi, mais en chair et en os. Tu n'aurais qu'à prendre mon apparence et essayer différentes coiffures.

Le silence tomba sur la pièce pendant une bonne minute, tandis que Cody et moi dévisagions notre ami d'un regard incrédule.

— Peter, dis-je enfin, c'est l'idée la plus stupide que j'aie jamais entendue.

— Je ne suis pas d'accord, intervint Cody en se grattant le menton. Il a fait bien pire.

— Nous avons des choses trop importantes à régler en ce moment, pour que je gaspille mon énergie à flatter ta vanité, expliquai-je à Peter, laissant tomber les politesses.

— Allez, supplia Peter. Tu débordes encore de celle du puceau. Tu peux bien partager un peu.

Je secouai la tête et portai mon sac en bandoulière.

— Petite révision : succube pour les nuls. Plus une transformation m'éloigne de ma forme naturelle, plus elle consomme d'énergie. Les changements de sexe sont vraiment pénibles, ceux entre espèces encore pires. Jouer à la coiffeuse avec toi brûlerait presque toutes mes réserves et j'ai bien mieux à faire. (Je lui lançai un regard menaçant.) Mon ami, tu as grand besoin de consulter un psy qui saura te réconcilier avec ton corps et restaurer ta confiance en toi.

Cody me dévisagea avec un intérêt renouvelé.

— Entre espèces ? Tu pourrais te transformer en… je ne sais pas, moi… un monstre de Gila ou une étoile de mer ?

— Bonne nuit, les garçons ! Je me casse.

Alors que je refermais la porte derrière moi, j'entendis à peine Peter et Cody se lancer dans un débat animé sur la transformation qui consommerait le plus d'énergie, entre un très petit mammifère et un reptile de taille humaine.

Les vampires… Vraiment des gamins parfois.

Je rentrai chez moi en un temps record. Je me rappelai de changer mes talons hauts en sandales et me dirigeai vers l'entrée de mon immeuble juste au moment où Roman arriva.

En l'apercevant, j'oubliai tout ce qui concernait les anges et d'obscurs complots.

Il m'avait demandé de m'habiller simplement pour la soirée et, bien qu'il en ait fait autant, il réussissait quand même à donner l'impression, en tee-shirt à manches longues et en jean, qu'il avait sa place dans un défilé de mode. Apparemment, je lui fis le même effet puisqu'il me serra très fort dans ses bras et déposa un baiser sur ma joue.

— Salut, ma beauté, me murmura-t-il à l'oreille, prolongeant notre étreinte un peu plus longtemps que nécessaire.

— Salut.

Je dépêtrai mon corps du sien et levai les yeux vers lui en souriant.

— Tu es si petite, observa-t-il, prenant ma joue dans le creux de sa main. C'est adorable.

Ses yeux menaçaient de m'engloutir et je me détournai rapidement avant de faire une bêtise.

— Allons-y. (Je marquai une pause.) Où m'emmènes-tu ?

Il m'escorta jusqu'à sa voiture, garée plus bas dans ma rue.

— Comme tu sembles si douée avec tes pieds, je propose un endroit qui permettra de tester le reste de ta coordination corporelle.

— Une chambre d'hôtel, par exemple.

— Bon sang. Suis-je tellement prévisible ?

Quelques minutes plus tard, il s'arrêta devant un établissement délabré couronné par une enseigne lumineuse clignotante qui indiquait *Bowling Chez Burt*. Je fixai les lieux avec une franche répugnance, incapable de cacher mes sentiments.

— C'est ça ton idée d'un rendez-vous romantique ? Un bowling ? Et pas terrible en plus…

Roman ne parut pas se formaliser de mon manque d'enthousiasme.

— Te souviens-tu de la dernière fois où tu as joué au bowling ?

Je supposais que ça devait bien remonter aux années 1970.

— Ça fait un bail.

— C'est bien ce que je pensais. Tu vois, commença-t-il sur le ton de la conversation tandis que nous entrions et approchions du comptoir de la réception, j'ai eu le temps de réfléchir. Tu prétends que tu ne souhaites pas t'engager dans une relation durable, mais j'ai tout de même l'impression que tu sors beaucoup. Un 44, s'il vous plaît.

— 37 pour moi.

La caissière nous tendit à chacun une paire de chaussures à l'allure peu ragoûtante et je m'estimai heureuse que les microbes ne puissent rien contre moi. Roman paya et elle nous désigna notre piste.

— Bref, comme je disais, indépendamment de tes intentions, tu dois finir par sortir avec pas mal de monde. Je ne vois pas comment il pourrait en être autrement, vu la façon dont tu attires l'attention.

— Qu'est-ce que tu sous-entends par là ?

Je m'assis au bord de notre piste afin de retirer mes Birkenstock, lorgnant toujours d'un œil incertain les chaussures de location.

Roman marqua une pause pendant qu'il laçait les siennes et me regarda longuement.

— Oh, je t'en prie, ne me dis pas que tu n'as rien remarqué ! Les hommes n'arrêtent pas de te reluquer – j'ai pu m'en rendre compte quand j'étais avec toi. À ton travail ou dans ce bar l'autre soir. Même ici. En parcourant la distance qui séparait la caisse de notre piste, j'ai aperçu au moins trois types s'arrêter pour te regarder.

— Où veux-tu en venir ?

— J'y arrive. (Il se leva et nous marchâmes jusqu'au râtelier où se trouvaient les boules.) Avec toute cette attention, je parie que les sollicitations ne manquent pas et il doit bien t'arriver de céder – comme tu l'as fait avec moi. J'ai pas raison ?

— Je suppose.

Il s'interrompit dans sa sélection d'une boule et me lança un autre de ses regards perçants.

— Alors raconte-moi ton dernier rendez-vous.

— Mon dernier rendez-vous ?

Je ne savais pas trop pourquoi, mais je pensais que Martin Miller ne comptait pas.

— Oui. Ta dernière vraie sortie, pas juste prendre un verre entre amis. Je parle d'une soirée avec un homme qui pensait avoir tout prévu pour t'amener dans son lit.

Je soupesai une boule avec des spirales orange et vert fluo, me creusant la cervelle.

— L'opéra, dis-je enfin. Puis dîner chez *Santa Lucia*.

— Bonne table. Et avant ça ?

— Bon sang, qu'est-ce que tu es curieux. Euh... voyons, je crois me souvenir d'un vernissage d'exposition.

— Suivi, je n'en doute pas, par un dîner dans quelque restaurant où des serveurs guindés disent « merci » après que tu as fait ton choix ?

— Possible.

— C'est bien ce que je pensais. (Il hissa une boule bleu marine dans le creux de son bras.) Je comprends mieux ton hostilité à l'idée d'un rendez-vous ou d'une relation durable. Tu es un tel canon que tu dois t'attendre à ce genre de soirées cinq étoiles. C'est ton ordinaire. Les hommes essaient de t'en mettre plein la vue, mais après un temps, tu finis par trouver ça ennuyeux. (Une lueur espiègle dansa dans ses yeux.) Par conséquent, j'entends me distinguer de ces ratés en t'invitant dans des endroits dont tes petits pieds élitistes n'ont jamais foulé le sol. Le sel de la terre. Un retour aux valeurs fondamentales. Ce à quoi devrait ressembler tout rendez-vous qui se respecte : deux individus, plus intéressés l'un par l'autre que par le chic du lieu où ils se rencontrent.

Je marchai en sa compagnie jusqu'à notre piste.

— Pour résumer : tu penses que j'ai envie de m'encanailler.

— Et c'est le cas ?

— Non.

— Alors pourquoi es-tu avec moi ?

Je dévorai du regard l'apollon qui se tenait devant moi et songeai à notre conversation de l'autre nuit sur les langues de l'antiquité. Belle gueule et intelligent. La combinaison idéale.

— Tu n'es pas vraiment crédible en mauvais garçon...

Il me sourit et changea de sujet.

— Tu n'as pas trouvé plus discret ?

Je baissai les yeux sur ma boule de bowling aux motifs et aux couleurs psychédéliques.

— Non. Cette soirée s'annonce plutôt surréaliste, alors je préfère être dans le ton. Qui sait, on prendra peut-être de l'acide plus tard.

Les yeux de Roman pétillèrent d'amusement et il inclina la tête en direction de la piste.

— Voyons de quoi tu es capable.

J'avançai avec hésitation, essayant de faire appel à mes souvenirs de bowling. Sur les pistes à ma droite et à ma gauche, j'observais les autres joueurs lancer avec aisance. Haussant les épaules, je me tins sur la ligne, tirai mon bras en arrière et lâchai la boule. Elle s'écrasa sur la piste avec un grand « crac » un peu plus de un mètre plus loin et roula immédiatement dans la rigole. Roman s'approcha et assista avec moi – en silence – à la fin du trajet de ma boule.

— Tu es toujours aussi brutale avec les boules ? demanda-t-il enfin.

— La plupart des hommes ne s'en plaignent pas.

— Je veux bien le croire. Essaie d'entrer en contact avec le sol avant de la lâcher, cette fois.

Je lui lançai un regard acerbe.

— Rassure-moi, tu n'es pas le genre d'hommes qui prend son pied en montrant aux femmes à quel point ils leur sont supérieurs ?

— Absolument pas. Ce n'est qu'un conseil d'ami.

Ma boule revint et je suivis les instructions de Roman. Cette fois, elle fit moins de bruit au moment de l'impact, mais finit tout de même sa course dans la rigole.

— D'accord. À ton tour. Montre-moi de quoi tu es capable, grommelai-je en m'asseyant avec mauvaise humeur sur une chaise.

Roman avança vers la piste à grandes enjambées, ses mouvements aussi fluides et gracieux que ceux d'un chat. La boule se déversa de sa main, telle l'eau d'une carafe, roula en douceur et fit tomber neuf quilles. Quand sa boule revint, il la lança encore une fois avec la même facilité et vint à bout de l'obstination de la dixième.

— La soirée promet d'être longue…

— Haut les cœurs ! (Il me tapota le menton.) Tu vas y arriver. Essaie encore et vise plus vers la gauche. Je vais nous chercher des bières.

Je lançai vers la gauche, comme on me l'avait conseillé, mais ne réussit qu'à atteindre la rigole de gauche. À mon deuxième lancer, je fis preuve d'un peu plus de mesure et touchai une quille à l'extrême gauche. Malgré moi, je poussai un cri de victoire.

— Bien joué, m'encouragea Roman, posant deux chopes de bière bon marché sur la table. (Je n'avais rien bu qui ne sorte d'une brasserie artisanale depuis plus d'une décennie.) C'est une question de patience, rien de plus.

La suite de la soirée lui donna raison. Mon score augmenta lentement, mais je développai bientôt la mauvaise habitude de créer des splits dès mon premier lancer. Je ne montrai aucune aptitude à les fermer par la suite, malgré les meilleures explications de Roman. Il faut lui accorder qu'il sut alterner les bons conseils et les instructions pratiques.

— Ton bras part dans cette direction et le reste de ton corps penche comme ça, expliquait-il, se tenant derrière moi, une main sur ma hanche, l'autre autour de mon poignet.

Ma peau se réchauffa à son contact et je me demandai si ses actes n'étaient guidés que par l'altruisme ou constituaient simplement une excuse pour poser ses mains sur moi. J'utilisais des techniques de ce genre dans mon travail de succube. Ça rendait les hommes dingues – et maintenant, je comprenais enfin pourquoi.

Qu'il s'agisse d'une ruse ou pas, je ne lui ordonnai pas d'arrêter.

Je jouai à mon meilleur niveau lors de la deuxième manche, réussissant même un strike, mais ma performance déclina dans la troisième, sous l'effet conjugué de la bière et de la fatigue. Roman le sentit et mit un terme à nos aventures sur la piste, louant mes progrès qu'il qualifia d'impressionnants.

— Est-ce qu'on est obligés d'aller dîner dans un bouge pour rester dans le ton de ta conception du rendez-vous de rêve ?

Il passa son bras autour de moi alors que nous retournions à la voiture.

— J'imagine que cela dépend si tu as déjà succombé à mon charme roublard.

— Si je réponds oui, est-ce que nous irons manger dans un restaurant correct ? Tu sais, les endroits chic, ça marche parfois…

À ma grande satisfaction, nous dînâmes dans un restaurant japonais haut de gamme. Prenant tout notre temps, nous savourâmes notre repas autant que la conversation et l'étendue des connaissances de Roman m'impressionna de nouveau. Cette fois, la discussion porta sur l'actualité et la culture contemporaine – les choses que nous aimions, celles qui nous rendaient dingues, etc. Je découvris que Roman avait beaucoup voyagé et avait des opinions bien arrêtées sur la politique et l'économie mondiale.

— Nous vivons dans un pays tellement narcissique, se plaignit-il en sirotant son saké. Un grand miroir. Et nous restons devant toute la sainte journée à nous contempler le nombril. Quand il nous arrive de regarder ailleurs, nous jouons les donneurs de leçons vis-à-vis des autres nations – « faites ci, faites ça » ou « soyez plus comme nous ». Nos politiques étrangère et économique consistent à forcer la main aux peuples hors de nos frontières, pendant qu'à l'intérieur, des groupes conservateurs font de même avec les citoyens. Je déteste ça.

Je l'écoutai avec intérêt, intriguée par cette facette d'un homme d'ordinaire si léger et désinvolte.

— Tu n'as qu'à agir pour changer les choses alors. Ou quitter le pays.

Il secoua la tête.

— Des paroles dignes d'une citoyenne aisée. Le bon vieux « Si vous n'aimez pas ce pays, allez-vous-en. » Malheureusement, ce n'est pas si facile de se couper de ses racines. (Se penchant en arrière, il sourit afin de détendre l'atmosphère.) Et j'agis. De petites choses, par-ci par-là. Mon combat personnel contre le *statu quo*. Je participe à des manifestations. Je refuse d'utiliser des produits fabriqués dans des pays du tiers-monde.

— Tu dis non à la fourrure et tu manges bio ?

— Ça aussi, gloussa-t-il.

— C'est marrant, observai-je après un moment de silence.

Quelque chose venait de me frapper.

— Quoi ?

— Pendant toute la soirée, nous n'avons fait que parler de l'actualité. Rien sur notre enfance traumatisante, nos études, nos ex ou ce genre de choses.

— Et qu'est-ce que ça a de « marrant » ?

— Rien. C'est juste que d'ordinaire le rituel précédant l'accouplement chez l'homme semble imposer que chacun revienne sur son histoire.

— Tu veux faire ça ?

— Pas vraiment.

En fait je détestais ça. J'étais toujours obligée de réinventer mon passé. Je détestais mentir et devoir veiller à la cohérence de mes mensonges.

— Je pense que le passé nous tourmente bien assez sans le faire venir embrouiller le présent. Je préfère regarder devant moi, plutôt que derrière.

Je l'étudiai avec curiosité.

— Ton passé te tourmente ?

— Beaucoup. Tous les jours, je me bats afin de ne pas laisser mon passé me rattraper. Parfois je gagne, parfois non.

Bon sang, exactement comme moi ! Quelle sensation étrange... De pouvoir en parler avec quelqu'un qui ressentait la même chose. Je me demandai combien de personnes dans le monde se trouvaient dans le même cas, dissimulant un excédent de bagages à ceux qui les entouraient. Ç'avait toujours été ma politique : maintenir les apparences, coûte que coûte ; faire bonne figure en toutes circonstances. J'avais traversé les pires moments de ma vie avec le sourire et quand cette réaction superficielle n'avait plus suffi, j'avais choisi la fuite – au prix de mon âme.

Je souris faiblement.

— Alors je suis contente que nous nous en tenions tous deux au présent.

— Moi aussi, renchérit-il. En fait, ma situation actuelle se présente plutôt bien en ce moment. J'espère pouvoir en dire autant de mon avenir, si je continue à miner ta détermination.

— Ne pousse pas...

— Allez quoi ! Tu peux bien l'admettre : tu les trouves attachantes, mes attaques contre le pouvoir en place. Peut-être même érotiques.

— Je crois que « distrayantes » conviendrait mieux. Mais si c'est la politique qui te branche, tu devrais en toucher un mot à mon ami Doug. Vous vous ressemblez pas mal. Le jour, il s'offre une respectabilité en jouant les sous-directeurs, la nuit, il devient le chanteur de ce groupe complètement frappé, exprimant son dégoût de la société à travers sa musique.

Les yeux de Roman étincelèrent avec intérêt.

— Il joue dans la région ?

—Absolument. Il sera à l'*Old Greenlake Brewery* ce samedi. On va l'écouter – moi et quelques autres collègues de travail.

—Ah oui ? À quelle heure on se retrouve ?

—Je ne me rappelle pas t'avoir invité.

—Tu crois ? Pourtant j'aurais juré t'entendre me donner un lieu et une date – une invitation passive en quelque sorte. Normalement, j'aurais dû te demander « Je peux venir ? » et tu aurais répondu « Bien sûr, pas de problème. » Je nous ai juste fait gagner du temps.

—Tu es vraiment un modèle d'efficacité, observai-je.

—Alors… je peux venir ?

Je gémis.

—Roman, on ne peut pas continuer comme ça. Tu es adorable, mais cette histoire n'aurait jamais dû aller au-delà du premier rendez-vous. On a déjà largement dépassé ce stade. À la librairie, tout le monde pense que tu es mon petit ami.

Casey et Beth m'avaient récemment informée que j'avais décroché un « mec supercanon ».

—C'est vrai ?

Il avait l'air pleinement satisfait de la situation.

—Je ne plaisante pas. Je suis tout à fait sérieuse quand je dis que je ne veux pas d'une relation durable en ce moment.

Sauf que ce n'était pas vrai. Pas au fond de mon cœur. J'avais passé des siècles à me couper de toute affection à l'égard d'une autre personne et j'en souffrais. Même à l'époque de mon âge d'or en tant que succube, quand je jetais encore mon dévolu sur des hommes bien. Je les larguais immédiatement après avoir couché avec eux. D'une certaine façon, ma vie actuelle se révélait encore plus dure. J'évitais la culpabilité à l'idée d'avoir volé l'énergie vitale d'un brave type, mais je n'avais jamais trouvé de véritable compagnon, quelqu'un qui se soucierait exclusivement de moi. J'avais des amis, bien sûr, mais ils avaient leur vie et je me faisais un devoir de repousser ceux qui devenaient trop proches – comme Doug –, pour leur propre bien.

—Et qu'est-ce que tu fais du simple plaisir de se voir ? Tu ne crois pas à l'amitié homme-femme ?

—Non, répondis-je résolument. Je n'y crois pas.

—Même avec les autres hommes de ta vie ? Ce Doug ? Le prof de danse ? Et cet écrivain ? Ils sont tes amis, non ?

— Oui, mais c'est différent. Je ne me sens pas attirée par…

Je retins la fin de ma phrase, mais c'était trop tard. Le visage de Roman s'illumina sous l'effet conjugué de l'espoir et du plaisir. Il se pencha vers moi et me caressa la joue avec sa main.

Je déglutis, terrifiée et excitée par sa proximité. La bière et le saké avaient semé la confusion dans mon esprit et mon corps n'en menait pas large non plus – je me promis intérieurement de ne pas boire lors de notre prochaine sortie. Une minute ! Il n'y aurait pas de prochaine sortie… n'est-ce pas ? Les sens troublés par l'alcool, je parvenais plus difficilement à faire la distinction entre mes appétits de succube et le désir pur et simple, mais en présence de Roman, les deux se révélaient dangereux.

Et pourtant… en cet instant précis, le désir constituait le cadet de mes soucis. C'était lui, le problème. Être avec lui. Parler avec lui. Avoir de nouveau quelqu'un dans ma vie. Quelqu'un qui m'aimait et me comprenait. Quelqu'un vers qui je pouvais me tourner. Et vivre.

— À quelle heure on se retrouve ? murmura-t-il.

Je baissai les yeux, soudain en proie à une sensation de chaleur.

— Le concert commence tard…

Sa main glissa de ma joue sur ma nuque, s'emmêla dans mes cheveux et me fit incliner la tête vers lui.

— Tu veux faire quelque chose avant ?

— On ne devrait pas.

Ma propre voix me parut molle et laborieuse, comme si je parlais en nageant dans un océan de mélasse.

Roman se pencha à son tour et m'embrassa l'oreille.

— Je passe te prendre à 19 heures.

— Dix-neuf heures, répétai-je.

Ses lèvres se déplacèrent vers la partie de ma joue la plus proche de mon oreille, puis vers le milieu de la joue, et enfin juste sous ma bouche, si près des miennes que mon corps tout entier me sembla concentré sur cette proximité. Je sentais la chaleur de son souffle, comme s'il disposait de sa propre aura. La scène paraissait se dérouler au ralenti. Je voulais qu'il m'embrasse, me dévore avec ses lèvres et sa langue. J'en avais envie et peur en même temps, tout en me sentant totalement impuissante.

— Désirez-vous autre chose ?

La voix légèrement embarrassée du serveur me fit descendre de mon petit nuage. Revenant à la raison, je songeai à ce qui arriverait à Roman en échange de ce seul baiser. Pas grand-chose, bien sûr – mais assez en ce qui me concernait. Je me libérai de son emprise et secouai la tête.

— Non, rien d'autre. L'addition, s'il vous plaît.

Notre conversation se tarit après cela. Il me raccompagna chez moi et ne tenta rien, se contentant de sourire avec gentillesse ; devant ma porte, sa main m'effleura de nouveau sous le menton et il me rappela qu'il passerait me prendre samedi à 19 heures.

J'allai me coucher, agitée et en manque de sexe. L'alcool aidant, je m'endormis facilement, mais quand je me réveillai le lendemain matin, étendue encore somnolente dans mon lit, je me souvenais toujours de la sensation que j'avais éprouvée en sentant ses lèvres si proches des miennes. Et mon désir lascif se manifesta de plus belle.

— Ça ne peut pas continuer comme ça, annonçai-je à Aubrey en roulant hors du lit.

J'avais trois heures devant moi avant d'aller travailler et j'avais autre chose à faire que de rêvasser en pensant à Roman. Me rappelant que je n'avais jamais relancé Erik, je décidai de lui rendre une petite visite. En ce qui me concernait, la théorie du chasseur de vampires me semblait dépassée, mais il avait peut-être découvert quelque chose d'utile. J'en profiterais pour l'interroger sur les anges déchus.

Vu la menace de mise au placard proférée par Jerome, j'aurais probablement dû ressentir plus d'inquiétude à la perspective de retourner chez *Arcana*. Mais je me sentais en sécurité – plus ou moins. Une chose que j'avais apprise à propos de l'archidémon : il n'était pas du matin. Il n'avait pas vraiment besoin de se reposer, bien sûr, mais il avait adopté ce luxe mortel avec enthousiasme. Où qu'il se trouve, il était vraisemblablement encore endormi et n'avait donc aucun moyen de savoir ce que je m'apprêtais à entreprendre.

Le temps de m'habiller et d'avaler un rapide petit déjeuner, je roulai bientôt en direction de Lake City. Je retrouvai la boutique sans difficulté, mais, à ma grande déception, l'endroit semblait désert, le parking vide. Pourtant, en entrant, j'aperçus une silhouette sombre – trop grande pour être celle d'Erik – penchée dans un coin de la librairie. Contente de voir qu'Erik avait un client, je déchantai rapidement quand la silhouette se redressa et me scruta de ses yeux gris où brillait une expression sardonique.

—Salut, Georgina.

Je déglutis.

—Salut, Carter.

Chapitre 13

Carter saisit un livre et le feuilleta nonchalamment. Ses cheveux blond filasse avaient été ramenés sous une casquette de base-ball qu'il portait à l'envers et sa chemise en flanelle paraissait avoir connu des jours meilleurs.

— Qu'est-ce qui t'amène ? demanda-t-il sans lever les yeux. Une soudaine envie de cierges ? Ou peut-être es-tu là pour te tenir au courant des dernières tendances en matière d'astrologie ?

— Ça ne te regarde pas, répondis-je d'un ton sec, rendue trop nerveuse par sa présence pour trouver une réponse spirituelle ou seulement plausible.

Ses yeux gris se posèrent sur moi.

— Jerome sait que tu es là ?

— Ça ne le regarde pas non plus. Pourquoi ? Tu vas me cafter ? lâchai-je bravement.

Mais une partie de moi songeait que si Carter était réellement celui qui se cachait derrière ces attaques, j'avais bien plus de souci à me faire que de simplement m'inquiéter de la colère de Jerome.

— Peut-être… (Il referma le livre, le pressant entre ses paumes.) Mais je pense que je risque de m'amuser bien plus longtemps en n'intervenant pas et en te laissant échafauder toutes sortes d'hypothèses et de plans.

— Je ne vois pas de quoi tu parles. Si on ne peut même plus faire quelques courses sans subir un interrogatoire… Je ne te demande pas ce que tu fais là.

À dire vrai, je brûlais de connaître les raisons de sa présence. Je ne trouvais pas surprenant qu'il connaisse Erik – nous le connaissions tous –, mais le rencontrer ici, à la lumière des récents événements, ne faisait que conforter mes soupçons.

— Moi ? (Il brandit le volume qu'il avait parcouru. *Apprendre la sorcellerie en 30 jours ou moins.*) J'ai du retard dans mes lectures.

— C'est malin, ironisai-je.

— Venant d'une experte telle que toi, je me sens flatté. T'ai-je donné suffisamment de temps pour t'inventer un alibi tout aussi ingénieux ?

Il reposa le livre.

— Mademoiselle Kincaid. (Erik entra dans la pièce avant que j'aie eu le temps de répondre.) Je suis tellement content de vous voir. Mon ami vient juste de me livrer les boucles d'oreilles que vous m'aviez commandées.

Je le regardai fixement, momentanément confuse, avant de me rappeler le collier de perles, ainsi que les boucles que j'avais complètement oubliées.

— Je suis ravie. Il a vraiment fait vite.

— Réception impeccable, concéda Carter à mi-voix.

Je l'ignorai.

Erik ouvrit une petite boîte devant moi et je regardai à l'intérieur. Chaque bijou se composait de trois minuscules rangs de perles d'eau douce – les mêmes que celles du collier – qui pendaient au bout d'une fine fixation en cuivre.

— Elles sont magnifiques, le complimentai-je avec sincérité. Remerciez votre ami pour moi. Je possède exactement la robe qui va avec.

— Quel soulagement, commenta Carter en observant Erik qui passait les boucles en caisse. D'avoir les bons accessoires, je veux dire. D'après Cody, tu sors beaucoup ces derniers temps. Je suppose que tu n'as pas lu le livre que je t'ai envoyé.

Je glissai ma carte de crédit à Erik. Cody m'avait vue en galante compagnie lors du cours de danse, mais je ne l'avais informé du rendez-vous qui avait suivi qu'hier.

— Quand as-tu parlé à Cody ?

— Hier soir.

— C'est marrant – moi aussi. Et te voilà aujourd'hui. Tu me suis ou quoi ?

Les yeux de Carter pétillèrent avec espièglerie.

— J'étais là le premier. Peut-être bien que c'est toi qui me suis ; tu as repris goût à la compagnie des hommes et tu cherches un moyen astucieux de me séduire…

Je signai le reçu de la carte de crédit avant de le rendre à Erik qui nous écoutait en silence.

— Désolée, mais je préfère mes hommes avec un peu plus de vie en eux.

Carter rit doucement de mon bon mot. Faire l'amour avec un autre immortel ne me procurait aucune énergie.

— Tu sais, Georgina, parfois je me dis que cela vaudrait la peine de te coller aux basques rien que pour entendre ce qui sortira de ta bouche.

Erik leva les yeux. Rien n'indiquait qu'il se sentait gêné de se trouver pris entre deux feux immortels.

— Voulez-vous vous joindre à nous pour le thé, monsieur Carter ? Vous restez, n'est-ce pas, mademoiselle Kincaid ?

Je gratifiai Erik d'un de mes plus beaux sourires.

— Bien sûr.

— Monsieur Carter ?

— Non merci. J'ai des choses à faire et d'après ce que j'ai cru comprendre, Georgina ne déploie l'étendue de son talent qu'avec un homme à la fois. J'ai eu plaisir à bavarder avec vous, Erik. Encore merci. Quant à toi, Georgina… je suis persuadé que nous nous reverrons très bientôt.

Quelque chose dans ces mots me glaça. Je dus rassembler toute ma détermination afin de paraître calme en l'interpellant :

— Carter ?

Ses mains touchèrent la porte. Marquant une pause, il tourna la tête vers moi et haussa un sourcil.

— Jerome sait-il que *tu* es là ?

Un sourire rusé gagna lentement le visage de l'ange.

— Tu vas me cafter, Georgina ? Et moi qui croyais que nous avions fait de tels progrès… Peut-être aurions-nous dû continuer plus longuement à échanger des banalités. Tu aurais pu me demander si le temps allait se gâter, j'aurais observé que tu semblais très en beauté aujourd'hui, etc., etc. Tu connais la routine…

Je clignai des yeux. Cette fois, ses mots m'évoquaient le billet retrouvé sur ma porte.

« Vous êtes une belle femme, Georgina. Suffisamment belle, selon moi, pour tenter un ange. »

Me laissait-il d'autres indices ? Jouait-il avec moi comme Cody l'avait suggéré ? Ou est-ce que je me faisais tout simplement des idées ? Se contentait-il d'être lui-même – Carter, l'ange agaçant –, le fléau de mon existence, me harcelant comme il en avait l'habitude ? Franchement, je l'ignorais, mais je croyais toujours que, de tous les anges susceptibles d'éliminer des immortels dans cette ville, Carter en avait le plus l'occasion.

—Alors comme ça, je suis très en beauté ? répétai-je d'une voix mal assurée. Assez pour tenter un ange ?

Les lèvres de l'ange tremblèrent.

—J'en étais sûr ! Tu essaies de me séduire… À plus tard, Georgina, Erik.

Il ouvrit la porte et s'en alla.

Clouée sur place, j'observai sa silhouette qui s'éloignait.

—Qu'est-ce qu'il faisait là ?

Erik posa un plateau avec deux tasses sur la petite table.

—Allons, mademoiselle Kincaid… Je garde bien vos secrets. Vous n'espérez tout de même pas que je n'en fasse pas autant pour lui.

—Je suppose que vous avez raison.

Pendant que le vieil homme retournait chercher la théière, je songeai également que je ne voulais pas le mettre en danger en le mêlant aux affaires des immortels – plus qu'il ne l'était déjà, du moins.

Il ne tarda pas à revenir et remplit nos tasses.

—Je l'avais mis à infuser juste avant votre arrivée. Je suis heureux que vous soyez là pour le partager avec moi.

Je goûtai le breuvage. Une autre tisane.

—Comment s'appelle-t-il ?

—Désir.

—Un nom approprié, approuvai-je. (Malgré les anges et les complots, j'avais toujours envie de Roman.) Avez-vous découvert quelque chose ?

— J'ai bien peur que non. Je me suis renseigné autour de moi, mais je n'ai rien appris de plus concernant les chasseurs de vampires, ni sur la présence éventuelle de l'un d'eux dans les environs.

— Cela ne me surprend pas. (Je bus mon thé à petites gorgées.) Je crois qu'il s'agit d'autre chose.

Il ne dit rien, prudent comme à son habitude.

— Je comprends que vous ne puissiez pas me révéler la raison de sa présence ici... (Je laissai le reste de ma phrase en suspens, le temps de trouver comment mieux formuler ma pensée.) Mais qu'est-ce que... que pensez-vous de lui ? De Carter, je veux dire. S'est-il comporté de manière étrange ou suspecte ? Vous donne-t-il l'impression de faire des mystères ?

Erik me lança un regard amusé.

— Ne m'en veuillez pas, mais je compte parmi mes clients bon nombre de personnes – et vous ne faites pas exception – qui correspondent à cette description.

Un euphémisme, à n'en pas douter.

— Je ne sais pas moi, alors... Vous inspire-t-il confiance ?

— M. Carter ? (Une expression surprise traversa son visage.) Je le connais depuis plus longtemps que vous. Parmi mes clients « qui se comportent de manière suspecte et font des mystères », il est certainement celui en qui j'aurais le plus confiance. Je mettrais ma vie entre ses mains.

Rien de surprenant. Si Carter était capable de tromper Jerome, il ne ferait qu'une bouchée d'un simple mortel.

Je changeai de sujet.

— Que savez-vous des anges déchus ?

— Il me semble que le sujet devrait déjà vous être familier, mademoiselle Kincaid.

Je me demandai s'il faisait référence à mon entourage ou au vieux mythe qui voulait que les succubes soient des démons. Pour votre information : c'est faux.

— Ne jamais poser de questions sur l'histoire d'une religion à l'un de ses pratiquants, telle est ma devise. Je préfère les garder pour des érudits moins directement concernés.

— Et vous avez raison... (Il sourit d'un air songeur en portant la tasse à ses lèvres.) Bien. Comme vous le savez sans doute déjà, les démons sont des anges qui se sont détournés de la volonté divine. Ils se sont rebellés ou, pour reprendre le terme couramment employé, ont « déchu ». Le consensus général veut que Lucifer ait été le premier et que d'autres l'aient suivi.

— Ça, c'était au tout début, n'est-ce pas ? Une migration de masse vers l'autre camp. (Je fronçai les sourcils, continuant de m'interroger sur les détails du processus.) Mais plus tard ? Est-ce que ça n'est arrivé qu'une seule fois ?

Erik secoua la tête.

— J'ai l'impression que cela peut toujours se produire et que cela s'est d'ailleurs produit dans le passé. Certains documents vont jusqu'à suggérer que…

La porte s'ouvrit et un jeune couple entra. Erik se leva et leur sourit.

— Avez-vous des livres sur le tarot ? demanda la fille. Pour débutants ?

Et pas qu'un peu. Erik en proposait tout un mur. Cette interruption me frustra, mais je ne voulais pas me mettre en travers d'une vente potentielle pour lui. Je lui fis signe de s'occuper de ses clients et bus le reste de mon thé. Il les guida vers le rayon approprié, expliquant avec fougue certains titres et les questionnant plus en détail sur leurs besoins.

Je saisis mon manteau et mon sac, prenant au passage une boîte de tisane Désir. Erik me regarda déposer un billet de 10 dollars sur le comptoir.

— Gardez la monnaie, lui dis-je.

Oubliant un instant le jeune couple, il s'adressa à moi :

— Jetez un coup d'œil à… voyons voir, je crois que c'est au début du livre de la Genèse, chapitre VI… verset 2, ou 4 peut-être ? Vous y trouverez sans doute quelque chose qui pourra vous être utile.

— La Genèse ? Dans la Bible ? (Il hocha la tête et je balayai du regard les étagères couvertes de livres.) Où est-elle ?

— Je ne l'ai pas en stock, mademoiselle Kincaid, mais je pense que vous n'aurez aucun mal à la trouver dans votre propre librairie.

Il retourna à ses clients et je partis, admirant un homme capable de citer des versets de la Bible – au numéro près – sans en posséder un exemplaire. N'empêche, il avait raison : je n'aurais aucun mal à me la procurer chez *Emerald City* et d'ailleurs j'allais bientôt devoir me rendre à mon travail.

De retour à Queen Anne, je découvris que le parking donnant sur la rue était déjà complet. Je sortis mon autorisation de la boîte à gants et l'accrochai au rétroviseur avant de me glisser dans le minuscule parking privé qui longeait une ruelle derrière le magasin. Ces places étaient tellement convoitées par le reste du personnel que je préférais généralement éviter de me garer là.

En marchant vers la librairie, j'aperçus deux voitures placées capot contre capot et une silhouette aux cheveux rouges penchée au-dessus. Tammi. J'aimais beaucoup l'adolescente, mais c'était une incorrigible bavarde. Ne voulant pas retarder ma recherche biblique, je profitai d'un coin sombre pour prendre l'apparence d'un homme banal, un inconnu pour elle. Puis je passai devant elle sans qu'elle m'accorde un regard alors qu'elle essayait de faire démarrer une des voitures.

Une fois hors de vue, je repris mon apparence normale. J'éprouvai une brève sensation d'essoufflement qui disparut aussi vite qu'elle était arrivée. Changer de sexe exigeait plus d'efforts que mes autres transformations – raison pour laquelle j'avais résisté à la suggestion stupide de Peter qui voulait m'utiliser afin de tester ses nouvelles coiffures. Je venais probablement de perdre quelques jours de mon surplus d'énergie provenant de Martin. J'avais encore de quoi tenir deux semaines, au moins, mais je commençais déjà à ressentir les premiers tiraillements de mon appétit de succube – mon attirance pour Roman ne devait pas y être étrangère non plus.

Dans la librairie régnait l'activité habituelle d'un jour de semaine. Je me dirigeai immédiatement vers notre rayon « Religions ». Il m'était arrivé d'y guider des clients et même d'en retirer certains titres choisis, mais je n'avais jamais prêté attention au nombre de Bibles que nous proposions.

—Nom de Dieu, marmonnai-je en fixant les différentes traductions.

Des Bibles pour les femmes, pour les hommes, pour les ados ; des Bibles illustrées, imprimées en gros caractères ou dorées sur tranche. Mon regard se posa enfin sur la Bible du roi Jacques [1]. Je n'en savais pas grand-chose, mais au moins son titre m'était-il connu.

Je m'en emparai et l'ouvris au livre de la Genèse, chapitre VI, puis lus le passage recommandé par Erik :

« Et il arriva lorsque les hommes commencèrent à se multiplier sur la face de la terre et que des filles leur furent nées,

Que les fils de Dieu virent les filles des hommes, qu'elles étaient belles, et ils prirent des femmes d'entre toutes celles qu'ils choisirent.

Et le Seigneur dit : "Mon esprit ne contestera pas toujours avec l'homme ; car lui aussi est chair ; mais ses jours seront de cent vingt ans."

Il y avait des géants sur la terre en ces jours-là, et aussi après cela lorsque les fils de Dieu vinrent vers les filles des hommes, et elles leur enfantèrent des enfants ; ceux-ci devinrent des hommes puissants qui de tout temps étaient des gens de renom. » [2]

J'étais bien avancée.

Je relus le passage à plusieurs reprises, espérant une sorte d'illumination. Je finis par décider qu'Erik avait dû se tromper de chapitre. Après tout, il avait été distrait. Selon moi, ces quelques lignes n'avaient aucun rapport avec les anges, déchus ou pas, ou même avec la bataille cosmique à laquelle se livraient le bien et le mal. En revanche, pas besoin d'être un spécialiste de la Bible pour comprendre que ça parlait de procréation humaine – « les fils de Dieu vinrent vers les filles des hommes » –, surtout avec la référence aux enfants dans la suite de la phrase. Le sexe avait toujours fait vendre des livres, même à l'époque. Je me demandai si Erik m'avait orientée vers ces versets pour me faire une blague.

---

1. La Bible du roi Jacques (ou King James Bible en anglais) a été publiée pour la première fois en 1611. Il s'agit d'une traduction de la Bible en anglais réalisée sous le règne de Jacques Ier d'Angleterre. (*NdT*)

2. Traduction de Nadine Stratford (texte intégral disponible sur : http://www.kingjamesfrancaise.com/). (*NdT*)

— Vous songez à vous convertir ?

Je levai les yeux, d'abord vers un tee-shirt Pac-Man, puis vers le visage interrogateur de Seth.

— C'est trop tard pour moi, j'en ai peur. (Je refermai le livre alors qu'il s'agenouillait à mon côté.) Je vérifiais quelque chose, c'est tout. Comment se portent Cady et O'Neill aujourd'hui ?

— Leur enquête en cours avance plutôt bien. (Il sourit tendrement et je me surpris à observer l'ambre de ses yeux. Nous avions échangé quelques e-mails ces derniers jours et ses miniromans m'avaient beaucoup plu, mais à l'oral nous n'avions pratiquement fait aucun progrès.) Je viens de terminer un chapitre et j'avais besoin d'une pause – je pensais me balader, aller boire quelque chose.

— Sans caféine, je présume.

J'avais appris que Seth ne buvait aucune boisson contenant de la caféine, ce qui me paraissait à la fois effrayant et anormal.

— Non. Pas de caféine.

— N'en dites pas de mal avant d'avoir essayé. Ça pourrait vous rendre plus prolifique.

— C'est vrai, je me souviens. Vous pensez que mes livres ne sortent pas assez vite.

Je gémis, me rappelant notre première rencontre.

— Mes mots ont peut-être dépassé ma pensée, ce jour-là.

— Absolument pas. Vous avez été formidable. Je ne suis pas près de l'oublier.

Son masque narquois glissa brièvement, comme lors du cours de danse, et je vis de nouveau un intérêt et une appréciation bien masculins traverser ses traits. Accroupie à côté de lui, j'éprouvai un sentiment momentané de naturel, à l'instar de ce que je ressentais d'ordinaire en compagnie de Doug ou d'un des immortels. Quelque chose d'amical et d'apaisant, comme si Seth et moi nous connaissions depuis toujours. Peut-être était-ce le cas pour moi, d'ailleurs, à travers ses livres.

Et pourtant, une telle proximité avec lui se révélait également déconcertante. Gênante. Je commençai à remarquer certaines choses, la finesse des muscles de ses bras, la manière dont ses cheveux bruns mal coiffés encadraient son visage. Même le lustre doré que la lumière déposait sur les poils de son visage et la forme de ses lèvres retenaient mon attention. Me détournant, je sentis ma soif d'énergie vitale se manifester en moi et je réprimai mon désir de tendre la main et toucher son visage. Ma dernière transformation avait causé plus de dégâts que je ne l'avais cru. Je n'avais pas encore besoin de refaire le plein d'énergie, mais mon instinct de succube devenait irritable. Je devrais bientôt le satisfaire, mais certainement pas avec Seth.

Je me redressai en toute hâte, la Bible encore à la main, pressée de m'éloigner de lui. Il se releva aussi.

—Bon, fis-je d'un ton embarrassé quand aucun de nous n'eut prononcé une parole depuis quelques instants. J'ai du travail qui m'attend.

Il hocha la tête, une certaine appréhension venant remplacer son expression intéressée.

—Je...

—Oui?

Avalant péniblement sa salive, il détourna brièvement les yeux avant de croiser de nouveau mon regard, cette fois avec détermination.

—J'ai été invité à une fête, ce dimanche, et je me demandais si... si vous n'aviez pas d'autre projet, peut-être que... je veux dire, vous voulez bien m'accompagner?

Je restai sans voix. Je n'avais pas rêvé, n'est-ce pas? Seth Mortensen venait bien de me demander de sortir avec lui? Et nous venions d'avoir une conversation cohérente? Ça, plus le fait que je le trouvais soudain attirant... La terre me semblait avoir vacillé sur son axe. Pire, j'avais envie d'accepter. Brusquement, la compagnie de Seth me paraissait aller de soi, même si ça n'avait rien à voir avec la vive excitation que provoquait Roman en moi. Dans cette relation un peu gauche et bizarre qui était la nôtre, j'avais développé une réelle affection pour l'écrivain, indépendamment du plaisir que me procuraient ses livres.

Mais je ne pouvais pas accepter. Je le savais. Je regrettai amèrement d'avoir flirté avec lui au départ. Apparemment, il était resté sur cette première impression en dépit de tous mes efforts pour renverser la vapeur et rester platonique. Une partie de moi se sentait consternée, mais une autre en concevait une certaine satisfaction. Mais l'un dans l'autre, je connaissais la marche à suivre.

— Non, répondis-je sans ambages, encore sous le choc.

— Oh.

Je n'avais pas le choix. Je ne pouvais pas permettre que Seth soit attiré par moi. Pas question d'aller au-delà d'une amitié distante avec mon auteur préféré.

Prenant conscience de la brutalité de ma réponse, je tentai d'en amoindrir l'impact. J'aurais pu me contenter de prétendre que j'avais du travail, mais au lieu de cela je bredouillai une variante d'une excuse qui m'avait servi avec Doug toutes ces années.

— Comprenez-moi… je ne cherche pas à faire de nouvelles rencontres en ce moment, ni à m'engager dans une relation durable. Ça n'a rien de personnel. Ce sera certainement une supersoirée, mais je ne peux vraiment pas. En fait, je décline toujours les invitations de ce genre. Comme je l'ai dit : ça n'a rien de personnel. C'est plus facile pour moi. De ne sortir avec personne, je veux dire. Jamais.

Seth m'observa longuement, réfléchissant, et je me souvins brusquement de cette première soirée où il avait adopté la même expression quand j'avais expliqué la règle des cinq pages que je m'imposais en lisant ses romans.

— Oh, finit-il par dire. D'accord. Mais… est-ce que vous ne sortez pas avec ce type ? Le grand, avec des cheveux noirs.

— Non. Pas vraiment. Nous sommes juste… euh… amis. En quelque sorte.

— Oh, répéta Seth. Alors comme ça, les amis ne peuvent pas aller à des soirées ensemble ?

— Non. (J'hésitai, souhaitant soudain avoir une autre réponse.) Mais ils peuvent prendre un café de temps à autre. Ici. Dans la librairie.

— Je ne bois pas de café.

Il y avait une certaine âpreté dans sa voix. J'eus l'impression d'avoir été giflée. Les instants qui suivirent figureraient sans aucune contestation possible parmi le top 5 des moments les plus gênants de mon existence. Le silence se prolongea. Finalement, je répétai mon excuse bancale afin de prendre la fuite :

— J'ai du travail qui m'attend.

— D'accord. À bientôt.

Des amis, des amis rien de plus. Combien de fois avais-je

employé cette réplique ? Combien de fois avais-je préféré mentir plutôt qu'affronter la vérité ? J'avais commencé avec mon mari, il y a si longtemps, afin d'éviter la réalité d'un problème que je me refusais à admettre, puis jusqu'au moment où les choses avaient tourné au vinaigre entre nous.

— Des amis ? avait répété Kyriakos, me transperçant de ses yeux noirs.

— Bien sûr. Il est aussi ton ami, tu sais. Il me tient compagnie, c'est tout, quand tu t'absentes. Je me sens si seule quand tu n'es pas là.

Mais je n'avais jamais révélé à mon mari la fréquence grandissante des visites de son ami Ariston, ni la façon que nous avions de trouver des excuses afin de pouvoir nous toucher. Un effleurement par hasard, ici et là. Sa main qui m'aidait à me lever. Ou le jour – encore bien vif dans ma mémoire – où il avait tendu le bras devant moi pour saisir une bouteille et que sa main m'avait frôlé un sein. J'avais laissé échapper un hoquet de surprise et sa main s'était attardée, le temps d'un battement de cœur, avant de poursuivre sa tâche.

Et je n'avais pas non plus avoué à Kyriakos qu'en compagnie d'Ariston, j'éprouvais ce que j'avais ressenti au début de notre mariage, qu'il me faisait me sentir intelligente, belle et désirable. Ariston me prodiguait l'attention que Kyriakos avait cessé de me prodiguer. Ariston aimait l'esprit vif qui m'avait valu quelques ennuis quand j'étais encore jeune fille.

Quant à Kyriakos… J'imagine qu'il aimait aussi toutes ces choses, mais il ne le montrait plus autant. Son père lui imposait des horaires de travail de plus en plus pénibles et, quand il rentrait enfin, il s'écroulait sur le lit ou préférait la solitude de sa flûte. Comme je détestais cette flûte… mais je l'aimais aussi. Je détestais qu'elle retienne plus son attention que moi. Pourtant, certaines nuits où je m'asseyais dehors pour l'écouter, je me sentais impressionnée par son talent et cette capacité à créer une telle douceur.

Mais cela ne changeait en rien le fait que je dormais plus souvent qu'à mon tour sans qu'il pose la main sur moi. Quand je lui disais que je ne tomberais jamais enceinte de cette façon, il riait et affirmait que nous avions bien le temps pour avoir des enfants. Ce qui me troublait, parce que je croyais sincèrement – et irrationnellement – qu'avoir un enfant arrangerait tout entre nous.

J'en mourais d'envie, j'avais tenu dans mes bras mes sœurs cadettes et cette sensation me manquait. J'aimais l'honnêteté et l'innocence des enfants et je croyais avoir les capacités d'en aider un à devenir une bonne personne. En ce temps-là, rien ne me semblait plus enviable que la perspective de panser de petits bobos, de tenir de petites mains et de raconter des histoires. En outre, j'étais parvenue à un stade de ma vie où j'avais besoin d'acquérir la certitude que je *pouvais* avoir un bébé. Trois ans de mariage et toujours pas d'enfant ; c'était long pour l'époque et j'avais remarqué qu'on commençait à chuchoter dans mon dos. *La pauvre Letha est peut-être stérile.* Les sourires affectés et la pitié écœurante que je semblais susciter me rendaient malade.

J'aurais dû confier à Kyriakos tout ce que j'avais sur le cœur, dans les moindres détails. Mais il était si gentil et travaillait si dur pour nous faire vivre que je n'en avais pas le courage. Je ne voulais pas troubler le contentement apparent qui régnait au sein de notre couple à cause de mon absence de satisfaction personnelle et de mon besoin d'attention. Par ailleurs, il ne négligeait pas toujours mon corps. À force de persuasion, je parvenais parfois à le faire répondre à mon désir. À ces occasions, nous nous retrouvions au milieu de la nuit, son corps imprimant au mien la même passion que celle qu'il mettait dans sa musique.

Pourtant, quand mon regard se posait sur Ariston, j'avais le sentiment que je n'aurais eu à user d'aucune persuasion avec lui. Et alors que les journées de solitude s'accumulaient, j'en vins à y attacher de l'importance.

Des amis, seulement des amis. Debout dans l'allée de la librairie, je regardais Seth s'éloigner en me demandant comment quelqu'un pouvait encore utiliser cette excuse. Mais j'en connaissais la raison, bien sûr : parce que les gens y croyaient toujours. Ou du moins le voulaient-ils.

Quand je retournai au rez-de-chaussée – me sentant à la fois triste, en colère et idiote –, je tombai sur une scène qui allait assurément rendre ma journée encore plus bizarre. Helena, la propriétaire de *Krystal Starz*, se tenait devant les caisses et gesticulait avec violence à l'intention des employés.

Helena ici. Sur mon territoire.

Ravalant mon trouble concernant Seth, je marchai à grands pas dans sa direction, faisant de mon mieux pour adopter une allure directoriale – la Bible toujours à la main.

— Que puis-je faire pour vous ?

Helena tourna sur elle-même, faisant s'entrechoquer et tinter les cristaux qu'elle portait autour du cou.

— Elle ! C'est elle ! Elle m'a volé mon personnel !

Je jetai un coup d'œil de l'autre côté du comptoir où Beth et Casey semblaient soulagées de me voir. Tammi et son amie Janice devaient être occupées ailleurs dans le magasin, ce dont je m'estimais heureuse. Mieux valait les tenir en dehors de tout ça. Consciente des clients qui nous observaient, je gardai une voix calme.

— Je ne comprends pas.

— Ne jouez pas à ce jeu avec moi ! Vous savez parfaitement de quoi je parle. Vous êtes venue vous donner en spectacle dans mon magasin et vous en avez profité pour débaucher certains de mes employés. Ils sont partis sans préavis !

— Nous avons bien reçu quelques candidatures ces derniers temps, répondis-je d'un ton affable. Mais je ne retiens pas les noms des précédents employeurs de nos candidats. Sachez néanmoins qu'en tant que directrice adjointe, je compatis avec vous pour le désagrément qu'occasionne le départ d'employés sans préavis.

— Arrêtez ça ! s'exclama Helena, ne ressemblant plus guère à la diva, calme et maîtresse d'elle-même, que j'avais rencontrée la semaine dernière. Qui croyez-vous tromper avec vos mensonges ? Vous marchez dans les ténèbres, votre aura enveloppée de feu !

— Où est-ce qu'il y a le feu ?

Doug et Warren s'avancèrent, visiblement attirés par le spectacle.

— Sur elle ! déclara Helena de sa voix rauque estampillée New Age en me pointant du doigt.

Warren me dévisagea avec curiosité, comme s'il s'attendait réellement à voir des flammes.

— Georgina ?

— Elle m'a volé mes employées. Elle est venue me les prendre, comme ça ! Je pourrais vous poursuivre, vous savez. Quand je dirai à mes avocats que…

— Quelles employées ?

— Tammi et Janice.

J'eus soudain envie de rentrer sous terre, en attendant de voir ce que ce nouveau développement allait déclencher. Malgré ses nombreux défauts, Warren avait un sens irréprochable du service client et du professionnalisme. Je m'inquiétais des conséquences d'une investigation plus poussée de mon braconnage chez *Krystal Starz*.

Il fronça les sourcils, essayant apparemment d'associer des visages aux deux prénoms.

— Attends… est-ce que l'une d'elles n'a pas fait démarrer ma voiture ce matin ?

— C'est Tammi.

Il eut un petit grognement dédaigneux.

— Pas question de s'en séparer.

Helena devint rouge betterave.

— Vous ne pouvez pas…

— Madame, je suis désolé du désagrément, mais je me vois mal vous rendre des employées qui ont signé un contrat avec nous et ne souhaitent plus travailler pour vous. Le personnel se renouvelle, c'est la dure loi du commerce de détail. Je suis persuadé que vous ne tarderez pas à retrouver quelqu'un.

Elle se tourna vers moi, le doigt toujours pointé.

— Je n'oublierai pas ce que vous m'avez fait. Et même si je n'obtiens pas réparation, l'univers vous punira pour votre nature cruelle et malhonnête. Vous mourrez seule et dans le dénuement le plus complet. Sans amour. Sans ami. Sans enfant. Votre vie n'aura compté pour rien.

Bonjour l'amour et la bonté New Age… Ses commentaires sur ma mort ne m'impressionnaient pas, mais le reste de ses paroles me touchèrent quand même un peu. *« Seule et dans le dénuement le plus complet. Sans amour. Sans ami. Sans enfant. »*

Mais Warren ne s'en faisait pas pour moi.

— Madame, Georgina est bien la dernière personne que je qualifierais de « cruelle » ou que j'accuserais de mener une vie inutile. Cet endroit repose sur ses épaules et j'ai une totale confiance en son jugement – y compris concernant l'embauche de vos anciennes employées. Maintenant, à moins que vous ayez l'intention d'effectuer un achat, je dois vous demander de sortir avant de m'obliger à appeler les autorités.

Helena vomit encore quelques jurons et imprécations à notre intention, offrant sans le moindre doute une source de distraction appréciée des clients qui patientaient à la caisse. À ma grande surprise, Warren ne lâcha pas un pouce de terrain. Lui qui d'ordinaire se mettait en quatre pour arrondir les angles avec les clients et se montrer sous son meilleur jour, même aux dépens de son personnel... Aujourd'hui, il n'était visiblement pas d'humeur à se laisser amadouer par qui que ce soit. Un changement appréciable.

Une fois Helena partie, il se retira dans son bureau sans ajouter un mot, nous laissant, Doug et moi. L'étonnement céda vite la place à l'amusement.

—On ne s'ennuie jamais avec toi, Kincaid.

—Quoi ? N'essaie pas de me mettre ça sur le dos !

—Tu veux rire ? Ce genre de sorcière un peu bizarre ne mettait pas les pieds ici avant que tu y travailles.

—Qu'est-ce que tu en sais ? J'ai commencé avant toi. (Consultant ma montre, je redevins sérieuse.) Tu es encore là pour un moment, n'est-ce pas ?

—Ouais. Heureusement pour toi. Pourquoi ?

—Pour rien.

Je le laissai et gagnai les services administratifs au fond du magasin. Au lieu de tourner à gauche vers mon bureau, j'entrai directement dans celui de Warren.

Assis derrière son bureau, il rangeait ses affaires dans sa mallette, sur le départ maintenant que sa voiture était prête à démarrer.

—Ne me dis pas qu'elle est revenue !

—Non. (Comme je refermais la porte, il leva les yeux vers moi.) Je voulais simplement te remercier.

Warren me lança un regard espiègle.

—Mettre à la porte les clients fêlés fait partie de mon boulot.

—Oui, mais la dernière fois je n'ai pas eu droit aux félicitations en prime – j'ai dû m'excuser.

Il haussa les épaules, se remémorant un incident remontant à plus d'un an.

— C'était différent. Tu avais traité une vieille dame de « néonazie hypocrite et pathologique ».

— C'était la vérité.

— Si tu le dis.

Ses yeux observaient toujours chacun de mes mouvements.

J'avançai vers lui, posant la Bible sur le bureau. Grimpant sur son fauteuil, je me mis à califourchon sur ses genoux, faisant remonter considérablement ma jupe rouge moulante, au point de découvrir le haut de mes bas noirs orné de dentelle. Je m'inclinai pour l'embrasser, commençant par taquiner ses lèvres avec les dents, puis pressant brutalement ma bouche contre la sienne. Il me rendit mon baiser avec la même ferveur, ses mains glissant automatiquement à l'arrière de mes cuisses afin de me saisir les fesses.

— Bon Dieu, souffla-t-il quand nous nous écartâmes légèrement l'un de l'autre.

Il approcha une main de mon visage pendant qu'il jouait de l'autre avec le string que je portais sous ma jupe. Ses doigts coururent le long du bord en dentelle avant de pousser vers le haut – en moi –, procédant d'abord à une exploration délicate avant de glisser à l'intérieur de toute leur longueur. Rendue déjà humide par le désir soudain, je respirai profondément en savourant chacune de ces longues caresses régulières. Warren me lança un regard approbateur.

— Qu'est-ce qui me vaut l'honneur ?

— Qu'est-ce que tu veux dire ? On fait ça tout le temps.

— Tu n'avais jamais pris l'initiative.

Il avait raison. J'avais trouvé touchant de le voir prendre ma défense. Et puis, je brûlais de mon désir pour Roman – et peut-être même pour Seth maintenant – et Warren tombait bien pour calmer mon appétit de succube qui commençait à se manifester.

La main qui se trouvait près de mon visage enroula une mèche de cheveux et il devint songeur, bien qu'il n'interrompît pas ce qu'il faisait entre mes jambes.

— Georgina… j'espère… j'espère que tu sais que ce que nous faisons ici n'affecte en rien ton travail. Tu n'as aucune obligation à mon égard… tu ne cours aucun danger de perdre ton emploi si…

J'éclatai de rire, étonnée de découvrir ce côté prévenant que je ne lui soupçonnais pas.

— Je sais.

— Je suis sérieux.

— Je sais, répétai-je en mordant sa lèvre inférieure. Ne deviens pas sentimental, grondai-je. Je ne suis pas là pour ça.

Il ne s'arrêta plus et je me laissai envahir par le plaisir physique. Le contact de sa langue dans ma bouche, ses mains explorant impudemment mon corps. Après une longue matinée de frustration sexuelle, j'en avais besoin – peu importe avec qui. Il déboutonna mon chemisier et le jeta sur le sol où il reposa en un petit tas noir et soyeux. Ma jupe et mon string ne tardèrent pas à le rejoindre, ne me laissant que mes bas, mon soutien-gorge et mes talons – noirs, tous.

Il déplaça son corps, toujours dans le fauteuil, afin de me permettre de lui retirer son pantalon. Le voir ainsi – dressé, long et dur – me fit repousser sa main hors de moi. De simples doigts ne pouvaient plus suffire à me satisfaire. J'enroulai mes jambes plus serrées autour de ses hanches – autant que le permettait son siège. Puis, sans plus de formalité, je poussai mon corps vers le bas, le plongeant en moi. Je me cambrai pour le faire s'enfoncer plus profondément, puis adoptai un mouvement régulier de va-et-vient. Je baissai les yeux et l'observai entrer et sortir de moi. On n'entendait aucun son dans la pièce, excepté ceux de la chair contre la chair et notre respiration pantelante.

Avec la pénétration me parvint un flot de sensations de sa part – rien à voir avec celles, physiques, que j'éprouvais déjà. Âme moins noble, son énergie et sa présence ne m'atomisèrent pas à travers la pièce comme l'avaient fait celles de Martin. L'absorption d'un succube dépendait du caractère de la victime. Les âmes fortes et droites rapportaient plus au succube et le pauvre type s'en trouvait diminué d'autant. Les hommes dépravés avaient beaucoup moins à perdre et – par conséquent – donnaient moins. Indépendamment de son énergie ou de sa force morale, je captai tout de même des bribes de pensées et d'émotions de Warren en le chevauchant. Normal, elles se glissaient dans l'énergie vitale que j'absorbais.

Le désir occupait manifestement le devant de la scène dans son esprit. Je détectai également de l'orgueil, avec un peu d'autosatisfaction, à l'idée d'être l'amant d'une femme belle et plus jeune que lui. De l'excitation. De la surprise. Il n'éprouvait pas vraiment de remords de tromper sa femme – ce qui contribuait à son bas niveau d'énergie – et même l'affection qu'il m'avait brièvement témoignée plus tôt avait cédé la place au désir à l'état brut. *Putain, elle est bonne. Elle mouille. J'aime comme elle me baise. J'espère qu'elle va jouir sur moi…*

Ce qui finit par arriver. Mes mouvements devinrent plus saccadés, nos corps claquant violemment l'un contre l'autre. Muscles des jambes serrés, tête renversée. Mes seins, chauds et moites là où il les avait empoignés. L'orgasme se propagea dans mon corps tout entier. Les spasmes du plaisir s'éteignirent peu à peu à mesure que ma respiration retrouvait un rythme normal.

Et en prime, j'en tirai une dose d'énergie non négligeable. Elle s'était lentement répandue en moi pendant notre échange passionné. Mince fil chatoyant au début, elle avait fini par devenir plus forte et plus brillante, se déversant en moi, revigorante, pour venir alimenter mon immortalité, point d'orgue éclatant rivalisant avec mon orgasme physique.

Une fois que nous nous fûmes rhabillés, je me préparai à faire ma sortie. Malgré le peu d'énergie perdue, Warren se sentait toujours épuisé après nos sessions. Il mettait ça sur le compte de notre différence d'âge et je ne faisais rien pour le détromper, mais d'habitude je m'efforçais de m'éclipser discrètement afin d'éviter qu'il ressente une certaine gêne devant moi à cause de sa fatigue. Je savais que l'idée de ne pas se montrer à la hauteur le tracassait.

— Georgina ? fit-il alors que je me dirigeais vers la porte. Pourquoi trimballes-tu une Bible ? Rassure-moi : tu n'essaies pas de convertir nos clients au moins ?

— Oh. Ça. Je cherchais une information pour un ami. C'est de circonstance, d'ailleurs. Une histoire de sexe.

Il essuya la sueur de son front.

— Après toutes ces années passées sur les bancs de l'église, si la Bible contenait de bonnes scènes de sexe, je pense que je m'en souviendrais…

— Il ne s'agit pas à proprement parler d'une « scène », mais plutôt d'une description clinique de la procréation.

— Ah. D'accord, ça ne manque pas.

Sur un coup de tête, j'avançai jusqu'à lui et ouvris mon livre au chapitre VI de la Genèse.

— Tu vois ? (Je pointai du doigt les versets incriminés.) Toutes ces mentions d'hommes qui prennent des femmes. C'est répété au moins trois fois.

Warren étudia la page en fronçant les sourcils et je me rappelai qu'il n'avait pas ouvert cet endroit sans une solide formation en étude littéraire.

— Oui, mais la répétition s'explique par le fait que, quand le texte dit « les hommes commencèrent à se multiplier sur la face de la terre », il se réfère à des humains.

Je levai brusquement les yeux.

— Que veux-tu dire ?

— Là. Les « fils de Dieu » ne sont pas des humains, eux. Ce sont des anges.

— Quoi ? (Si j'avais tenu le livre entre mes mains, je l'aurais certainement laissé tomber.) Tu en es sûr ?

— Absolument. Crois-en ma longue expérience – des années d'assiduité au culte. Ce terme est employé dans toute la Bible. (Il fit tourner les pages jusqu'au Livre de Job.) Tu vois ? Encore ici. « Or un jour lorsque les fils de Dieu vinrent se présenter devant le Seigneur, Satan vint aussi parmi eux. » [1] Cela fait allusion aux anges – aux anges déchus dans le cas présent.

J'avalai ma salive.

— Qu'est-ce… qu'est-ce qu'ils fabriquaient dans la Genèse alors ? Avec les « filles des hommes » ? Des… des anges qui font l'amour avec des femmes humaines ?

— Que veux-tu, le texte dit qu'elles étaient « belles »… Difficile de leur en vouloir, pas vrai ? (Il me lança un regard admiratif en parlant.) Je ne sais pas. Tu imagines bien que c'est un point qui n'est que rarement évoqué pendant les services. On insistait essentiellement sur le péché et la culpabilité de l'humanité, mais j'ai préféré ne pas en tenir compte.

Interloquée, je ne quittai pas le livre des yeux, l'esprit soudain traversé par une foule d'idées et de théories. Warren me dévisagea avec curiosité quand je ne réagis pas à sa plaisanterie.

---

1. Traduction de Nadine Stratford (texte intégral disponible sur : http://www.kingjamesfrancaise.com/). (*NdT*)

— J'ai pu t'éclairer ?

— Oui, répondis-je en me reprenant. Beaucoup.

Je le surpris en déposant un doux baiser sur ses lèvres, pris ma Bible et sortis.

Chapitre 14

— Tu nous as réunis pour nous faire lire un porno biblique ?

Peu intéressé, Hugh se détourna du petit groupe que nous formions, les vampires et moi, assis autour de la table de la cuisine. Il ne conservait déjà plus la moindre séquelle de son agression. Glissant une cigarette entre ses lèvres, le démon sortit un briquet de la poche de sa veste.

— Ne fume pas ici, l'avertis-je.

— Qu'est-ce que ça peut te faire ? Tu ne vas pas me dire que tu n'as pas fumé pendant la plus grande partie du XXe siècle ?

— Si. Mais j'ai arrêté. En plus, c'est mauvais pour Aubrey.

La chatte, assise sur l'un des plans de travail, marqua une pause dans sa toilette à l'énoncé de son nom et le dévisagea avec méfiance. Hugh lui lança un regard noir, tira une longue bouffée de sa cigarette avant de l'écraser juste à côté d'elle. Elle reprit son nettoyage et lui se mit à arpenter l'appartement.

À côté de moi, Cody se pencha sur la table, étudiant la Bible que je lui présentais.

— Je ne vois pas pourquoi ces types seraient des anges. « Fils de Dieu » me paraît plutôt un terme générique employé pour désigner les hommes. Après tout, nous sommes tous des enfants de Dieu, n'est-ce pas ?

— À l'exception des personnes ici présentes, bien sûr, intervint Hugh depuis le séjour. (Puis :) Grand Dieu ! Où as-tu dégotté cette étagère ? À Hiroshima ?

—En théorie, oui, répondis-je à Cody, choisissant d'ignorer le démon. (J'avais pas mal survolé la Bible depuis ma découverte, plus tôt dans la journée, et la vue de ce livre commençait à me fatiguer.) Mais Warren avait raison – ce terme est constamment employé en référence aux anges. En plus, les femmes ne sont pas appelées « filles de Dieu », mais « filles des hommes ». Elles sont humaines, leurs maris ne le sont pas.

—Et s'il s'agissait tout bonnement de ce bon vieux sexisme... (Peter s'était finalement jeté à l'eau et s'était rasé le crâne, ce qui lui donnait – à mon avis – une allure peu avantageuse, considérant la forme de sa tête.) Pas vraiment une nouveauté dans la Bible...

—Non, je pense que Georgina a raison, le coupa Hugh en se joignant de nouveau à nous. Nous savons que quelque chose a poussé les anges à déchoir. La luxure est une motivation qui en vaut bien une autre – bien meilleure, en tout cas, que la gourmandise ou la paresse.

—Et alors? voulut savoir Peter. Quel rapport avec notre chasseur-de-vampires-mais-pas-seulement?

—Là. (Je pointai du doigt le verset 6:4.) Il est écrit: « Il y avait des géants sur la terre en ces jours-là, et aussi après cela lorsque les fils de Dieu vinrent vers les filles des hommes, et elles leur enfantèrent des enfants; ceux-ci devinrent des hommes puissants qui de tout temps étaient des gens de renom. » Les mots importants ici sont « en ces jours-là » et « aussi après cela ». Cela signifie que les anges se sont laissé tenter par des femmes humaines plus d'une fois. Voilà qui répond à notre question sur les anges qui s'écartent du droit chemin: cela peut se reproduire.

Cody manifesta son approbation d'un signe de la tête.

—Ce qui vient confirmer ta théorie selon laquelle l'un d'eux est justement en train de changer de camp.

—Mais la luxure ne paraît pas servir de catalyseur dans son cas, fit remarquer Hugh. Il risque plutôt de plonger pour coups et blessures.

—À moins qu'il ait le béguin pour Georgina, suggéra Peter d'un air pince-sans-rire. Il semble te trouver assez belle pour « tenter un ange ».

Quelque chose de curieux me frappa dans l'observation de Hugh.

— Mais est-ce que cela suffirait ? Des coups et blessures, en particulier sur des vampires et des démons ? Ce type de comportement pourrait être vu d'un mauvais œil par le camp adverse, mais je ne suis pas convaincue qu'éliminer des agents du mal entraînerait nécessairement la déchéance d'un ange en démon.

— L'histoire nous a enseigné que le camp adverse fait preuve d'assez peu de… souplesse envers les transgresseurs, observa le démon.

— Parce que notre camp est différent sur ce point ? s'étonna Peter.

Cody me lança un regard perçant.

— Tu reviens sur ta propre théorie ?

— Non, non. Mais je me demande si je n'ai pas fait fausse route en partie. Peut-être n'avons-nous pas affaire à un ange « déchu » à proprement parler, mais plus à un rebelle ou un franc-tireur.

— Mais la note qu'on t'a laissée évoque la tentation, fit remarquer Hugh. Cela signifie forcément quelque chose. Mais s'agit-il d'un indice précieux ou de la manifestation d'un humour d'un goût douteux ?

Je repensai à ce billet. Hugh avait raison. Le contenu de ces quelques lignes jouait un rôle dans cette histoire, mais je n'avais pas encore réussi à déterminer lequel.

— L'humour d'un goût douteux n'a rien de surprenant, venant d'un ange, nous rappela Peter. Regardez Carter…

J'hésitai un instant, nerveuse à la perspective de dévoiler mon autre théorie. Comme ils semblaient avoir adopté le scénario de l'ange, je décidai de me jeter à l'eau.

— Est-ce que vous croyez… est-il possible que Carter soit derrière tout ça ?

Trois paires d'yeux éberlués se tournèrent vers moi.

Hugh prit la parole le premier.

— Quoi ? Ça va pas, non ? Je sais que vous avez vos différends, mais bon Dieu, si tu crois que…

— Carter est des nôtres, l'approuva farouchement Cody.

— Je sais, je sais.

J'enchaînai en leur expliquant le raisonnement qui m'avait amenée à formuler pareille accusation – sa curieuse habitude de me suivre partout et notre conversation chez Erik.

Le silence tomba. Enfin, Peter reprit :

— C'est plutôt étrange, je te l'accorde, mais je n'y crois quand même pas. Pas Carter.

— Pas Carter, renchérit Hugh.

— Oh, je vois. Vous n'avez pas hésité une seconde à me coller le meurtre de Duane sur le dos, mais Carter, lui, est parfait ? (Je sentis la colère monter en moi devant leur solidarité automatique, à l'idée que Carter serait au-dessus de tout soupçon.) Alors pourquoi traîne-t-il avec nous ? Vous avez déjà entendu parler d'un tel comportement chez un ange ?

— Nous sommes ses amis, affirma Cody.

— Et on s'éclate plus avec nous, ajouta Hugh.

— Croyez ce que vous voulez, mais je ne marche pas. Aller de bar en bar avec un démon et ses potes, c'est une couverture parfaite. Il nous espionne. Vous êtes de parti pris, parce que c'est votre copain de beuverie.

— Et ne penses-tu pas, Georgina, m'avertit Peter, qu'il existe une infime possibilité que *tu* sois de parti pris ? J'admets que ta théorie d'un ange qui aurait pété les plombs gagne en crédibilité avec le temps, mais d'où sors-tu l'idée qu'il puisse s'agir de Carter ?

— C'est vrai, l'appuya Hugh. On a l'impression que tu lui colles ça sur le dos sans motif valable. Tout le monde sait que vous ne vous entendez pas très bien.

Je n'en croyais pas mes oreilles. Tous trois me lançaient un regard furieux.

— Des motifs, j'en ai d'excellents – en veux-tu en voilà ! Comment expliquez-vous sa présence chez Erik ?

Le démon secoua la tête.

— Nous connaissons tous Erik. Carter pouvait très bien se trouver là pour les mêmes raisons que toi.

— Et ce qu'il m'a dit ?

— Parlons-en, fit Peter. Est-ce que c'était du genre « Salut Georgina, j'espère que tu as bien reçu mon message » ? Tout ça me paraît un peu léger.

— Écoutez, je ne prétends pas détenir des preuves solides, mais indirectement…

— Je dois partir, me coupa Cody en se levant.

Je lui lançai un regard peu aimable. Étais-je allée trop loin ?

— Je comprends que tu ne sois pas d'accord avec moi, mais ce n'est pas une raison pour partir.

— Non, j'ai quelque chose à faire.

Peter leva les yeux au ciel.

— Tu n'es plus la seule à avoir des rendez-vous, Georgina. Cody refuse de l'admettre, mais je le soupçonne de nous cacher une femme.

— Une mortelle ? demanda Hugh impressionné.

Cody enfila sa veste.

— Vous dites n'importe quoi.

— Fais attention à toi, lui recommandai-je machinalement.

L'atmosphère tendue vola soudain en éclats et plus personne ne sembla m'en vouloir des soupçons que j'avais formulés à l'égard de Carter. En revanche, il apparaissait clairement que personne n'accordait foi à mon hypothèse le concernant. Ils rejetaient mes idées comme on le ferait des frayeurs irrationnelles d'un enfant ou de ses amis imaginaires.

Les vampires partirent ensemble et Hugh ne tarda pas à les imiter. J'allai me coucher, essayant toujours d'assembler toutes les pièces du puzzle. L'auteur de mon billet avait fait référence aux anges qui succombaient à la tentation des belles femmes ; cela devait être important. Mais le contenu du billet ne cadrait pas avec les deux attaques étranges dont Duane et Hugh avaient été les victimes – plus une affaire de violence et de brutalité que de beauté ou de luxure.

Quand je me rendis à mon travail le lendemain, la boîte de réception de ma messagerie m'accueillit avec un e-mail de Seth et je redoutai une sorte de relance suite à son invitation de la veille. En fait, il se contentait de répondre à mon précédent message, qui faisait partie d'une conversation en cours à propos de ses observations sur Seattle et sa région. À en juger par le style et le ton employés – toujours aussi distrayants –, il semblait ne faire aucun cas du refus un peu farfelu qu'il venait d'essuyer de ma part – en fait, il donnait l'impression de ne même pas l'avoir remarqué.

J'en eus la confirmation lorsque je montai m'acheter un café. Seth avait pris place dans son coin habituel et tapait sur son clavier, apparemment pas conscient que nous étions samedi. Je m'arrêtai pour le saluer et obtins une réponse distraite, caractéristique de sa part. Il ne fit pas mention de la soirée à laquelle il m'avait conviée et ne semblait pas vexé – on aurait dit qu'il s'en fichait éperdument. Je suppose que j'aurais dû me sentir soulagée de le voir récupérer aussi vite – il ne se languissait pas de moi et je ne lui avais pas brisé le cœur – mais, par pur égoïsme, je ne pus m'empêcher de ressentir de la déception. J'aurais apprécié de lui avoir fait plus forte impression – qu'il regrette au moins de s'être pris une veste. Doug et Roman, par exemple, ne s'étaient pas laissé décourager par un premier refus. C'était tout moi, ça. Une vraie girouette !

Penser à ces deux-là me rappela que j'avais rendez-vous plus tard avec Roman pour assister au concert de Doug. Je me sentis excitée à la perspective de revoir Roman, même si ce sentiment se teintait d'une pointe d'appréhension. Je n'aimais pas qu'il ait cet effet sur moi et jusqu'à présent je n'avais guère démontré d'aptitude à refuser ses avances. Nous allions bientôt atteindre une phase critique – c'était une question de jours – et j'en redoutais les conséquences. Quand ce moment viendrait, je souhaiterais sans doute que Roman m'ait tiré sa révérence aussi facilement que Seth semblait l'avoir fait.

Autant de sujets d'inquiétude qui s'effacèrent de mon esprit quand je fis entrer Roman dans mon appartement ce soir-là. Il portait une tenue de soirée, mêlant d'élégantes nuances de bleu et de gris argenté – pas un pli ni un cheveu de travers. Il me gratifia d'un de ses sourires dévastateurs et je m'efforçais de ne pas trembler des genoux comme une écolière.

— Tu réalises que nous allons à un concert punk/post-grunge, n'est-ce pas ? Presque tout le monde portera un jean et un tee-shirt. Peut-être un peu de cuir çà et là.

— La plupart des soirées sympas se terminent dans du cuir. (Ses yeux firent le tour de mon appartement, s'attardant brièvement sur mon étagère.) Mais ne m'avais-tu pas dit que le concert commençait tard ?

— Si. Onze heures.

— Ce qui nous laisse quatre heures à tuer, mon amour. Tu vas devoir te changer.

Je baissai les yeux sur mon jean noir et mon débardeur rouge.

— Quelque chose ne va pas ?

— Je reconnais que cette tenue met merveilleusement en valeur tes jambes, mais je pense que tu devrais mettre une jupe ou une robe. Quelque chose dans le genre de ce que tu portais lors du cours de danse, mais en plus… sexy.

— Je suis pratiquement certaine de ne rien posséder dans ma garde-robe qui justifie l'emploi de l'adjectif « sexy ».

— J'ai du mal à le croire. (Il pointa du doigt en direction du couloir.) Allez. L'heure tourne.

Dix minutes plus tard, je me présentai devant lui vêtue d'une robe moulante bleu marine en crêpe Georgette. Retenue par des bretelles spaghetti, elle s'ornait d'un ourlet asymétrique plissé qui remontait haut sur ma jambe gauche. Mes cheveux, libérés de leur queue-de-cheval, tombaient à présent sur mes épaules.

Roman leva les yeux de là où il était plongé : un fascinant face à face avec Aubrey.

— Sexy… (Il désigna la Bible du roi Jacques sur ma table basse. Elle était ouverte, comme s'il l'avait feuilletée.) Je ne te savais pas pratiquante.

Seth et Warren m'avaient tous deux taquinée de la même manière. Ce bouquin ruinait ma réputation.

— Je fais des recherches, c'est tout. Et ça ne m'a que modérément aidé.

Roman se leva et s'étira.

— Peut-être parce qu'il s'agit d'une des pires traductions qui existent.

Je me remémorai la pléthore de bibles.

— Tu en as une meilleure à me recommander ?

Il haussa les épaules.

— Je ne suis pas un expert, mais tu tireras probablement plus d'une bible conçue pour l'étude que d'une version destinée aux fidèles. Avec des annotations, comme celles qu'on utilise à l'université.

Je classai l'information dans un coin de mon cerveau, me demandant si les mystérieux versets avaient encore quelque chose à m'apprendre. Mais ma priorité du moment était notre rendez-vous.

Roman m'emmena dans un petit restaurant mexicain discret que je ne connaissais pas. Les serveurs parlaient l'espagnol – Roman également, comme je le découvris – et la nourriture n'avait pas été édulcorée pour plaire au public américain. Quand deux margaritas firent leur apparition sur notre table, je compris que Roman en avait commandé une pour moi.

— Je préfère ne pas boire ce soir.

Je me rappelais avoir terminé déchirée la dernière fois que nous étions sortis ensemble.

Il me regarda comme si je venais de déclarer que j'allais m'arrêter de respirer pour changer.

— Tu veux rire ! Cet endroit prépare les meilleures margaritas au nord du Rio Grande.

— Je tiens à rester sobre ce soir.

— Une seule alors – ça ne va pas te tuer. Si tu la bois en mangeant, tu ne le remarqueras même pas. (Je restai silencieuse.) Pour l'amour du ciel, Georgina, contente-toi de lécher le sel – ça suffira à te rendre accro.

À contrecœur, je passai ma langue sur le bord du verre, ce qui déclencha en moi une envie de tequila qui valait largement ma pulsion sexuelle de succube. Pensant que c'était une erreur, je bus néanmoins une gorgée. Fantastique.

Et la nourriture se révéla tout aussi exceptionnelle, ce qui n'avait rien d'étonnant, et je finis par prendre deux margaritas au lieu d'une. Par bonheur, Roman avait eu raison : en les buvant pendant le repas, je ne me sentais que légèrement pompette. Je n'eus pas l'impression de perdre le contrôle et je me savais capable de faire face en attendant de commencer à dessaouler.

— Nous avons encore deux heures devant nous, lui dis-je alors que nous quittions le restaurant. Tu as une autre idée ?

— Absolument.

Il inclina la tête en direction du trottoir d'en face et je suivis le mouvement. *Chez Miguel.*

Je me creusai la tête.

— J'ai entendu parler de cet endroit… attends un peu, on y danse la salsa, pas vrai ?

— Tout juste. Tu as déjà essayé ?

— Non.

— Quoi ? Je te croyais une reine des pistes !

— Le swing suffit à mon bonheur pour l'instant.

À dire vrai, je mourais d'envie d'essayer la salsa. Mais j'entretenais le même rapport avec la danse qu'avec les romans de Seth Mortensen : je ne voulais pas abuser des bonnes choses. J'aimais encore le swing et je tenais à en épuiser toutes les possibilités avant de passer à une autre danse. L'immortalité vous poussait à savourer plus longuement les choses.

— L'un n'empêche pas l'autre !

Me prenant par la main, il m'entraîna de l'autre côté de la rue.

Je tentai de protester, mais je me voyais mal lui expliquer mon raisonnement ; ainsi, comme avec les margaritas, je capitulai sans faire de difficultés.

Il faisait chaud dans le club bondé et la musique était du tonnerre. Mes pieds se mirent immédiatement à battre la mesure tandis que Roman payait pour nos entrées et me conduisait vers la piste. Comme pour le swing, il se montra un expert de la salsa et, après un peu d'entraînement, je commençai à me défendre aussi. Je n'avais peut-être pas fait preuve d'un grand talent pour refuser les margaritas, mais je dansais depuis des siècles – j'avais ça dans la peau.

La salsa se révéla bien plus érotique que le swing. Non pas que le swing ne soit pas chaud, mais la salsa avait un côté sombre et sinueux. Impossible de ne pas se concentrer sur la proximité du corps de son cavalier, sur la façon dont les hanches bougeaient ensemble. Je comprenais à présent pourquoi Roman m'avait demandé de me changer pour quelque chose de plus sexy.

Au bout d'une demi-heure vint le moment de souffler un peu et il m'entraîna vers le bar.

— C'est l'heure des mojitos, m'annonça-t-il en levant deux doigts à l'intention du barman. Une boisson qui s'accorde parfaitement avec le thème latin de notre soirée.

— Je ne peux pas…

Mais les mojitos apparurent sans me demander mon avis et se révélèrent vraiment bons. Et ils furent engloutis plus vite qu'il n'aurait été raisonnable, tant nous avions envie de retourner sur la piste.

Quand vint le moment de partir pour le concert de Doug, la perspective d'écouter du rock punk/post-grunge avec une touche de ska ne m'enchantait plus autant. Grisée par la salsa, j'avais chaud et j'avais avalé un autre mojito suivi d'une tequila. Je savais qu'avec la salsa je m'étais trouvé une nouvelle passion et je maudis Roman en silence pour ce qui allait devenir comme une drogue pour moi – même si j'exultais en secret. Les mouvements pleins de grâce de son corps se frottant contre le mien me laissaient pantelante de désir.

Nous sortîmes en trébuchant dans la rue, main dans la main, essoufflés et riant aux éclats. Le monde sembla tourner un peu autour de moi et je décidai qu'il était probablement préférable que nous soyons partis maintenant. Mes fonctions motrices avaient cessé d'opérer à un niveau normal.

— Bon, on s'est garés où ?

— Tu veux rire, lui dis-je en le tirant à l'angle de la rue où j'apercevais la douce lueur d'un taxi jaune. On va prendre un taxi.

— Mais ça va, je t'assure...

Il eut la sagesse de cesser là ses protestations et nous montâmes dans un taxi, direction la *Brewery* à Greenlake. Des gens entraient et sortaient du bâtiment – deux autres groupes avaient précédé celui de Doug sur la scène. Comme je le craignais, nos tenues chic – parfaitement adaptées pour une soirée *Chez Miguel* – juraient terriblement au milieu des hardes improbables des étudiants, mais cela ne paraissait plus aussi important que quand Roman était passé me prendre.

— La mode est un univers de dupes, me dit-il alors que nous nous frayions un passage à l'intérieur de la brasserie bondée. Ces gosses pensent probablement que nous sommes d'incorrigibles conformistes, mais ils ne valent pas mieux. Ils se conforment à l'anticonformisme.

J'essayai d'apercevoir mes collègues de la librairie, espérant qu'ils avaient réservé une table.

— Oh non ! Ne me dis pas que l'alcool te rend philosophe...

— Non, pas du tout. Je suis simplement fatigué de voir les gens tenter de rentrer à tout prix dans un moule, de suivre la ligne d'un parti – quel qu'il soit. Je me sens fier d'être la personne la mieux habillée dans cette pièce. Fixe tes propres règles, c'est ma devise.

Je repérai Beth et traînai Roman en direction d'une table de l'autre côté de la pièce où nous attendaient Casey, Andy, Bruce et – mon cœur se serra – Seth.

— Chouette robe, observa Bruce.

— On t'a gardé une place. (Casey indiqua une chaise.) Je n'avais pas réalisé que tu viendrais avec… un ami.

Trop occupée à sentir les yeux de Seth sur moi, je me fichais bien du problème de siège. Il semblait pensif, mais affichait une expression neutre. Le feu aux joues, je me faisais l'effet d'une fieffée idiote ; je ne souhaitais qu'une chose : pouvoir tourner les talons et m'enfuir. Après l'avoir éconduit avec ma stupide tirade sur mon embargo sur les relations durables, je me présentais devant lui avec Roman, main dans la main – et complètement bourrée. Je n'imaginais même pas ce qu'il devait penser de moi en ce moment.

— Pas de problème, déclara Roman, inconscient des émotions qui bouillonnaient en moi et pas le moins du monde impressionné par l'attention amusée que lui portaient mes collègues. (Il s'assit et m'entraîna sur ses genoux.) On va partager.

Andy fit une expédition au bar et ramena des bières pour tout le monde, excepté Seth qui, comme pour la caféine, préféra s'abstenir. Roman et moi racontâmes comment nous avions passé le début de la soirée, ne tarissant pas d'éloges sur la salsa, ce qui nous valut des demandes pour une deuxième vague de cours de danse.

Le groupe de Doug monta bientôt sur scène et nos acclamations accueillirent l'apparition de Doug-le-directeur-adjoint transformé en Doug-le-chanteur de Nocturnal Admission. La bière coulait à flots et, bien que continuer à boire fût probablement la chose la plus stupide que j'aurais pu faire, j'avais atteint le point de non-retour. J'avais bien assez de soucis comme ça. Comme d'éviter le regard d'un Seth jusque-là resté silencieux ; de savourer la sensation de me trouver sur Roman, sa poitrine contre mon dos et ses bras autour de ma taille. Son menton reposait sur mon épaule, lui permettant aisément de me chuchoter dans l'oreille et, de temps en temps, d'effleurer mon cou avec ses lèvres. La dureté que je sentais sous mes cuisses suggérait que je n'étais pas la seule à apprécier la façon dont nous partagions la chaise.

Doug vint me parler à la pause, couvert de sueur mais totalement ravi. Il me vit collée à Roman.

— Tu es un peu trop habillée pour la circonstance, Kincaid, tu ne crois pas ? (Il fit mine de réfléchir.) Ou pas assez. Difficile à dire.

— Tu peux causer, répliquai-je, finissant ma... deuxième... ou peut-être troisième... bière.

Doug portait un pantalon en vinyle rouge, des rangers et une longue veste pourpre ouverte sur sa poitrine. Un haut-de-forme qui avait connu des jours meilleurs était juché de manière désinvolte sur sa tête.

— Je fais partie du spectacle, poupée.

— Moi aussi, « poupée ».

Parmi le reste du groupe, certains gloussèrent. Doug adopta une expression désapprobatrice, mais décida de ne pas me répondre, préférant discuter avec Beth du nombre de spectateurs qu'avait attiré le concert.

Mon champ visuel commença à rétrécir comme cela se produit parfois quand on boit trop ; je me polarisai sur mes propres perceptions – bourdonnantes, tourbillonnantes – au point que le bruit et les conversations autour de moi se mêlèrent en un ronronnement indistinct, et que les visages et les couleurs se confondirent pour former un décor sans rapport avec mon existence. Je ne sentais plus qu'une chose : Roman. Chaque nerf en moi hurlait et je souhaitai que ses mains posées sur mon ventre glissent jusqu'à mes seins. Je sentais déjà mes mamelons se durcir sous le tissu fin et je me demandais ce que je ressentirais si je me retournais pour le chevaucher comme je l'avais fait avec Warren...

— Les toilettes, m'exclamai-je brusquement, descendant sans grâce des genoux de Roman. (Comment une vessie pouvait-elle si rapidement passer de « tolérable » à « insupportable » ?) Où sont les toilettes ?

Les autres me regardèrent bizarrement – ou du moins c'est ce qu'il me sembla.

— Par là, m'indiqua Casey, d'une voix qui me parut lointaine en dépit de sa proximité. Ça va ?

— Oui. (Je réajustai une des bretelles de ma robe qui avait glissé.) J'ai juste besoin d'aller aux toilettes.

Et de m'éloigner de Roman, ajoutai-je en silence, *afin de pouvoir réfléchir à la situation en toute sérénité.* Un exploit sans doute hors de portée dans mon état présent.

Roman fit mine de se lever, aussi saoul et titubant que moi.

— Je t'accomp…

— Je vais y aller, proposa précipitamment Doug. D'ailleurs j'en ai besoin, moi aussi, avant de remonter sur scène.

Me prenant par le bras, il nous fraya un chemin à travers la foule, en direction d'un couloir un peu moins peuplé au fond de la salle. Je chancelai légèrement en route et il ralentit le pas pour me soutenir.

— Tu as beaucoup bu ?

— Avant ou après que j'arrive ici ?

— Merde alors ! Tu es bourrée.

— Qu'est-ce que ça peut te faire ?

— Rien. Comment crois-tu que je passe mes soirées de libre ?

Nous nous arrêtâmes devant les toilettes pour dames.

— Je parie que Seth pense que je suis une poivrote.

— Pourquoi penserait-il une chose pareille ?

— Il ne boit jamais. C'est un foutu puriste, voilà pourquoi ! Monsieur ne prend ni caféine ni alcool… quelle connerie…

Les yeux noirs de Doug vacillèrent, surpris par la virulence de mes propos.

— Tu sais, tous les non-buveurs ne méprisent pas ceux qui boivent. En plus, Seth n'est pas vraiment celui qui m'inquiète. Je n'en dirais pas autant de M. Mains Baladeuses…

Je clignai des yeux, confuse. Puis :

— Tu veux parler de Roman ?

— Je ne comprends pas : d'abord tu refuses de sortir avec qui que ce soit et maintenant je te retrouve en train de te faire pratiquement peloter en public. Tu peux m'expliquer ?

— Et alors ? répliquai-je vertement. Je n'ai pas le droit d'être avec quelqu'un ? Et si j'ai envie – pour une fois – de faire quelque chose par plaisir et non pas par nécessité ?

Les mots sortirent de ma bouche avec plus d'amère vérité – et de volume – que j'en avais eu l'intention.

— Bien sûr que si, m'apaisa-t-il, mais tu n'es pas dans ton état normal ce soir et si tu n'y prends pas garde, tu risques de faire quelque chose de stupide. Quelque chose que tu regretteras plus tard. Tu devrais demander à Casey ou Beth de te raccompagner chez toi…

— Tu es incroyable ! m'exclamai-je. (Je savais que je me conduisais de manière irrationnelle, que sobre, je n'aurais jamais agressé Doug de la sorte, mais je ne pouvais plus me retenir.) Alors parce que je refuse de sortir avec toi et que je préfère baiser avec Warren, tu as décidé d'essayer de me garder pure et virginale ? Si tu ne peux pas m'avoir, personne ne m'aura, c'est ça ?

Doug blêmit et j'avais réussi à attirer les regards de quelques clients.

— Bon sang, tu n'y es pas, Georgina…

— T'es juste un putain d'hypocrite ! hurlai-je. Tu n'as aucun droit sur moi ! Aucun droit, putain !

— Je ne… je…

Mais je n'écoutais déjà plus. Faisant volte-face, j'entrai comme un ouragan dans les toilettes pour dames, le seul endroit où je pouvais échapper à tous ces hommes. Quand j'eus terminé et me lavai les mains, je levai les yeux vers le miroir. Est-ce que j'avais l'air bourré ? Mes joues étaient roses et quelques-uns des crans dans mes cheveux avaient moins fière allure qu'en début de soirée. Et je transpirais abondamment. Pas trop cassée, décrétai-je. Ç'aurait pu être bien pire.

J'hésitai à ressortir des toilettes, craignant que Doug m'attende de l'autre côté de la porte. Je ne voulais pas lui parler. Une autre femme entra, avec une cigarette à la main, et j'en profitai pour lui en taper une ; accroupie dans un coin, je la fumai entièrement, histoire de tuer le temps. Quand j'entendis le groupe se remettre à jouer, je sus que je pouvais y aller.

Je sortis des toilettes et tombai sur Roman.

— Ça va ? demanda-t-il, ses mains m'attrapant à la taille afin de m'aider à recouvrer mon équilibre. Quand j'ai vu que tu ne revenais pas, je me suis inquiété…

— Ouais… ça va… enfin non, je ne sais pas, admis-je, m'appuyant contre lui, enroulant mes bras autour de lui. Je ne sais pas ce qui se passe. Je me sens tellement bizarre.

— C'est bon, me rassura-t-il en me donnant une tape dans le dos. Ça va aller. Tu veux partir ? Je peux faire quelque chose ?

— Je… je ne sais pas…

Je m'écartai légèrement, levant les yeux vers les siens. Je me noyai dans ces profondeurs bleu-vert et soudain plus rien n'eut d'importance.

J'ignore qui prit l'initiative – ç'aurait pu être n'importe lequel de nous d'eux – mais bientôt nous nous embrassâmes, en plein milieu du couloir, nos bras nous serrant de plus en plus fort, nos lèvres et nos langues travaillant avec acharnement. L'alcool amplifiait ma réaction physique normale, mais engourdissait ma conscience de l'absorption d'énergie de succube. Mais, en dépit de mon incapacité à la sentir, elle devait manifestement se produire, puisque Roman s'écarta brusquement, interloqué.

— Curieux... (Il porta une main à son front.) J'ai tout à coup la tête qui tourne...

Il hésita un instant, puis chassa cette impression et m'attira de nouveau vers lui. Comme tous les autres. Ils ne soupçonnaient jamais que c'était moi qui leur faisais du mal, alors ils en redemandaient.

Mais son interruption avait suffi à faire pénétrer un minimum de lucidité à l'intérieur de mon nuage d'ivrogne. Qu'avais-je fait ? Comment avais-je pu tomber aussi bas cette nuit ? Chacune de mes interactions avec Roman m'avait poussée à franchir une limite. D'abord j'avais dit que nous ne sortirions pas ensemble. Puis j'avais limité le nombre de nos sorties. Cette nuit, je m'étais juré de ne pas boire et, à présent, je me retrouvais à peine capable de tenir debout. Le baiser, un autre tabou que je venais de briser – et qui ne pouvait que conduire à l'inévitable...

Dans ma tête, je nous imaginai après avoir fait l'amour. Roman, affalé, pâle et épuisé, vidé de sa vie, pendant que son énergie crépiterait en moi, tel un courant électrique. Lui, me regardant, affaibli et confus, incapable de comprendre ce qu'il avait perdu – des années de sa vie, en fonction de la quantité que je me serais autorisée à lui voler. Il arrivait même qu'un succube négligent tue ses victimes en absorbant trop de vie trop vite.

— Non... non... arrête !

Je le repoussai, peu désireuse de voir cette vision de notre avenir se réaliser, mais ses bras refusèrent de lâcher prise. Regardant par-dessus son épaule, j'aperçus soudain Seth qui se dirigeait vers nous. Il se figea en nous voyant, mais j'étais bien trop préoccupée pour me soucier de l'écrivain.

J'étais à deux doigts d'embrasser de nouveau Roman, de l'emmener quelque part – n'importe où – où nous pourrions être seuls et nus, et où je pourrais me livrer à tous les fantasmes que j'avais imaginés avec lui. Un baiser de plus... un seul baiser et je ne serais plus capable de me retenir. J'en avais trop envie. Je voulais faire l'amour avec quelqu'un que je désirais *vraiment*. Rien qu'une fois, après toutes ces années.

Et c'était exactement la raison pour laquelle c'était impossible.

— Georgina..., commença Roman confusément, ses mains toujours sur moi.

— Je t'en prie, le suppliai-je, ma voix réduite à un murmure, lâche-moi. Lâche-moi, s'il te plaît. Tu dois me laisser.

— Qu'est-ce qui ne va pas ? Je ne comprends pas.

— Lâche-moi, s'il te plaît, répétai-je. Lâche-moi !

Je sursautai au soudain volume de ma propre voix, ce qui m'aida à rassembler la volonté suffisante pour me libérer de son étreinte. Il tendit la main vers moi, mon prénom sur ses lèvres, mais je reculai. Je devais paraître hystérique – une vraie folle – et le regard de Roman me confirma cette impression.

— Ne me touche pas ! Ne. Me. Touche. Pas !

Je me sentais plus en colère contre moi-même, contre ma vie, que contre lui. Je ressentais une rage et une frustration terrible à l'encontre de l'univers tout entier, un sentiment amplifié par l'alcool. Le monde n'était pas juste. Pas juste, que certaines personnes aient des vies parfaites ; que des civilisations magnifiques retournent à la poussière ; que des bébés naissent pour mourir après seulement quelques respirations ; que je sois enfermée dans cette existence qui ressemble à une blague cruelle. Une éternité à faire l'amour sans amour.

— Georgina...

— Ne me touche pas. Plus jamais. S'il te plaît, chuchotai-je d'une voix rauque.

Puis j'optai pour la seule possibilité qui me restait. La fuite. Je courus. Je lui tournai le dos et courus, loin de Roman, loin de Seth, loin des spectateurs attablés. Je ne savais pas où j'allais, mais j'y serais en sécurité. Et Roman ne risquerait plus rien. Je ne parviendrais peut-être pas à soulager ma peine, mais j'éviterais de lui en causer encore plus.

Mon manque de coordination et mon désespoir me firent entrer en collision avec des personnes qui réagirent avec différents degrés de politesse à mon hystérie. Est-ce que Roman me poursuivait ? Je l'ignorais. Il avait bu au moins autant que moi – il ne devait pas s'en tirer beaucoup mieux. Une fois seule, je pourrais changer de forme ou devenir invisible et sortir d'ici...

J'ouvris brusquement une porte et une vague d'air frais et nocturne m'engloutit soudain. Pantelante, je regardai autour de moi. Je me trouvais sur le parking à l'arrière de la boîte. Il n'y avait pas une place de libre ; quelques clients s'attardaient, le temps de fumer un joint, ne faisant pour la plupart absolument pas attention à moi. La porte par laquelle j'étais arrivée s'ouvrit et je me retournai, m'attendant à voir Roman. Mais c'était Seth, l'air inquiet.

— Ne vous approchez pas de moi, l'avertis-je.

Il leva les mains, paumes tournées vers l'avant, dans un geste d'apaisement, puis il avança lentement vers moi.

— Vous allez bien ?

Je reculai de deux pas, fouillant dans mon sac.

— Ça va. Je dois juste... il faut que je parte... loin d'ici, loin de lui. (Je trouvai enfin mon téléphone portable, avec l'intention d'appeler un des vampires. Il me glissa des mains, résista à mes tentatives de le rattraper, et tomba sur l'asphalte en émettant un craquement de mauvais augure.) Merde !

Je m'agenouillai, ramassai le téléphone et contemplai avec consternation le charabia affiché sur l'écran.

— Merde, répétai-je.

Seth s'accroupit à côté de moi.

— Qu'est-ce que je peux faire ?

Je levai les yeux vers lui. À cause de ma vision trouble, les contours de son visage semblaient s'estomper.

— Je dois partir d'ici. Je dois m'éloigner de lui.

— D'accord. Venez. Je vous ramène chez vous.

Seth me prit par le bras et je me souviens vaguement qu'il me traîna jusqu'à une voiture de couleur sombre garée quelques rues plus loin. Il m'aida à m'installer et se mit au volant. M'adossant contre le siège, je me laissai bercer par le rythme de la conduite, le laissant m'entraîner dans un mouvement de va-et-vient, va-et-vient, va-et-vient...

— Arrêtez-vous.

— Quoi ?

— Arrêtez-vous !

Il s'exécuta et j'ouvris la portière, expulsant le contenu de mon estomac sur la chaussée. Quand j'eus terminé, Seth attendit un moment avant de me demander :

— On peut repartir ?

— Oui.

Mais quelques minutes plus tard, je l'obligeai à marquer un nouvel arrêt et répétai le processus.

— C'est… c'est la voiture…, accusai-je d'une voix pantelante, une fois que nous eûmes repris la route. Je ne peux pas rester à bord. Le mouvement…

Le front de Seth se plissa et il tourna brusquement à droite, manquant de me faire vomir à l'intérieur du véhicule.

— Désolé, fit-il.

Nous roulâmes quelques minutes de plus et je m'apprêtais à lui demander de se garer encore une fois sur le bord de la route quand la voiture s'arrêta. Il m'aida à sortir et je regardai autour de moi, ne reconnaissant pas l'immeuble devant lequel nous nous trouvions.

— Où sommes-nous ?

— Chez moi.

Il me fit entrer et me conduisit directement dans la salle de bains où je m'agenouillai sans attendre devant la cuvette des W.-C. afin de lui rendre hommage, rendant de nouveau plus de liquide que j'avais pensé en avoir en moi. J'avais vaguement conscience de la présence de Seth derrière moi, me tenant les cheveux. Je me rappelai confusément que les immortels de haut rang comme Jerome et Carter pouvaient contrôler l'effet que l'alcool avait sur eux et ainsi décider de dessaouler comme bon leur semblait. Les enfoirés.

Je ne sais pas combien de temps je restai à genoux avant que Seth m'aide à me relever avec douceur.

— Vous pouvez tenir debout ?

— Je crois…

— Euh… vous en avez dans vos cheveux et sur votre robe. Vous devriez vous changer.

Je baissai les yeux sur la Georgette bleu marine et soupirai.

— Vraiment sexy…

— Quoi ?

— Laissez tomber.

Je commençai à baisser les bretelles afin de pouvoir enlever ma robe. Il leva les sourcils et se détourna précipitamment.

— Qu'est-ce que vous faites ? demanda-t-il d'une voix restée normale au prix d'un terrible effort.

— J'ai besoin d'une bonne douche.

Nue, je titubai vers la cabine et ouvris le robinet. Seth, qui évitait toujours soigneusement de me regarder, battit en retraite vers la porte.

— Vous n'allez pas tomber ou vous sentir mal, n'est-ce pas ?

— J'espère que non.

J'entrai sous l'eau, le souffle coupé par sa chaleur. Je m'appuyai contre le mur carrelé et laissai le jet puissant me purifier, le choc m'aidant à reprendre momentanément mes esprits. Je levai la tête et vis que Seth avait quitté la pièce, refermant la porte de la salle de bains derrière lui. Je soupirai et fermai les yeux, ne désirant qu'une chose : tomber à genoux et perdre connaissance. Debout sous la douche, je songeai de nouveau à Roman, à ce baiser qui avait été si bon. J'ignorais ce qu'il devait penser de moi à présent, après la façon dont j'avais agi avec lui.

Quand je fermai le robinet et sortis de la douche, la porte de la salle de bains s'entrebâilla.

— Georgina ? Tenez, c'est pour vous.

Une serviette et un tee-shirt beaucoup trop grand furent jetés sur le sol avant que la porte se referme. Je me séchai et mis le tee-shirt. Il était rouge et à l'effigie de Black Sabbath. Sympa.

Je continuai néanmoins à payer un lourd tribut pour mes activités de la nuit et je ressentis une nouvelle vague de nausée.

— Non, protestai-je en gémissant.

Je me ruai vers les toilettes.

La porte s'ouvrit.

— Tout va bien ?

Seth revint me tenir les cheveux. J'attendis, mais rien ne vint. Finalement, je me redressai maladroitement.

— Ça va aller. Je dois m'allonger.

Il m'escorta de la salle de bains jusqu'à une chambre à coucher où trônait un grand lit double défait. Je m'effondrai dessus, contente d'être à plat et stationnaire, même si la pièce continuait de tourner autour de moi. Il s'assit prudemment au bord du lit, me regardant avec hésitation.

— Je suis désolée, lui dis-je. Désolée de vous avoir imposé... tout ça.

— Pas de problème.

Je fermai les yeux.

— Être en couple, ça craint. C'est pour ça que je préfère ne pas sortir du tout. Quelqu'un finit toujours par souffrir.

— On court des risques avec la plupart des bonnes choses, observa-t-il avec philosophie.

Je me souvins de son e-mail où il me parlait de la fiancée qu'il avait si longtemps négligée au profit de son écriture.

— Vous seriez prêt à recommencer ? demandai-je. Avec cette fille ? Même en sachant que les choses tourneraient exactement de la même façon ?

Une pause.

— Oui.

— Moi pas.

— Que voulez-vous dire ?

J'ouvris les yeux et croisai son regard.

— J'ai été mariée. (Le genre d'aveu fait sous l'emprise de l'alcool qu'une personne sait pertinemment qu'elle n'aurait jamais fait en étant sobre.) Vous le saviez ?

— Non.

— Personne ne le sait.

— Ça n'a pas marché ? demanda Seth quand je restai silencieuse pendant plus d'une minute.

Je ne pus retenir un rire plein d'amertume. Pas marché ? Un sacré euphémisme ! Je m'étais montrée faible et stupide, et j'avais cédé aux mêmes pulsions sexuelles qui avaient bien failli me conduire à la catastrophe avec Roman. Excepté qu'avec Ariston, je ne pouvais pas rejeter la responsabilité de mon écart sur l'alcool. J'avais été on ne peut plus sobre et, honnêtement, je crois que je l'avais – nous l'avions – prémédité depuis longtemps.

Il était venu me rendre visite, un jour, mais cette fois nous n'avions pas beaucoup parlé. Je pense que nous avions dépassé le stade des conversations. Nous étions tous les deux nerveux, nous ne tenions pas en place et échangions des banalités que, l'un comme l'autre, nous n'écoutions pas. Je n'avais d'attention que pour sa présence physique – son corps et les muscles puissants de ses bras et de ses jambes. Il régnait une telle tension sexuelle dans l'air que c'était un miracle que nous parvenions encore à bouger.

Je marchai jusqu'à la fenêtre, le regard perdu dans le vague tandis que je l'entendais arpenter le reste de la maison. Il revint un instant plus tard et se tint juste derrière moi. Soudain, ses mains se posèrent sur mes épaules – la première fois qu'il me touchait délibérément. Ses doigts me brûlaient comme des brandons et je frissonnai. Il m'étreignit plus fort et s'approcha encore.

—Letha, me souffla-t-il à l'oreille. Tu sais… tu sais que je pense à toi sans arrêt. À ce que ce serait… d'être avec toi.

—Tu es avec moi maintenant.

—Ce n'est pas ce que je veux dire et tu le sais très bien.

Il me fit me retourner vers lui et son regard me donna l'impression que de l'huile bouillante me coulait sur tout le corps, glissante et brûlante. Faisant remonter ses paumes le long de mon cou, il prit mon visage dans le creux de ses mains pendant un moment. Il se pencha et tint sa bouche à un souffle de la mienne. Puis, sa langue surgit et lécha doucement mes lèvres, à peine une caresse. Ma bouche s'entrouvit s'écartèrent et je m'inclinai vers l'avant afin d'en profiter encore plus, mais il recula avec un petit sourire. L'une de ses mains retomba sur mon épaule, sur le fermoir de ma robe, et le défit. Le tissu glissa sur moi, s'amoncelant sur le sol autour de moi, et je me tins devant lui – nue.

Ses yeux brillaient, embrassant chaque partie de mon corps du regard. J'aurais dû ressentir de la gêne ou une certaine timidité, mais ce n'était pas le cas. Je me sentais merveilleusement bien. Désirée. Adorée. Puissante.

—Je donnerais tout, vraiment tout, pour te posséder maintenant, chuchota-t-il. (Ses mains parcoururent le chemin qui séparait mes épaules de mes seins, puis s'attardèrent sur ma taille et mes hanches. Ma mère avait toujours soutenu que j'avais des hanches trop minces, mais sous les mains d'Ariston, elles devenaient opulentes et attirantes.) Je serais prêt à tuer pour toi. J'irais jusqu'au bout du monde. Demande-moi ce que tu veux. Tout pour sentir ton corps contre le mien et tes jambes enroulées autour de moi.

— Personne ne m'a jamais parlé ainsi.

Je constatai avec surprise que ma voix semblait calme. À l'intérieur, je fondais. J'entendrais des variations de ses promesses pendant presque tout le prochain millénaire, de la part de centaines d'hommes, mais, à l'époque, tout cela était nouveau pour moi.

Ariston me gratifia d'un sourire contrit.

— Je parie que Kyriakos te dit ce genre de choses tout le temps.

Le ton un peu espiègle de sa voix me rappela que les deux hommes, bien qu'amis, avaient toujours entretenu une certaine rivalité.

— Non. Il me fait l'amour avec les yeux.

— J'ai bien l'intention de faire usage de bien plus que mes yeux.

À cet instant, je pris conscience du pouvoir que détenaient les femmes sur les hommes. Je trouvai cela aussi surprenant que grisant. Peu importe ce que disaient les lois sur la propriété et la politique, les femmes régnaient dans la chambre à coucher. La chair et la sueur valaient tous les décrets entre les draps. Ce savoir me remplit d'une excitation plus puissante que celle produite par n'importe quel aphrodisiaque. J'adorais l'influence toute nouvelle qu'il me donnait. Une révélation qui, j'en avais la conviction, conduirait plus tard les forces de l'enfer à m'attribuer le rôle de succube.

Je tendis mes mains tremblantes vers lui et commençai à lui retirer sa tunique. Il ne bougea pas pendant que je le déshabillais, mais chaque centimètre de son corps frémissait de fièvre et de désir. Sa respiration devint lourde et rapide tandis que j'examinais son corps, remarquant au passage tout ce qui le séparait – et le rapprochait – de celui de Kyriakos. Je déplaçai le bout de mes doigts sur toute la surface de sa peau, effleurant légèrement la chair hâlée, les muscles bien dessinés, les tétons. Puis mes mains descendirent plus bas, sous son ventre, s'enroulant autour du membre long et dur qu'elles découvrirent là. Ariston laissa échapper un gémissement, mais n'avança pas vers moi. Il attendait toujours mon consentement.

Je relevai les yeux des mains qui le caressaient et le regardai bien en face. Il aurait vraiment fait n'importe quoi pour moi. Cette prise de conscience ne fit qu'accroître mon désir.

— Fais de moi ce qu'il te plaira, capitulai-je enfin.

À m'entendre, on aurait pu croire que je lui faisais une concession, mais en vérité, je voulais qu'il dispose de moi à sa guise. Mes mots brisèrent le charme qui nous avait maintenus séparés. Ce fut comme si un barrage cédait. Comme d'expirer après avoir longtemps retenu sa respiration. Un jaillissement. Une libération. Mon corps s'effondra presque sur le sien, comme si après avoir tiré et tiré encore sur ses liens, ces derniers avaient été tranchés. Au contact de sa peau, je réalisai que nous aurions dû nous toucher bien avant ce jour.

Il m'enlaça dans un baiser brutal, introduisant sa langue dans ma bouche pendant que ses mains allaient agripper l'arrière de mes cuisses. D'un seul geste, il me souleva et m'appuya le dos contre le mur. Mes jambes s'enroulèrent autour de ses hanches – je le voulais tout contre moi – puis, d'un seul coup de rein, il fut en moi. Je ne sais pas si j'étais trop étroite ou lui trop gros – peut-être les deux – mais cela me fit mal, une douleur plutôt plaisante d'ailleurs. Je laissai échapper un cri de surprise, mais il ne s'interrompit pas pour voir si j'allais bien. La passion s'était emparée de lui, cette pulsion animale inscrite dans nos gènes et qui assure la perpétuation de notre espèce. À présent, il se concentrait uniquement sur son propre plaisir, faisant se succéder les poussées, de plus en plus fortes, son énergie semblant se renouveler à chaque gémissement, chaque cri qui traversait mes lèvres. Je n'aurais jamais cru éprouver pareille jouissance en faisant l'amour de manière tellement brutale, mais ce fut le cas – et à plusieurs reprises. Chaque fois, j'eus l'impression d'être emportée par une vague de sensations, qui naissait au plus profond de moi et se propageait dans tout le corps, frottant chaque nerf, recouvrant chaque partie de moi jusqu'à me saturer. Enfin, la vague explosait en fragments étincelants, me laissant essoufflée, en proie à une douce chaleur. Comme si j'avais volé en éclats avant d'être reconstituée. Un plaisir intense. Chacun de mes orgasmes semblait le rapprocher impérieusement au sien. Cette fois, c'était moi qui n'en pouvais plus d'attendre sa libération, enfonçant mes ongles de toutes mes forces dans son dos, me cramponnant à lui jusqu'à la conclusion – tremblante, pantelante – de cet épisode.

Mais nous n'en avions pas terminé l'un avec l'autre, car peu de temps après il était de nouveau paré. Il m'emmena sur mon lit et me fit mettre à genoux afin de me prendre par-derrière.

— Les vieilles femmes prétendent que c'est la meilleure position pour concevoir un enfant, chuchota-t-il.

Je n'eus que quelques secondes pour méditer ce qu'il venait de dire avant qu'il soit de nouveau en moi. Je réfléchis à ses paroles pendant qu'il me besognait ; peut-être serait-il celui qui me donnerait un enfant après tout, et non Kyriakos. J'en conçus un curieux sentiment, fait à la fois d'enthousiasme et de regret.

Ariston n'éprouva, lui, aucun regret quand, plus tard dans l'après-midi, nous nous remîmes de nos émotions, allongés sur lit, le soleil entré par la fenêtre baignant nos corps épuisés.

— Le problème pourrait très bien venir de Kyriakos, expliqua-t-il. Pas de toi. Vu le nombre de fois où nous avons fait l'amour aujourd'hui, tu vas forcément tomber enceinte. (Il suça le lobe de mon oreille et me prit dans ses bras par-derrière, laissant reposer ses mains sur mes seins.) Je t'ai remplie, Letha, ajouta-t-il à voix basse et sur un ton possessif.

On aurait dit qu'il avait gagné quelque chose de plus tangible que le sexe. Soudain, je me demandai qui détenait réellement le pouvoir dans la chambre à coucher.

Allongée contre lui, je m'interrogeai : qu'avais-je fait ? Et surtout : que comptais-je faire à présent ? Comment, après avoir été la déesse d'un autre homme, pouvait-on redevenir une simple épouse ? Mais je n'eus jamais l'occasion de le découvrir : Kyriakos, rentré trop tôt, m'appelait depuis le devant de la maison. Ariston et moi nous redressâmes, surpris. Je tentai maladroitement de me dégager des draps, m'empêtrant dans le tissu. Ma robe. Il fallait que je retrouve ma robe. Mais elle n'était pas là. Je l'avais abandonnée dans l'autre pièce. Peut-être, pensai-je désespérément, que je pouvais la récupérer avant que Kyriakos nous surprenne. Peut-être serais-je assez rapide ?

Mais il se trouva que non.

De retour à notre époque, je résumai la situation à Seth :

— Oui. Ça n'a pas marché. Pas du tout. Je l'ai trompé.

— Oh. (Un temps d'arrêt.) Pourquoi ?

— Parce que j'en avais envie. C'était stupide.

— Et c'est pour ça que vous refusez toute nouvelle relation ?

— J'ai trop souffert. Aucun bien ne justifie autant de mal.

— Vous ne pouvez pas être certaine que la suivante tournera aussi mal. Les choses changent.

— Pas pour moi. (Je fermai les yeux afin de cacher les larmes qui commençaient à monter.) Je vais dormir maintenant.

— D'accord.

Impossible de savoir s'il resta ou pas. De mon côté, je sombrai dans un sommeil profond et réparateur.

Chapitre 15

Quelquefois, vous vous réveillez pendant un rêve. Et parfois, plus rarement, vous vous réveillez dans un rêve. C'est ce qui m'arriva. J'ouvris les yeux, une douleur lancinante à la tête, vaguement consciente de tenir quelque chose de chaud et de pelucheux dans mes bras. Le soleil éclatant me fit d'abord plisser les yeux, mais quand je parvins enfin à fixer mon regard, je compris que Cady et O'Neill se tenaient en face de moi.

Je me redressai subitement, un mouvement que ma tête n'approuva pas du tout. Je devais me tromper. Je devais... Non, ils étaient bien là. Devant moi, à côté du lit dans lequel j'étais assise, se trouvait un grand bureau en chêne cerné par des tableaux blancs et des panneaux d'affichage. Punaisées sur les panneaux, des dizaines de photos découpées dans des magazines reflétaient chaque nuance des personnages décrits dans les livres de Seth. Une section étiquetée « NINA CADY » affichait au moins une vingtaine de photos différentes de blondes minces, aux cheveux courts et bouclés, tandis qu'une autre – étiquetée « BRYANT O'NEILL » – exposait des clichés d'hommes, la trentaine, cheveux noirs. Je reconnus certaines des photos provenant de publicités célèbres, bien que je n'aie jamais été frappée par la ressemblance avec les personnages de Seth. D'autres personnages de ses romans, mineurs ceux-là, avaient également leur place – bien moins importante que celle accordée aux héros – sur les panneaux.

Des notes et des mots griffonnés remplissaient les tableaux blancs, la plupart écrits dans une sorte de sténo bizarre et regroupés dans un diagramme qui semblait n'avoir ni queue ni tête. « Titre de travail : Espoirs d'azur – à garder pour plus tard ; Ajouter Jonah Chap. 7 ; Nettoyer 3-5 ; C & O à Tampa ou Naples ? À vérifier ; Don Markos en 8… » Etc., etc. Je fixai les tableaux, incapable de détacher mon regard de ce qui constituait le squelette du prochain roman de Seth. Une partie de moi me souffla de détourner les yeux, de peur de gâcher quelque chose, mais cette vision du processus créatif à l'œuvre exerçait sur moi une fascination irrésistible.

Finalement, l'odeur du bacon frit me fit me détourner du bureau de Seth, me forçant également à reconstituer les événements qui m'avaient conduite chez lui. Rien que de penser à la façon dont je m'étais comportée avec Doug, Roman et même Seth, j'eus envie de rentrer sous terre, mais ma faim l'emporta, dissipant temporairement mes remords. Comment pouvais-je avoir faim après tout ce que j'avais fait subir à mon estomac la nuit dernière ? Comme Hugh après sa dérouillée, je récupérais rapidement.

Je me dépêtrai des couvertures et de l'ours en peluche que j'avais serré contre moi sans m'en apercevoir. Je me rendis à la salle de bains pour me rincer la bouche et voir quelle allure j'avais : les cheveux en pétard avec un tee-shirt qui aurait été davantage à sa place sur une ado. Mais comme je ne voulais pas gâcher de l'énergie à me transformer, je sortis de la salle de bains et suivis le son du grésillement sur fond du *Radar Love* de Golden Earring.

Seth m'attendait dans une cuisine moderne et bien éclairée, penché au-dessus d'une poêle sur la cuisinière. La décoration favorisait des couleurs vives et gaies, tandis que les placards et les poutres en bois d'érable étaient mis en valeur par la peinture bleu centaurée des murs. Lorsqu'il m'aperçut, il baissa le volume de la musique et me lança un regard soucieux. Aujourd'hui, son tee-shirt affichait Tom et Jerry.

— Bonjour. Comment ça va ?

— Étonnamment bien. (J'allai m'asseoir à une petite table à deux places, tirant sur mon tee-shirt afin de me couvrir les cuisses.) Ma tête semble être la seule victime à déplorer pour l'instant…

— Vous voulez quelque chose pour ça ?

— Non. Ça va s'arranger tout seul. (J'hésitai, détectant quelque chose à travers l'odeur de graisse brûlée de la viande.) C'est du café... ce que je sens là ?

— Tout juste. Vous en voulez ?

— Du vrai café ?

— Oui.

Saisissant une cafetière, il me versa une tasse de café fumant et me l'apporta, ainsi qu'un sucrier et un pot de crème assortis vraiment mignons.

— Je croyais que vous n'en buviez pas.

— C'est le cas. J'en garde chez moi pour les occasions où une femme accro à la caféine se réveille dans mon lit.

— Ça arrive souvent ?

Seth sourit mystérieusement et retourna à ses fourneaux.

— Vous avez faim ?

— Une faim de loup.

— Comment aimez-vous vos œufs ?

— Le blanc bien cuit.

— Excellent choix. Du bacon ? Vous n'êtes pas végétarienne au moins ?

— Je suis une pure carnivore. Préparez-moi la totale... s'il vous plaît, terminai-je, l'air penaud.

Après tout ce qu'il avait déjà fait pour moi, j'avais mauvaise conscience de le laisser me servir, mais il ne paraissait pas s'en formaliser.

La « totale » dépassa mes espérances : œufs, bacon, pain grillé, deux sortes de confitures, gâteau et jus d'orange. J'engloutis tout ce qu'il me présenta, songeant combien Peter serait jaloux, toujours cantonné à son régime faible en glucides.

— Je crois que je vais m'évanouir, dis-je à Seth un peu plus tard en l'aidant à faire la vaisselle. Je vais devoir m'allonger pour digérer tout ça. Vous mangez tous les jours comme ça ?

— Non. Seulement quand la femme susmentionnée est dans le coin. Généralement, ça l'empêche de partir trop vite.

— Vous n'avez pas vraiment à vous en faire, vu que ceci est tout ce que j'ai à me mettre...

— Faux, répliqua-t-il en faisant un signe en direction du séjour. (Levant la tête, je vis ma robe – propre – pendue à un cintre.

Les sous-vêtements transparents – coupe bikini – que j'avais portés dessous avaient été passés autour du crochet.) L'étiquette de la robe recommandait un nettoyage à sec, mais j'ai pris le risque de la laver en machine en utilisant un programme extra-doux. Elle l'a bien supporté. Le... euh... le reste de vos vêtements aussi.

—Merci, répondis-je, pas certaine de ce que je ressentais à l'idée qu'il ait lavé mes sous-vêtements. Merci pour tout. Je vous suis vraiment reconnaissante de vous être occupé de moi hier... Vous devez me prendre pour une cinglée...

Il haussa les épaules.

—Pas de problème. Mais... (Il jeta un coup d'œil à une horloge proche.) Je vais bientôt devoir vous laisser. La fête, vous vous souvenez ? Elle commence à midi. Mais vous pouvez rester là.

Je me tournai à mon tour vers l'horloge. 11 h 47.

—Nooоon ! Pourquoi ne m'avez-vous pas réveillée plus tôt ? Vous allez être en retard !

Nouveau haussement d'épaules – il ne s'en inquiétait manifestement pas.

—J'ai pensé que vous aviez besoin de dormir.

Posant mon torchon, je me précipitai au séjour et saisis ma robe.

—J'appellerai un taxi. Allez-y. Ne vous en faites pas pour moi.

—Ce n'est pas un problème, je vous assure, répéta-t-il. Je peux très bien vous raccompagner chez vous ou alors... vous pouvez venir avec moi, si vous voulez.

Une certaine gêne s'installa entre nous. Je n'avais pas vraiment envie d'être traînée dans une fête au milieu d'inconnus. Il fallait que je rentre chez moi et que je recolle les pots cassés avec Doug et Roman. Sauf que... Seth s'était montré terriblement gentil avec moi – et il m'avait déjà demandé de l'accompagner. Je lui devais bien ça, non ? C'était la moindre des choses. En plus, une fête l'après-midi... elle ne durerait probablement pas trop longtemps.

—Devons-nous apporter quelque chose ? demandai-je enfin. Du vin ? Du brie ?

Il secoua la tête.

—Je ne pense pas. C'est pour ma nièce et elle n'a que huit ans.

—Oh. Pas de vin alors.

— Non. Et je crois qu'elle préfère le gouda de toute façon.

Je regardai ma robe.

— Elle est bien trop habillée. Vous pouvez me prêter quelque chose à mettre par-dessus ?

Sept minutes plus tard, j'étais assise dans la voiture de Seth et nous roulions en direction de Lake Forest Park. J'avais remis ma robe en Georgette, ainsi qu'une chemise d'homme à carreaux dans les tons blanc, gris et bleu marine. Je n'avais fermé que quelques boutons. Plutôt que d'utiliser mon pouvoir de transformation pour me recoiffer, j'avais réuni mes cheveux dans une natte et je profitai du trajet pour me maquiller en urgence, grâce aux produits que contenait mon sac. Mon look commençait à évoquer une sorte de Ginger Rogers qui aurait rejoint Nirvana.

Nous arrivâmes au pavillon de banlieue devant lequel j'avais déposé Seth quelques semaines plus tôt. Des ballons roses flottaient au-dessus de la boîte aux lettres et une maman en jean et sweat-shirt fit au revoir de la main tandis qu'une petite fille disparaissait à l'intérieur de la maison. La mère en question retourna ensuite vers le véhicule énorme – capable de transporter une équipe de football – dont le moteur tournait dans l'allée.

— Ouah, fis-je en comprenant la situation. Je n'ai jamais assisté à ce genre de choses.

— Mais si, forcément, quand vous étiez petite, rectifia Seth en se garant de l'autre côté de la rue.

— Oui, bien sûr, mentis-je. Mais c'est une expérience différente à cet âge-là.

Nous approchâmes de la porte et il entra sans frapper. Immédiatement, quatre petites formes blondes se précipitèrent sur lui, s'accrochant à ses membres et manquant de le faire tomber.

— Oncle Seth ! Oncle Seth !

— Oncle Seth est là !

— C'est pour moi ? C'est pour moi ?

— Arrière ! Ne m'obligez pas à balancer mes grenades lacrymogènes, les avertit gentiment Seth, décrochant celle qui menaçait de lui arracher le bras gauche.

L'une d'elles – boucles blondes et grands yeux bleus comme les autres – m'aperçut enfin.

—Salut, fit-elle effrontément, t'es qui ? (Sans me laisser le temps de répondre, elle se rua hors du vestibule en hurlant :) Oncle Seth a amené une fille !

Seth fit la grimace.

—C'est Morgan. Elle a six ans. (Il me désigna son clone.) Et voilà McKenna, sa jumelle. Là-bas, c'est Kayla – quatre ans. Et celle-là... (Il marqua une pause, le temps de soulever la plus grande des quatre, ce qui lui valut un gloussement d'allégresse.)... c'est Kendall et c'est son anniversaire aujourd'hui. Et je suppose que Brandy ne doit pas être loin, mais elle est bien trop civilisée pour m'agresser comme les autres.

Au-delà du vestibule se trouvait la salle de séjour et une autre fillette – quelques années de plus que Kendall – nous observait de derrière un canapé. Une ribambelle d'enfants – les invités de la fête, je suppose – criait et courait derrière elle.

—Je suis là, oncle Seth.

Seth posa Kendall par terre et ébouriffa les cheveux de Brandy, à son grand dépit. Elle affichait la dignité outragée dont les filles à l'orée de l'adolescence avaient le secret. Morgan revint peu après, accompagnée d'une grande femme blonde.

—Tu vois ? Tu vois ? s'exclama la fillette. J'te l'avais bien dit.

—Est-ce que tu provoques toujours une telle hystérie sur ton passage ? demanda la femme en serrant brièvement Seth dans ses bras.

Elle avait l'air heureuse, mais épuisée. Je comprenais aisément pourquoi.

—Si seulement... Mes admirateurs font preuve de plus de retenue. Andrea, je te présente Georgina. Georgina, Andrea. (Je lui serrai la main tandis qu'une version légèrement plus petite et plus jeune de Seth entrait dans la pièce.) Et voilà mon frère Terry.

—Bienvenue dans notre chaos, Georgina, me salua Terry, une fois les présentations faites. (Il jeta un coup d'œil à tous les enfants – les siens et ceux des autres – qui couraient dans toute la maison.) Je ne suis pas certain que Seth ait fait preuve de beaucoup de discernement en vous traînant jusqu'ici. Vous ne reviendrez jamais.

—Hé ! s'exclama Kendall. C'est pas la chemise qu'on a offert à oncle Seth pour Noël ?

Un silence gêné s'abattit sur notre petit groupe d'adultes, chacun tâchant de regarder ailleurs. Finalement, Andrea se racla la gorge et proposa :

— Très bien, tout le monde en place, les jeux vont commencer !

Je m'étais attendue à quelque chose d'un peu fou – après tout, il s'agissait d'une fête d'anniversaire avec des enfants – mais ce à quoi j'assistai cet après-midi-là dépassait tout ce que j'avais pu imaginer. Je fus également impressionnée par la manière dont le frère et la belle-sœur de Seth parvinrent à maîtriser la meute de créatures hurlantes qui sautaient dans tous les coins. Terry et Andrea s'en occupèrent avec une efficacité pleine de bonne humeur, pendant que Seth et moi nous contentions essentiellement de regarder et de répondre aux questions qu'il arrivait qu'on nous pose. La spectatrice que j'étais en ressortit stupéfaite ; j'avais du mal à imaginer cela au quotidien. Une expérience fascinante.

À un moment, Terry, qui reprenait son souffle, me vit seule et entama la conversation.

— Je suis content que vous ayez pu venir, dit-il. Je ne savais pas que Seth voyait quelqu'un.

— Nous ne sommes que des amis, expliquai-je.

— Peu importe. Ça fait du bien de le voir en compagnie de quelqu'un en chair et en os. Quelqu'un qu'il n'a pas inventé.

— C'est vrai, cette histoire à votre mariage ? Il a vraiment failli oublier ?

La grimace de Terry valut toutes les confirmations.

— Mon témoin, vous le croyez, ça ? Il est arrivé deux minutes avant le début de la cérémonie. On allait commencer sans lui.

Je ris de bon cœur.

Il secoua la tête.

— Si vous continuez à le fréquenter, je compte sur vous pour le faire marcher droit. Mon frère est brillant, mais parfois il a vraiment besoin de quelqu'un de responsable à ses côtés.

Après les jeux, on servit le gâteau et après le gâteau vint le moment tant attendu des cadeaux. Kendall souleva et secoua celui de Seth d'une main experte.

— Des livres, déclara-t-elle.

Brandy, la plus âgée et par conséquent la plus calme du groupe, me jeta un coup d'œil et expliqua :

— Oncle Seth nous offre toujours des livres.

Ce qui ne sembla pas démonter Kendall le moins du monde. Elle déchira l'emballage et roucoula de plaisir devant les trois livres d'aventures de pirates qu'il contenait.

— Des pirates, hein ? demandai-je à Seth. Pas vraiment politiquement correct, non ?

Ses yeux scintillèrent.

— C'est ce qu'elle veut faire plus tard.

Tandis que la fête tirait à sa fin et que les invités étaient récupérés par leurs parents, Kendall supplia Seth de leur lire des histoires. Je les suivis – lui, ses nièces et quelques traînards – au séjour, pendant que les parents des filles tentaient de nettoyer la cuisine. Seth les captiva comme il l'avait fait avec la foule de ses admirateurs le jour de la séance de signature et je me pelotonnai dans un fauteuil, contente de simplement l'écouter et le regarder. Je fus donc pour le moins surprise quand la petite Kayla grimpa sur mes genoux.

La cadette des fillettes se montrait capable de crier aussi fort que ses grandes sœurs, mais parlait peu. Elle me dévisagea de ses grands yeux, toucha ma natte avec intérêt, puis se blottit contre moi pour écouter Seth. Je me demandai si elle comprenait ce qu'il racontait. En tout cas, elle était douce et chaude et sentait bon comme une petite fille. Inconsciemment, je fis courir mes doigts dans ses fines mèches blondes et commençai bientôt à lui tresser une natte similaire à la mienne.

Quand Seth termina une histoire, McKenna remarqua ce que je faisais.

— Après, c'est mon tour, dit-elle.

— Non, moi, s'empressa d'exiger Kendall. C'est mon anniversaire.

Je finis par tresser des nattes aux quatre plus jeunes filles, Brandy préférant timidement s'abstenir. Ne souhaitant pas me retrouver avec quatre copies de moi, je choisis d'autres styles pour les filles, des nattes africaines et égyptiennes qui les ravirent. Seth poursuivit sa lecture, lançant de temps à autre un regard dans ma direction.

Quand vint l'heure de prendre congé, je me sentais vidée – physiquement et émotionnellement. Les enfants me rendaient toujours un peu mélancolique, mais une telle proximité m'avait plongée dans une tristesse que je n'aurais pas su expliquer.

Seth dit au revoir à son frère pendant que je m'attardais près de la porte. Ce faisant, je remarquai une petite bibliothèque à côté de moi. Passant les titres en revue, je sélectionnai la *Nouvelle Bible annotée : Ancien et Nouveau Testaments*. Me rappelant ce que Roman m'avait affirmé concernant la traduction de la version du roi Jacques, j'ouvris ce volume au chapitre VI de la Genèse.

La formulation était presque identique, un peu plus concise et plus moderne çà et là, mais inchangée pour la majeure partie. À une exception près. Au verset 4, on pouvait lire dans la version du roi Jacques : « Il y avait des géants sur la terre en ces jours-là, et aussi après cela lorsque les fils de Dieu vinrent vers les filles des hommes… » Cette autre version proposait : « Les nephilim étaient sur la terre en ces jours-là, et aussi après cela, quand les fils de Dieu vinrent vers les filles des hommes… »

Nephilim ? Un nombre en exposant à côté du mot renvoyait à une note en bas de page :

« Le mot "nephilim" est parfois traduit par "géants" ou "anges déchus" dans la Bible. Les avis des commentateurs de la Bible varient au sujet de cette progéniture d'anges, certains avançant qu'il s'agit simplement d'un peuple voisin des Cananéens, alors que d'autres y voient des créatures mythiques proches des Titans de la mythologie grecque. (Harrington, 2001) »

Frustrée, je cherchai la référence à Harrington dans la bibliographie proposée à la fin du livre. Robert Harrington avait écrit un ouvrage intitulé *Mystères et mythes de la Bible*. Je mémorisai le titre et l'auteur, glissant la Bible à sa place au moment où Seth donnait le signal du départ.

Nous roulâmes en silence, sous un ciel déjà gris à cause de l'hiver qui s'annonçait déjà sur Seattle. D'ordinaire, j'aurais interprété ce silence comme le signe d'une certaine gêne, mais je m'en accommodai pendant que mon esprit réfléchissait à la référence aux nephilim. Je devais absolument mettre la main sur le bouquin de Harrington.

—Ils n'avaient pas de glace, observa soudain Seth, interrompant mes pensées.

—Quoi ?

—Terry et Andrea. Ils ont servi le gâteau sans glace. Vous avez envie d'une glace ?

—Vous n'avez pas eu votre dose de sucre ?

—C'est juste que ça va ensemble.

—Il fait à peine 10 °C, l'avertis-je alors qu'il se garait devant un marchand de glaces. (De la glace par ce temps, quelle idée bizarre...) Et il y a du vent.

—Vous voulez rire ? À Chicago, un endroit comme celui-là ne serait même pas ouvert à cette époque de l'année. Il fait doux.

Nous entrâmes. Seth prit un double cornet menthe-pépites de chocolat. Plus audacieuse, je me risquai à commander un double cornet cheese-cake myrtille et café-amandes. Assis à une table près de la fenêtre, nous dégustâmes nos desserts en silence.

—Vous êtes bien silencieuse aujourd'hui, observa-t-il enfin.

Interrompant mes réflexions sur les nephilim, je tournai vers lui un regard étonné.

—Chacun son tour.

—Comment ça ?

—D'habitude, je vous trouve trop calme. Je suis obligée de parler sans arrêt pour entretenir la conversation.

—J'avais remarqué. Euh, non, attendez, on dirait un reproche dans ma bouche. J'aime quand vous parlez. Vous savez toujours exactement quoi dire au bon moment.

—Pas hier soir. J'ai dit des horreurs. À Doug comme à Roman. Ils ne me le pardonneront jamais, me lamentai-je.

—Mais si. Doug est un type bien. Je ne connais pas vraiment Roman, mais...

—Mais quoi ?

Seth sembla subitement gêné.

—J'imagine qu'il est facile de vous pardonner.

Nous nous regardâmes pendant un moment et une certaine chaleur me monta au visage. Pas de celles qui vous fouettaient le sang avant de coucher avec quelqu'un, quelque chose de plus confortable. Comme d'être emmitouflé dans une couverture.

— Ça n'a pas l'air très appétissant, vous savez.

— Quoi donc ?

Il désigna mon cornet.

— Ce mélange.

— Hé, ne critiquez pas avant d'avoir essayé. Ils se marient plutôt bien.

Il eut l'air peu convaincu.

Je glissai ma chaise à côté de la sienne et lui proposai de goûter.

— Prenez bien un peu des deux parfums.

Il se pencha et réussit à mordre dans la boule cheese-cake myrtille et dans la boule café-amandes. Malheureusement, un peu de cheese-cake myrtille tomba sur son menton. Sans réfléchir, je tendis la main pour le récupérer et le faire glisser dans sa bouche. Tout aussi machinalement, il lécha le morceau rebelle avec sa langue à même mes doigts.

Une décharge érotique me parcourut et, à son regard, je devinai qu'il avait ressenti la même chose.

— Tenez, dis-je précipitamment, tendant la main vers une serviette et tâchant d'ignorer mon désir de sentir de nouveau sa langue sur mes doigts.

Seth s'essuya le menton, mais pour une fois il ne laissa pas sa timidité l'emporter. Il resta où il était, tout près de moi.

— Votre parfum est incroyable. On dirait… des gardénias.

— Des capucines, le repris-je sans réfléchir, hébétée par sa proximité.

— Des capucines, répéta-t-il. De l'encens aussi. Je n'ai jamais rien senti de pareil.

Il se pencha encore un peu plus près.

— C'est *Michael* de Michael Kors. On le trouve dans tous les grands magasins. (Je levai mentalement les yeux au ciel en entendant les mots quitter mes lèvres. Quelle remarque idiote ! Ma nervosité me faisait perdre tous mes moyens.) Un parfum pour Cady, peut-être.

Seth prit ma suggestion au pied de la lettre.

— Non. Ce parfum, c'est vous. Seulement vous. Il ne sentirait pas exactement pareil sur une autre que vous.

Je frémis. Je ne portais ce parfum que parce qu'il me rappelait ce que les autres immortels trouvaient d'unique à mon aura – ma signature, en quelque sorte. « *Ce parfum, c'est vous.* » Avec ces quelques mots, j'avais l'impression que Seth avait découvert une part secrète de mon être, qu'il avait scruté mon âme.

Ensuite, nous restâmes assis là, sans bouger, laissant agir la formidable alchimie qui existait entre nous. Je savais qu'il n'essaierait pas de m'embrasser comme l'avait fait Roman. Simplement me regarder, me faire l'amour avec les yeux, cela suffisait à faire le bonheur de Seth.

Brusquement, le vent s'empara de la porte du minuscule restaurant, en força l'ouverture et une grosse rafale s'engouffra à l'intérieur. Le souffle envoya des mèches de cheveux sur mon visage et j'eus le réflexe de plaquer les mains sur les serviettes qui faisaient mine de s'envoler de notre table. D'autres objets n'eurent pas la même chance ; des serviettes et des bouts de papiers furent emportés et une tasse remplie de cuillers en plastique tomba du comptoir et répandit son contenu sur le sol. Le serveur courut à la porte et dut lutter contre le vent avant de pouvoir fermer le loquet. Quand il eut réussi, il jeta un regard furibard à la porte.

Le moment que nous partagions – quoi que ce fût – vola en éclats ; Seth et moi ramassâmes nos affaires et repartîmes quelques instants plus tard. Je lui demandai de me déposer à la librairie. J'espérais croiser Doug pour lui faire mes excuses ; je voulais aussi mettre la main sur le livre de Harrington.

— Vous voulez entrer un moment ? Dire bonjour à tout le monde ?

Je n'avais pas envie de quitter Seth à cet instant, en dépit de tout ce que j'avais à faire.

Il secoua la tête.

— Désolé. Il faut que j'y aille. Je dois voir quelqu'un.

— Oh. (Je me sentis un peu bête. Il pouvait très bien avoir un rendez-vous galant. Et pourquoi pas ? Qu'est-ce qui l'en empêchait, surtout après mon baratin sur les relations durables. J'avais tort de faire toute une montagne de cet épisode chez le glacier, en particulier parce que j'étais soi-disant raide dingue de Roman.) Très bien. Encore merci pour tout. Je vous dois une fière chandelle.

Il balaya mes remerciements d'un geste de la main.

— Ce n'était rien, vraiment. D'ailleurs, vous-même m'avez rendu un fier service en m'accompagnant à la fête.

À mon tour, je secouai la tête.

— Je n'y ai pas vraiment fait grand-chose.

Il se contenta de sourire.

— À bientôt.

Je descendis de la voiture, puis passai de nouveau brusquement la tête à l'intérieur.

— Hé ! J'aurais dû vous demander ça plus tôt. Est-ce que vous avez signé mon livre ? *Le Pacte de Glasgow* ?

— Quoi ? Oh ! Non. J'ai encore oublié. Il est toujours chez moi. Je le signe et je vous le rapporte bientôt. Je suis désolé.

Il semblait sincèrement contrit.

— D'accord. Pas de problème.

Il aurait mérité que je mette son appartement à sac.

Nous nous dîmes de nouveau au revoir et j'entrai dans la librairie. Si ma mémoire ne me faisait pas défaut, Paige avait dû ouvrir le magasin aujourd'hui et Doug devait donc être le responsable de service en cette fin d'après-midi. Bingo. Il se tenait derrière le comptoir d'accueil, observant Tammi qui aidait un client.

— Salut, fis-je en m'avançant vers lui, un profond malaise m'envahissant alors que je me souvenais des mots si durs que j'avais eus pour lui. Je peux te parler une minute ?

— Non.

Ouah. Je m'étais attendue à le voir en pétard. Mais ça…

— Tu dois d'abord appeler ton ami.

— Je… quoi ?

— Tu sais, le chirurgien plastique qui traîne souvent avec Cody et toi, expliqua-t-il.

— Hugh ?

— C'est ça. Il a téléphoné une centaine de fois en laissant des messages. Il s'inquiétait pour toi. (Son expression s'adoucit, mais son regard se teinta d'ironie quand il aperçut mon accoutrement, robe plus chemise à carreaux…) Et moi aussi.

Je fronçai les sourcils, me demandant ce que Hugh pouvait avoir de si pressé à me dire.

— D'accord. Je le rappelle immédiatement. On se parle plus tard ?

Doug acquiesça et je m'apprêtai à sortir mon téléphone mobile de mon sac quand je me rappelai l'avoir cassé la nuit dernière. J'attendis donc d'avoir rejoint mon bureau pour composer le numéro de Hugh.

— Allô ?

— Hugh ?

— Bon Dieu, Georgina ! Mais où étais-tu passée ?

— Je… euh… nulle part.

— On a essayé de te joindre toute la nuit et encore aujourd'hui.

— Je n'étais pas chez moi, expliquai-je. Et mon portable est cassé. Pourquoi ? Qu'est-ce qui se passe ? Ne me dis pas qu'il y a eu une nouvelle victime ?

— J'en ai peur. Un meurtre cette fois – finies, les corrections amicales. Comme nous n'arrivions pas à te joindre, les vampires et moi avons craint qu'il t'ait eue aussi, bien que Jerome nous ait dit qu'il sentait toujours ta présence.

Je déglutis.

— Qui… qui est-ce ?

— Tu es bien assise ?

— Ça peut aller.

Je m'armai de courage, prête à tout entendre. Démon, vampire, succube…

— Lucinda.

Je sursautai.

— Quoi ? (Toutes mes belles théories d'un justicier au service du bien venaient de s'écrouler.) Mais c'est impossible. C'est… c'est…

— … un ange, conclut Hugh pour moi.

Chapitre 16

— Georgina ?

— Je suis toujours là.

— C'est vraiment la merde, pas vrai ? Je crois que tu peux remballer ton hypothèse de l'ange rebelle.

— Je n'en suis pas si sûre.

Ma consternation initiale avait cédé la place à une nouvelle idée, une idée qui me turlupinait depuis que j'avais lu ce passage dans la Bible chez Terry et Andrea. À présent, je m'interrogeais sur… sur la nature exacte de ce que nous affrontions – s'agissait-il réellement d'un ange ? Les mots de la Genèse me revinrent en mémoire : *« Il y avait des géants sur la terre en ces jours-là… ceux-ci devinrent des hommes puissants qui de tout temps étaient des gens de renom… »*

— Qu'est-ce que dit Jerome ?

— Rien. Tu t'attendais à quoi ?

— Tout le monde va bien, à part ça ?

— Oui, pour autant que je sache. Qu'est-ce que tu as l'intention de faire ? Rien de stupide, j'espère.

— Je dois vérifier quelque chose.

— Georgina…, m'avertit Hugh.

— Quoi ?

— Fais attention à toi. Jerome est d'une humeur massacrante.

Je ris durement.

— J'imagine… (Un silence gêné s'installa sur la ligne.) Qu'est-ce que tu ne me dis pas ?

Il hésita encore un peu plus longtemps.

— C'est… c'est vraiment une surprise pour toi, n'est-ce pas ? Cette histoire avec Lucinda…

— Bien sûr. Qu'est-ce qui peut te faire penser le contraire ?

Une autre pause.

— C'est juste que… enfin, tu reconnaîtras que c'est tout de même un peu curieux… d'abord Duane…

— Hugh !

— Et puis cette fois, quand personne n'a réussi à te contacter…

— Je t'ai déjà dit que j'avais cassé mon téléphone. Tu n'y penses pas sérieusement, tout de même !

— Non, non. C'est juste que… Je ne sais pas. On en reparlera plus tard.

Je coupai la communication.

Lucinda, morte ? Lucinda, avec sa jupe écossaise et sa coupe au carré ? Impossible. J'en avais la nausée. Je l'avais vue seulement quelques jours plus tôt. D'accord, je l'avais traitée de garce moralisatrice, mais je n'avais pas souhaité sa mort. Pas plus que celle de Duane.

Pourtant, le lien établi par Hugh paraissait troublant, plus que je n'aurais voulu l'admettre. Je m'étais disputée avec Duane et Lucinda et ils étaient tous les deux morts peu après. Mais Hugh… Comment expliquer son agression ? *« Il ne vaut guère mieux. D'après ce qu'on m'a rapporté, il s'est beaucoup amusé en racontant à tous ceux qui voulaient bien l'écouter votre petite escapade avec le fouet et les ailes. »* Je me rappelai les railleries de Lucinda. Effectivement, je m'étais un peu emportée après le démon, juste avant son passage à tabac – il s'en était bien tiré, il avait survécu.

Je frissonnai, ne sachant pas trop quoi penser de tout cela. Doug entra dans mon bureau.

— Tout est réglé ?

— Oui. Merci. (Un silence gêné s'installa entre nous jusqu'à ce que j'ouvre les vannes de ma culpabilité.) Doug, je…

— Laisse tomber, Kincaid. Ce n'est pas grave.

— Je n'aurais jamais dû te dire… J'étais…

— Pétée. Bourrée. Ronde comme une queue de pelle. Ça arrive.

— Quand bien même, je suis impardonnable. Tu essayais d'être gentil et je me suis conduite avec toi comme une garce complètement cinglée.

— Pas si cinglée que ça…

— Mais clairement une garce ?

— Eh bien…

Il dissimula un sourire, s'efforçant de ne pas croiser mon regard.

— Je suis désolée, Doug. Vraiment désolée.

— C'est bon. Arrête les sensibleries…

Je me penchai vers lui et serrai son bras, posant légèrement ma tête sur son épaule.

— Tu es quelqu'un de bien, Doug. Un type bien et un ami précieux. Et je m'en veux… je m'en veux pour beaucoup de choses qu'il y a eu – ou pas – entre nous.

— Hé, je t'ai dit de laisser tomber. C'est à ça que servent les amis, Kincaid. (Un silence chargé de tension s'installa entre nous ; visiblement, cette conversation le mettait mal à l'aise.) Est-ce que… est-ce que tout s'est bien terminé ? Je t'ai perdue de vue après le concert et ta tenue actuelle ne fait rien pour me rassurer.

— Tu ne devineras jamais à qui appartient ce tee-shirt, le taquinai-je, avant de lui narrer mes aventures avec Seth Mortensen, vomissements et fête d'anniversaire compris.

Quand j'arrivai au bout de mon récit, Doug avait le fou rire, mais semblait également soulagé.

— Mortensen est un chic type, décréta-t-il enfin, riant encore.

— Il dit la même chose te concernant.

Doug fit un grand sourire.

— Tu sais, il… Bon sang ! Avec tous ces coups de fil, j'ai complètement oublié. (Se tournant vers le bureau, il fouilla parmi les papiers et les livres, avant de brandir une petite enveloppe blanche.) Quelqu'un t'a laissé un mot. Paige dit qu'elle l'a trouvé hier soir. J'espère qu'il s'agit de bonnes nouvelles.

— Oui, moi aussi.

Mais j'avais mes doutes en voyant l'enveloppe. Je la pris avec hésitation, comme si elle risquait de me brûler les doigts. Le papier et la calligraphie semblaient identiques à ceux du premier billet. J'ouvris l'enveloppe et lus :

« Alors comme ça, tu t'intéresses aux anges ? Eh bien, je te promets une démonstration pratique pour cette nuit. Cela devrait se révéler plus instructif que tes démarches actuelles et tu n'auras pas besoin de baiser avec ton patron pour t'aider dans tes extrapolations – bien que je ne prétende pas ne pas avoir apprécié de te voir faire la pute. »

Je levai la tête, croisant le regard interrogatif de Doug.

— Rien de grave, le rassurai-je d'un ton léger, pliant le papier avant de le glisser dans mon sac. J'étais déjà au courant.

À en croire le compte-rendu de Hugh, Lucinda avait été assassinée la nuit dernière et Doug m'affirmait que cette enveloppe avait été déposée un peu plus tôt. L'avertissement était passé inaperçu. Apparemment, cette personne ne maîtrisait pas très bien mon planning, à moins qu'elle n'ait pas voulu me donner réellement la possibilité d'intervenir. Quelqu'un cherchait à m'effrayer.

Mais le scoop sur Lucinda me touchait moins que l'autre élément mentionné dans le billet. L'idée que quelqu'un m'avait regardée baiser avec Warren me donnait la chair de poule.

— Quelle est la suite des événements ? demanda Doug.

— Tu ne vas pas me croire, mais je dois trouver un livre.

— Tu es à la bonne adresse.

À l'accueil, Tammi nous attendait. J'étais contente de constater que Doug la formait à ce poste ; quand viendrait la période des fêtes, nous aurions besoin d'employés polyvalents.

— Exercice pratique, lui annonçai-je. Dis-moi dans quel rayon nous classons ce livre.

Je lui donnai les coordonnées de l'ouvrage et elle chercha sur l'ordinateur. Voyant le résultat s'afficher, elle fronça les sourcils.

— Nous ne l'avons pas en stock, mais nous pouvons le commander.

Je grimaçai, comprenant soudain pourquoi les clients paraissaient tellement en rogne quand je leur tenais le même discours.

— Super…, marmonnai-je. Où est-ce que je vais bien pouvoir trouver ce bouquin aujourd'hui ?

Erik l'avait sans doute en stock, mais il serait fermé à cette heure.

— Il m'en coûte de l'admettre, plaisanta Doug, mais une autre librairie pourrait l'avoir…

— Peut-être…

Je jetai un coup d'œil à une horloge, ignorant jusqu'à quelle heure les succursales locales des grandes chaînes restaient ouvertes.

— Euh, Georgina ? commença prudemment Tammi. Je connais un endroit où l'on peut le trouver. Et qui est encore ouvert.

Surprise, je me tournai vers elle.

— C'est vrai ? Où… non. Non. Pas là-bas.

— Je suis désolée. (Ses yeux bleus me suppliaient de lui pardonner ce mauvais tour que me jouait le destin.) Mais nous avions trois exemplaires en stock quand je suis partie. Ils n'ont certainement pas tous été vendus.

Je gémis, me frottant les tempes.

— Je ne peux pas entrer là-bas. Doug, tu veux bien faire une course pour moi ?

— Je dois faire la fermeture, me rappela-t-il. Quel est cet endroit que tu préfères éviter ?

— *Krystal Starz*, le repaire de la « sorcière un peu bizarre »…

— Je n'y mettrais pas les pieds pour tout l'or du monde.

— Pour tout l'or du monde, je ne dis pas, observa Tammi, mais je fais aussi la fermeture. Si cela peut vous rassurer, elle n'y est pas tout le temps.

— C'est vrai, renchérit obligeamment Doug. Elle a sans doute des assistants pour la remplacer quand elle n'est pas de service.

— Sauf s'ils manquent de personnel, marmonnai-je.

Quelle ironie.

Je quittai le magasin et montai dans ma voiture pour le trajet jusqu'à *Krystal Starz*. En roulant, je méditai les deux informations que j'avais glanées aujourd'hui.

D'abord, l'allusion aux nephilim. La Bible du roi Jacques avait mentionné la progéniture des anges, la considérant même comme anormale, mais je n'avais jamais réfléchi aux possibilités que pourraient présenter des enfants mi-ange mi-homme. La note dans la traduction de Terry et Andrea ne m'en avait pas appris beaucoup plus sur de telles créatures, mais avait suffi à faire sauter un verrou dans ma tête. Qui mieux qu'une sorte de demi-dieu bâtard pouvait s'en prendre aussi bien aux anges qu'aux démons ?

Bien sûr, ma découverte des nephilim devait tout au verset qu'Erik m'avait conseillé de lire à propos des anges déchus. Je pouvais très bien perdre mon temps sur une fausse piste pendant que le coupable, un immortel comme les autres – certes instable –, éliminait des représentants des deux camps. Après tout, Carter figurait toujours sur ma liste de suspects et je n'avais pas encore réussi à comprendre pourquoi le tueur en question avait achevé Duane et Lucinda, mais laissé la vie sauve à Hugh.

L'autre donnée du jour, le nouveau billet, ne m'apprenait rien que je ne sache déjà. Je l'avais trouvé trop tard pour en faire un usage préventif. Et si un voyeur me suivait partout, je n'y pouvais pas grand-chose non plus.

Cependant, ce dernier point conduisait à la question évidente : pourquoi cette personne me suivait-elle ? Tout portait à croire que j'étais la seule à bénéficier d'une telle attention, la seule à recevoir de petits mots. Enfin, une vérité qui dérangeait : tous ceux avec qui j'avais eu maille à partir avaient fini par rencontrer notre tueur...

Non loin de *Krystal Starz*, je garai ma voiture dans une rue déserte. À l'insu de Tammi et Doug, je disposais d'une solution toute simple pour affronter Helena. Retirant ma robe et le tee-shirt de Seth – de peur de les absorber dans le processus – je pris l'apparence d'une Thaïlandaise, grande et svelte, vêtue d'une robe en lin. Il m'arrivait d'utiliser ce corps pour chasser.

La librairie New Age semblait calme quand j'entrai ; quelques rares clients feuilletaient des livres. J'aperçus le jeune larbin qui m'avait accueilli lors de ma dernière visite, occupé derrière la caisse et, un bonheur n'arrivant apparemment jamais seul, je ne vis Helena nulle part. Même déguisée, je n'avais aucune envie de croiser cette cinglée.

Souriant au jeune homme derrière le comptoir, j'approchai et demandai où je pourrais trouver mon livre. Répondant à mon sourire par une sorte de grimace béate, – mon corps d'emprunt était réellement canon – il m'escorta dans un rayon de la jungle que constituait leur mystérieux système de classement et dénicha immédiatement l'ouvrage en question. Comme l'avait promis Tammi, la librairie disposait de trois exemplaires.

Retournant à la caisse pour payer, je soupirai de soulagement, pensant que j'allais sortir indemne de cette aventure. Je n'eus pas cette chance. La porte qui donnait sur la salle de conférence s'ouvrit et Helena en surgit, telle une apparition, flottant dans une robe fuchsia et chargée de ses quelque cinq kilos habituels de colliers. Merde. À croire que cette femme possédait réellement une sorte de sixième sens.

— Tout va bien, Roger ? demanda-t-elle à l'employé, utilisant sa voix rauque de manière ostentatoire.

— Oui, oui.

Il agita la tête avec enthousiasme, visiblement ravi qu'elle l'ait appelé par son prénom.

Se tournant vers moi, elle me gratifia d'un de ses sourires de diva.

— Bonjour, ma chère. Comment allez-vous ?

Me souvenant que mon personnage actuel n'avait aucune raison de lui en vouloir, je me forçai à sourire et à répondre poliment.

— Bien, merci.

— Cela ne m'étonne pas, me dit-elle gravement tandis que je tendais mon argent au jeune homme. Je sens des choses vraiment excellentes dans votre aura.

J'écarquillai les yeux avec, je l'espérais, l'admiration mêlée de respect qui sied à un profane.

— Vraiment ?

Elle acquiesça, contente d'avoir trouvé un public réceptif.

— Elle brille très fort, avec beaucoup de couleurs. De bonnes choses vous attendent. (Nous étions bien loin des malheurs qu'elle m'avait promis à *Emerald City*. Apercevant mon livre, elle me regarda attentivement, probablement parce qu'il s'agissait d'un ouvrage académique et complexe, contrairement à la plupart des autres daubes qu'elle vendait.) Vous me surprenez. Je me serais attendue à ce que vous lisiez des livres vous permettant de vous concentrer sur vos dons. De maximiser votre potentiel. J'ai plusieurs titres à vous recommander si cela vous intéresse.

Cette femme n'arrêtait-elle donc jamais de faire l'article ?

— Oh, j'en serais ravie, répondis-je d'une voix mielleuse, mais je n'ai pris que la somme nécessaire pour ça.

J'agitai le sachet qui venait de m'être remis.

— Je comprends, me répondit-elle avec le plus grand sérieux. Mais laissez-moi quand même vous montrer. Comme ça, vous saurez où regarder la prochaine fois.

Indécise, je réfléchis à ce qui me causerait le moins de problème : la suivre ou me disputer de nouveau avec elle dans un autre corps. Remarquant une horloge, je vis que le magasin fermait dans un quart d'heure. Elle ne me ferait perdre que peu de temps.

— D'accord. Allons-y.

Rayonnante, Helena me fit traverser la librairie, une victime de plus tombée sous son emprise. Comme promis, elle m'indiqua des livres expliquant comment utiliser les points forts de son aura, quelques autres sur la canalisation de l'énergie des cristaux, et même une méthode pour apprendre à obtenir les choses que l'on désirait le plus grâce à la visualisation. Ce dernier titre me parut d'une bêtise tellement insoutenable que je dus me retenir pour ne pas me taper la tête contre les murs dans l'espoir de mettre fin à mes souffrances.

— Ne sous-estimez pas le pouvoir de la visualisation, me chuchota-t-elle. Il vous permet de prendre le contrôle de votre destinée, de décider des chemins que vous allez suivre, de fixer vos propres règles et vos propres objectifs. Je sens un fort potentiel en vous, mais en appliquant ces quelques principes simples vous pourrez accomplir tellement plus – tout ce que vous êtes en droit d'attendre d'une vie heureuse et épanouie. Une carrière, une maison, un mari, des enfants…

Spontanément, l'image de la nièce de Seth blottie contre moi me vint à l'esprit et je me détournai précipitamment de Helena. Les succubes ne pouvaient pas avoir d'enfants. Cet avenir-là n'était pas pour moi, avec ou sans ce livre.

— Je dois partir. Merci de votre aide.

— De rien, répondit-elle avec une modestie affectée, me tendant une liste sur laquelle elle avait noté – comme par hasard – les titres et les prix. Et laissez-moi vous donner quelques brochures sur notre programme d'animations et d'événements.

Ça n'en finissait donc jamais… Elle me relâcha enfin, quand elle jugea que j'avais les bras suffisamment chargés de papiers – que je m'empressai de jeter dans la poubelle sur le parking. Dieu que je détestais cette femme. Helena, intarissable reine de l'arnaque, valait-elle mieux que la cinglée enragée qui était venue me rendre une petite visite à *Emerald City* ? Pas évident. Au moins avais-je réussi à me procurer ce fameux livre – c'était tout ce qui comptait.

Sur le chemin du retour, je m'arrêtai chez un de mes Chinois favoris après avoir repris ma forme normale. Le livre de Harrington sous le bras, j'entrai et commandai un poulet du Général Tao. Tout en mangeant, je lus le passage sur les nephilim :

« Les nephilim font leur première apparition dans le livre de la Genèse, chapitre VI, verset 4, où ils sont parfois désignés sous le terme "géants" ou "anges déchus". Quelle que soit la traduction du mot lui-même, l'origine des nephilim apparaît clairement dans ce passage : ils sont la progéniture semi-divine d'anges et de femmes humaines. Ils sont également qualifiés de "puissants" et de "gens de renom". Le reste de la Bible fait rarement référence aux origines des nephilim, mais des rencontres avec des géants ou des hommes "de renom" reviennent fréquemment dans les autres livres, comme le Livre des Nombres, le Deutéronome et le Livre de Josué. Certains ont émis l'hypothèse que la "grande méchanceté" qui a provoqué le Déluge dans le chapitre VI de la Genèse n'était autre que la conséquence de l'influence corruptrice des nephilim sur l'humanité. D'autres textes apocryphes, comme le Livre d'Enoch, décrivent en détail le sort des anges déchus et de leurs familles, expliquant comment les anges corrompus ont enseigné "leurs charmes et leurs enchantements" à leurs femmes pendant que leurs enfants se déchaînaient sur toute la terre, massacrant et causant des dissensions entre les humains. Les nephilim, dotés de grands talents comparables à ceux des héros de la Grèce antique, furent néanmoins maudits par Dieu et négligés par leurs parents, condamnés à errer sur terre jusqu'au jour de leur destruction – pour le bien de l'humanité. »

Je levai la tête. Je me sentais oppressée. Je n'avais jamais entendu parler de ça. J'avais eu raison en affirmant à Erik que les pratiquants étaient les dernières personnes à consulter sur leur propre histoire. Comment ne m'en avait-on pas informée plus tôt ? La progéniture des anges ! Les nephilim existaient-ils vraiment ? En restait-il en vie ? Ou s'agissait-il d'une impasse, une source de distraction, alors que j'aurais dû restreindre mes recherches à des immortels de mon calibre ou d'une envergure supérieure, comme Carter ? Après tout, les nephilim étaient à moitié humains ; ils ne pouvaient certainement pas causer autant de dégâts.

Après avoir payé l'addition, je retournai à ma voiture tout en ouvrant mon biscuit chinois. Il ne contenait aucune prédiction. Charmant. Une pluie légère avait commencé à tomber et je me sentais rattrapée par la fatigue. Rien d'étonnant après les vingt-quatre heures que je venais de vivre.

Je ne trouvai pas de place pour me garer en arrivant dans Queen Anne, signe qu'un événement sportif ou un spectacle devait avoir lieu dans le quartier. Rouspétant, je me garai à sept rues de chez moi, jurant de ne plus jamais louer d'appartement sans garage. Le vent que Seth et moi avions senti plus tôt tombait peu à peu – rien de plus normal, Seattle n'était pas une ville venteuse. Mais la pluie devint plus forte, ne faisant qu'assombrir mon humeur.

À mi-chemin de mon immeuble, j'entendis des pas derrière moi. Je m'arrêtai pour me retourner, mais ne vis rien d'autre que la chaussée glissante reflétant de manière indistincte la lumière des réverbères. Personne. Je m'apprêtais à reprendre ma route quand je décidai d'opter tout simplement pour l'invisibilité. Jerome avait raison : je réfléchissais vraiment trop comme une mortelle.

Mais la rue que j'avais empruntée ne me disait rien qui vaille. Trop déserte. Je devais rejoindre Queen Anne Avenue et parcourir la distance qui me restait en empruntant cette grande artère.

Je venais de tourner au coin quand quelque chose me percuta violemment dans le dos et me projeta deux mètres en avant ; sous l'effet de la surprise, je redevins visible.

J'essayai de me retourner en agitant les bras vers mon agresseur, mais un autre coup m'atteignit à la tête, me sonnant suffisamment pour me faire tomber à genoux. J'avais la sensation d'être frappée par une sorte de bras, mais qui cognait beaucoup plus dur, comme une batte de base-ball. Mon attaquant m'assena un nouveau coup, cette fois sur l'omoplate, et je poussai un cri, espérant que quelqu'un m'entendrait. Un autre coup, à la tête cette fois, m'envoya rouler sur le dos. Je plissai les yeux, essayant de distinguer celui qui m'infligeait une telle correction, mais je parvins à peine à discerner une vague forme noire qui plongeait sur moi, avant d'être sonnée par un coup à la mâchoire. La violence de l'attaque m'empêchait de me relever, et je ne pus ignorer la douleur qui descendait sur moi, plus forte et plus lourde que la pluie.

Soudain, une lumière brillante envahit mon champ de vision – éblouissante à en avoir mal. Mon assaillant sembla partager mon opinion, puisqu'il eut un mouvement de recul et m'abandonna en émettant un cri étrangement aigu. Attirée par quelque force irrésistible, je regardai en direction de la lumière. Une douleur chauffée à blanc me brûla le cerveau, tandis que je contemplais la silhouette qui avançait vers moi : terrible et belle à la fois ; en elle se mêlaient toutes les couleurs, mais aussi leur absence, la lumière blanche et les ténèbres ; ailée et armée d'une épée, elle affichait des traits mouvants et indiscernables. Le cri suivant sortit de ma propre gorge, marquant l'agonie et l'extase provoquées par le spectacle qui venait de me carboniser les sens, bien que je ne puisse plus le voir. Ma vision avait été annihilée par toute cette blancheur jusqu'à ce que tout devienne noir. Je ne voyais plus rien.

Puis vint le silence.

Je restai assise, en sanglots ; mon corps et mon âme me faisaient souffrir. Puis j'entendis des pas et sentis que quelqu'un s'agenouillait à côté de moi. Malgré ma cécité, je savais qu'il ne s'agissait pas de mon agresseur. Ce dernier avait fui depuis longtemps.

— Georgina ? demanda une voix familière.

— Carter, soufflai-je d'une voix pantelante, jetant mes bras autour de son cou.

Chapitre 17

Je me réveillai avec les ronronnements d'Aubrey à l'oreille. Sentant que j'avais repris connaissance, elle s'approcha et me lécha la joue près du lobe, ses moustaches frottant doucement contre ma peau. Ça chatouillait. Me tortillant légèrement, j'ouvris les yeux. À mon grand étonnement, je distinguai de la lumière, des couleurs et des formes – bien que tout cela restât encore flou et déformé.

— Je vois, marmonnai-je à Aubrey, essayant de m'asseoir.

Immédiatement des myriades de douleurs se mirent à hurler dans tout mon corps, faisant de ce simple mouvement un véritable supplice. J'étais étendue sur mon canapé, une vieille couverture en laine jetée sur moi.

— Bien sûr que tu vois, me confirma la voix peu aimable de Jerome. (Aubrey s'enfuit.) Mais que ça te serve de leçon ! Qu'est-ce qui t'a pris de regarder en face un ange dans toute sa splendeur ?

— Sais pas, fis-je, plissant les yeux face à la silhouette vêtue de noir qui faisait les cent pas devant moi. Ce qui m'a pris, je veux dire…

— Cela semble évident.

— Fiche-lui la paix, lança Carter d'une voix laconique, quelque part derrière moi.

Je me redressai et jetai un coup d'œil circulaire. Je distinguai sa forme floue appuyée contre un mur. Peter, Cody et Hugh se tenaient aussi non loin de là. Une vraie réunion de famille – une famille à problèmes, mais tout de même… Je ne pus m'empêcher de rire.

—Et tu étais là, et tu étais là… [1]

Cody vint s'asseoir à côté de moi, ses traits se précisant tandis qu'il se penchait vers mon visage. Avec douceur, il fit glisser un doigt sur une de mes pommettes.

—Qu'est-ce qui t'est arrivé ? demanda-t-il en fronçant les sourcils.

Je redevins sérieuse.

—C'est si moche que ça ?

—Non, mentit-il. Hugh était dans un état bien pire.

À l'autre bout de la pièce, le démon fit un vague bruit en guise de confirmation.

—Je sais déjà ce qui s'est passé, le coupa sèchement Jerome. (Je n'avais pas besoin de voir le visage de l'archidémon pour savoir qu'il me regardait avec colère.) Ce que j'ai du mal à comprendre, c'est *pourquoi* c'est arrivé. As-tu simplement essayé de te mettre dans la situation la plus dangereuse possible ? Voyons voir… une ruelle sombre… personne aux alentours… Ce genre de choses ?

—Non, protestai-je. Je ne pensais à rien de tout ça. Je n'avais qu'une chose en tête : rentrer chez moi.

Je leur contai les événements de la soirée du mieux que je pouvais, commençant par les bruits de pas et concluant avec l'arrivée de Carter.

Quand j'eus terminé, Hugh s'installa dans un fauteuil en face de moi, l'air songeur.

—Des pauses…

—Quoi ?

—De la manière dont tu as raconté l'agression… on t'a frappée, puis une pause, puis un autre coup, et encore une pause, et ainsi de suite. C'est bien ça ?

—Oui et alors ? Qu'est-ce que j'en sais ? C'est pas comme ça qu'on doit se battre ? Tu cognes, tu recules, tu te prépares pour le suivant… En plus, on parle d'interruptions qui n'ont pas dû durer plus d'une seconde ou deux. Pas vraiment le temps de souffler…

---

1. Référence au réveil de Dorothy dans le film *Le Magicien d'Oz*, scène où elle montre chaque personne présente du doigt en lui disant qu'elle était présente dans son « rêve ». (*NdT*)

— Ça ne ressemble pas du tout à mon agression. C'était un déluge de coups – ininterrompu. On m'a tailladé aussi. Ça défiait l'entendement. Clairement une origine surnaturelle.

— Eh bien, dans mon cas aussi, tu peux me croire. Je ne pouvais pas me défendre. Ce n'est pas l'œuvre d'un mortel qui a essayé de me faucher mon sac à main, si c'est ce que tu suggères.

Hugh se contenta de hausser les épaules.

Le silence tomba et je lançai au démon un regard complice – autant que me l'autorisait ma vue limitée.

— Ils se regardent d'un air entendu, pas vrai ?

— Qui ?

— Carter et Jerome. Je le sens. (Je me tournai vers Carter, me demandant si mon expédition chez *Krystal Starz* n'avait servi à rien.) Tu n'aurais pas ramassé le sachet que j'avais avec moi, par hasard ?

L'ange alla récupérer ledit sachet sur le plan de travail de ma cuisine et me le lança. N'ayant pas encore recouvré ma perception de la profondeur, je le manquai et il rebondit sur le canapé avant d'atterrir sur le sol. Le livre en glissa. Jerome se hâta de le saisir et lut le titre.

— Merde, Georgie ! C'est pour ça que tu rôdais dans les ruelles mal famées ? C'est pour ça que tu as failli te faire tuer ? Je t'avais pourtant ordonné de laisser tomber ton enquête sur le chasseur de vampires…

— Oh pitié ! cria Cody, prenant ma défense. Plus personne n'y croit. On sait tous que c'est un ange…

— Un ange ? se moqua Jerome.

Le démon semblait avoir du mal à contenir son amusement.

— Aucun mortel ne m'a mise dans cet état, ajoutai-je vivement. Et c'est aussi vrai pour Hugh. Ou pour Lucinda. Ou pour Duane. C'était un nephilim.

— Un Nephi-quoi ? demanda Hugh, étonné.

— C'est pas un personnage de *Sesame Street* ? intervint Peter pour la première fois.

Jerome me regarda en silence pendant un moment, puis finit par me demander :

— Qui t'a parlé de ça ? (Sans attendre ma réponse, il se tourna vers l'ange.) Tu sais que tu n'es pas censé…

— Je n'y suis pour rien, rétorqua doucement Carter. Je pense qu'elle a trouvé ça toute seule. Tu sous-estimes tes propres troupes…

— Je me suis débrouillée seule, mais on m'a aidée.

J'énumérai brièvement la série d'indices, comment chaque étape avait mené à la suivante, de ma conversation avec Erik jusqu'au livre acheté chez *Krystal Starz*.

— Merde, gronda Jerome après avoir écouté mon laïus. Tu n'as pas pu t'empêcher de jouer les Nancy Drew.

— D'accord, fit Peter. Tout cela est passionnant, mais tu ne nous as toujours pas expliqué ce qu'était un nephitruc.

— Nephilim, rectifiai-je. (Je lançai un regard interrogateur à Jerome.) Je peux ?

— Tu me demandes la permission ? Comme c'est original.

Interprétant cela comme un consentement, je commençai avec hésitation.

— Les nephilim sont la progéniture d'anges et d'humains. Comme dans ce passage de la Genèse. Où des anges déchus ont pris des femmes humaines, tu vois ? Les nephilim sont le résultat de ces unions. Ils possèdent certains pouvoirs… Je ne les connais pas tous… une grande force… comme les héros de la Grèce antique…

— Ou comme des casse-pieds de première, ajouta amèrement Jerome. N'oublie pas cette partie de l'histoire.

— Comment ça ? demanda Hugh.

Voyant que Jerome n'avait pas l'intention d'en dire plus, je poursuivis.

— Eh bien, d'après ce que j'ai lu, ils massacraient les humains et causaient de graves dissensions entre eux.

— Oui, mais notre chasseur ne s'attaque pas à des mortels, fit remarquer Peter.

Carter haussa les épaules.

— Ils sont imprévisibles. Ils ne respectent aucune loi, exceptée la leur, et franchement, nous ne savons pas quelles sont les intentions de celui-là. Il joue un jeu, c'est notre unique certitude. Avec ses agressions sur des immortels pris au hasard et ce billet qu'il a envoyé à Georgina…

— Ces billets – au pluriel. J'en ai reçu un juste avant la mort de Lucinda, mais comme j'ai passé la nuit avec Seth, je n'en ai pris connaissance que le lendemain.

Hugh et les vampires se tournèrent vers moi.

— Tu as passé toute la nuit avec Seth ? s'étonna Cody.

— C'est lequel, celui-là ? demanda Hugh.

— L'écrivain, précisa Peter.

Le démon me considéra avec un intérêt renouvelé.

— Et qu'est-ce que vous avez fait « toute la nuit » ?

— Pourrions-nous reporter à plus tard cette discussion, sans nul doute fascinante, sur la vie amoureuse de Georgina ? (Jerome me lança un regard spéculatif.) À moins, bien entendu, que ce Seth soit un individu à la moralité irréprochable dont tu envisages de voler l'énergie vitale afin de supporter la cause et les ambitions du mal en ce monde.

— La réponse est oui pour la première partie de la proposition, non pour le reste.

— Et merde ! J'ai besoin d'un verre.

— Sers-toi.

Jerome alla fouiller dans mon bar.

— Alors, comment est-ce qu'on le repère, ce nephilim ? demanda Cody, recentrant le débat.

Je jetai un coup d'œil hésitant à Carter et Jerome. Je ne savais rien des détails techniques.

— C'est impossible, annonça l'ange avec entrain.

— Cela signifie qu'il peut, lui aussi, masquer sa signature. Comme les immortels de haut rang.

Carter acquiesça de la tête.

— Oui, ils bénéficient des pires caractéristiques de leurs deux parents. Une grande force et des aptitudes pseudo-angéliques, mélangées avec un esprit de rébellion, un amour du monde matériel et une piètre maîtrise de leurs impulsions.

— De quelle force disposent-ils ? voulus-je savoir. Ils sont à moitié humains, n'est-ce pas ? Alors, la moitié de celle d'un ange ?

— C'est le hic. (Jerome semblait de bien meilleure humeur avec un verre de vin à la main.) Cela varie énormément, de même que chaque ange possède un degré de force différent. Une chose est claire, cependant : les nephilim héritent de bien plus de la moitié de la puissance de leur parent, bien qu'ils ne puissent jamais la dépasser. C'est déjà largement suffisant et c'est la raison pour laquelle j'ai essayé de vous faire entendre raison pour que vous vous teniez tous à l'écart. Un nephilim ne ferait qu'une bouchée de n'importe lequel d'entre vous.

— Mais pas de l'un d'entre *vous* ?

Peter prononça ces mots comme s'il s'agissait d'une affirmation, plus que d'une question, malgré la note d'incertitude qui subsistait dans sa voix.

Ni l'ange ni le démon ne répondirent, et une autre pièce du puzzle se mit en place dans mon esprit.

— C'est pour ça que vous vous baladez, Carter et toi, en masquant vos signatures. Vous vous cachez aussi de lui.

— Nous ne faisons que prendre les précautions qui s'imposent, protesta Jerome.

— Il s'est sauvé devant toi, rappelai-je à Carter. Tu devais être plus fort que lui.

— Probablement, admit-il. Comme tu étais ma priorité, j'avoue que je n'ai pas eu le temps de bien le sonder. Un ange dans toute sa splendeur est capable de faire perdre les pédales à la plupart des créatures – sa vision peut tuer un mortel –, alors j'étais peut-être le plus fort, mais ce n'est pas sûr. Difficile à dire.

Sa réponse ne me plaisait pas. Pas du tout.

— Qu'est-ce que tu faisais là, d'ailleurs ?

Le sourire sarcastique si caractéristique de l'ange refit son apparition.

— Qu'est-ce que tu crois ? Je te filais.

Je bondis.

— Quoi ? Alors l'autre jour, chez Erik…

— J'en ai peur.

— Mon Dieu, s'exclama Peter, ébahi. Tu avais raison depuis le début, Georgina. En tout cas concernant Carter qui te suivait…

Je me sentis à moitié disculpée, même s'il semblait évident que Carter n'avait plus sa place sur ma liste de suspects. Hugh avait vu juste en me reprochant d'être de parti pris. J'avais voulu faire de Carter le responsable de ces attaques dans le seul but de me venger de ses sempiternelles moqueries à mon égard. Après son intervention opportune dans la ruelle, je ne savais plus trop quoi penser.

—Après avoir compris que ce premier billet provenait probablement de ce nephilim, expliqua Carter, j'ai pensé qu'il serait prudent de garder un œil sur toi puisque tu paraissais intéresser tout particulièrement notre ami. Mon intention était de le – ou la – prendre par surprise, pas de te venir en aide – bien que je sois ravi d'avoir pu le faire. En plus, ce jour-là, chez Erik…

Il regarda en direction de Jerome. Le démon leva les bras au ciel.

—Bien sûr! Pourquoi pas? Dis-leur tout. Ils en savent déjà trop…

—Chez Erik? lui soufflai-je.

—Cette créature, ce nephilim… (Carter s'interrompit, pensivement.) Il semble étonnamment bien informé sur nous et sur la communauté des immortels.

—Eh bien… c'est comme tu nous l'avais expliqué, n'est-ce pas? demanda Peter. Ce nephilim trouve l'un d'entre nous et le suit, ce qui le mène aux autres.

—Non. Enfin si, c'est possible, mais tout semble indiquer que notre tueur en sait bien plus que ce que pourrait lui apprendre une simple surveillance…

—Bon sang! explosa Jerome. Si tu as décidé de tout leur dire, n'y va pas par quatre chemins. Arrête de parler par énigmes. (L'archidémon se tourna vers nous.) Le nephilim a un complice parmi nous. Quelqu'un qui lui fournit des informations sur la communauté des immortels.

Cody saisit son insinuation en même temps que moi.

—Tu crois qu'il s'agit d'Erik.

—C'est notre principal suspect, admit Carter d'un air contrit. Il est là depuis des décennies et il a le don de sentir les immortels.

—Quand je pense à tout le bien qu'il dit de toi, murmurai-je, atterrée. Eh bien, vous vous trompez. Ce n'est pas lui. Pas Erik.

—Ne monte pas sur tes grands chevaux, Georgie. Il n'est pas notre seule piste, juste la plus probable.

—Et ça ne me fait pas plus plaisir qu'à toi, ajouta l'ange. Mais nous ne pouvons écarter aucune hypothèse. Nous devons neutraliser la menace que constitue ce nephilim le plus tôt possible. Il échappe à tout contrôle. D'autres que nous vont bientôt s'en mêler et cette perspective ne nous enchante pas vraiment.

—Alors pourquoi ne pas nous laisser vous aider? criai-je. Pourquoi tous ces secrets?

—Tu es sourde ou quoi? Pour vous protéger! Cette créature a le pouvoir de vous rayer de la surface de la planète!

Jerome engloutit le reste de son gin d'une seule traite.

Je n'y croyais pas. Notre sécurité n'était pas l'unique enjeu. Jerome nous cachait encore quelque chose.

—Oui, mais…

—La réunion de comité est terminée, me coupa-t-il sur un ton glacial. Vous voulez bien tous nous excuser? Je dois parler à Georgina – en privé.

Oh, merde. Je lançai des regards désespérés à mes amis, espérant les voir rester et me défendre, mais ils s'éclipsèrent sans demander leur reste. *Bande de lâches.* Aucun d'eux n'osait contredire Jerome quand il prenait cette voix. Bon, c'est vrai, à leur place j'en aurais fait autant.

Je notai que Carter n'avait pas quitté la pièce. Apparemment, l'instruction ne lui était pas adressée.

—Georgie, commença prudemment Jerome, une fois les autres partis, toi et moi semblons en conflit de plus en plus souvent, ces derniers temps. Je n'aime pas ça.

—Je n'appellerais pas ça des « conflits », fis-je remarquer, mal à l'aise au souvenir de sa démonstration de force à l'hôpital et de sa menace de me cacher dans un « endroit commode ». Plutôt des divergences d'opinions.

—Ces divergences pourraient te coûter la vie.

—Jerome, tu ne vas tout de même pas essayer de me faire croire que…

—Ça suffit.

Sa puissance me frappa, me projetant en arrière sur le canapé – j'eus l'impression d'être subitement entrée en collision avec un mur. Un peu le même effet que ces attractions dans les parcs du même nom, où les gens se tiennent sur les côtés d'une salle circulaire qui tourne de plus en plus vite, jusqu'à ce que la force d'inertie immobilise les membres de chacun contre le mur. Le moindre geste me faisait souffrir le martyre. Le simple fait de respirer nécessitait un effort de ma part. Je me sentais comme Atlas, portant le poids du monde sur ses épaules.

La voix de Jerome tonna dans ma tête et je me recroquevillai sous l'assaut, bien qu'une petite part courageuse en moi le maudisse d'utiliser ce genre de truc minable.

Tu vas m'écouter attentivement, sans constamment m'interrompre. Tu dois arrêter de fourrer ton nez partout. Tu ne réussiras qu'à attirer encore plus l'attention sur toi et ce nephilim ne t'en accorde déjà que trop à mon goût. Je n'ai besoin ni ne veux d'un nouveau succube. Je me suis habitué à toi, Georgina. Je ne veux pas te perdre. Mais je fais sans doute preuve à ton égard de plus d'indulgence que je ne le devrais. Je te passe des choses qu'aucun autre archidémon ne permettrait. Cela ne m'a pas dérangé jusqu'à aujourd'hui, mais les choses peuvent changer – en particulier si tu continues à te montrer rebelle à mon autorité. Rien ne m'empêche de te faire transférer ailleurs, loin de cette confortable illusion de vie normale que tu entretiens. Ou alors, je peux faire venir Lilith et lui faire un compte-rendu de ta conduite de vive voix. Je suis persuadé qu'elle sera ravie de refaire ton éducation.

Mon cœur s'arrêta de battre à la mention de la Reine des Succubes. Je ne l'avais rencontrée qu'une fois, quand j'avais rejoint les rangs de ses sujets. Cette rencontre, qui m'avait fait un peu le même effet que la vision de Carter dans toute sa splendeur, ne constituait pas une expérience que j'étais impatiente de réitérer.

—*Me suis-je bien fait comprendre ?*

—Oui…

—*Tu en es sûre ?*

Il accentua la pression et je dus faire appel à toutes mes forces pour faire oui de la tête. Les grilles de la cage psychique s'ouvrirent brusquement et je m'effondrai en avant, respirant à fond. Je sentais encore les endroits où son pouvoir m'avait touché, un peu comme la version tactile de l'effet de rémanence obtenu avec le flash d'un appareil photo.

—Je suis content que tu comprennes enfin, même si je suis persuadé que tu comprendras également que je ne te fais qu'à moitié confiance. Après tout, c'est dans la nature de notre camp…

— Tu… tu vas quand même me cacher ailleurs ?

Il eut un petit rire – menaçant.

— Non. Pas pour l'instant du moins. Franchement, je pense que tu as simplement besoin d'être surveillée un peu afin de t'éviter des ennuis. Par ailleurs, je ne suis pas entièrement convaincu que le nephilim en ait fini avec toi.

Je me retins de répliquer – ma peau me brûlait encore.

— J'aurais bien confié cette mission à l'un de tes amis, mais je ne doute pas un seul instant que tu sois capable de les mener par le bout du nez. Non, il te faut un baby-sitter que tu ne pourras pas influencer et qui saura résister à tes charmes.

— Mes charmes ? Qui alors ? (L'espace d'une minute, je crus qu'il parlait de lui-même, puis je remarquai le sourire suffisant de Carter. Bon Dieu !) Tu n'es pas sérieux ?

— Ainsi tu ne t'écarteras pas du droit chemin. Et en plus, tu resteras en vie.

— Tu es pratiquement notre meilleure piste pour le moment, expliqua Carter. Ce nephilim s'intéresse à toi, même si son intérêt, qui se manifestait jusque-là par des mots doux, semble à présent se traduire par des coups.

— Carter sera prêt à intervenir si le nephilim essaie de finir ce qu'il a interrompu. Il peut aussi protéger ton appartement des regards indiscrets.

— Mais il va sentir sa présence quand nous sortirons, me défendis-je mollement.

— Pas plus que tu ne peux le faire en ce moment, me rappela Carter. Et je serai invisible. Un fantôme à tes côtés. Un ange sur ton épaule, si tu préfères. Tu ne remarqueras même pas que je suis là.

— Je t'en supplie, Jerome, tu ne peux pas me faire ça.

— Ma décision est prise. À moins, bien sûr, que tu veuilles que j'aie une petite discussion avec Lilith ? (Qu'il aille au diable. La menace de Lilith l'emportait sur tout le reste et il le savait.) Très bien. Si nous en avons terminé, je vais prendre congé et vous laisser vous installer. (Jerome nous regarda l'un après l'autre, ses yeux noirs s'attardant sur moi un moment.) Oh, à propos : tu ferais bien de jeter un coup d'œil dans un miroir à l'occasion.

Je me renfrognai, songeant au regard insistant de Cody sur mes blessures.

— Merci de me le rappeler.

— Tu es un succube, ne l'oublie pas. Ces bleus attestent que tu te comportes toujours comme une mortelle. Ce que tu n'es plus. Tu ne peux pas éviter de ressentir la douleur, mais rien ne t'oblige à en conserver les marques.

Sur ces mots, le démon disparut en un clin d'œil, laissant dans son sillage une légère odeur de soufre – pure mise en scène, à mon avis.

— Alors, je dors sur le canapé ? me demanda Carter avec entrain.

— Va te faire voir !

Je quittai la pièce afin de voir mon reflet dans une glace.

— Ce n'est pas une façon très sympathique de traiter ton nouveau colocataire.

— Je ne t'ai pas demandé de…

Je m'arrêtai à mi-chemin dans le couloir. Ces deux dernières semaines, j'avais soupçonné Carter de meurtre et d'autres choses épouvantables ; j'avais passé la moitié du siècle précédent à le détester en tant que personne. Pourtant il venait de me sauver la vie et je ne l'avais même pas remercié.

Je me tournai vers lui, appréhendant ce que j'allais devoir lui dire.

— Je suis désolée.

Il afficha une expression similaire à celle de Jerome lorsque, quelques instants plus tôt, je lui avais demandé sa permission.

— Vraiment ? Juste pour ce qui vient de se passer ?

— Pour ne pas t'avoir dit merci plus tôt. Pour m'avoir sauvée. Je ne suis pas particulièrement ravie que tu viennes habiter chez moi, mais je te suis reconnaissante de ce que tu as fait pour moi. Et je m'excuse aussi… pour toutes les fois où je n'ai pas été très gentille avec toi.

Le visage de l'ange était indéchiffrable.

— Content d'avoir pu rendre service.

Ne sachant plus quoi dire, je me retournai et continuai à marcher.

— Qu'est-ce que tu vas faire ? demanda-t-il.

Je marquai de nouveau un temps d'arrêt.

— Estimer l'étendue des dégâts et ensuite dormir. Je suis fatiguée et j'ai mal partout.

— Quoi ? Pas de soirée entre copines avec changement de look et pop-corn ?

— Ne le prends pas mal, mais tu aurais bien besoin d'un changement de look. Tu ressembles à un réfugié. Pourquoi… (J'avalai ma salive et reformulai ma pensée en l'étudiant.) Quand je t'ai vu dans la ruelle, tu étais… tu étais tellement beau. Je n'avais jamais rien vu d'aussi beau.

Ma voix s'était transformée en murmure.

Le visage de Carter devint grave.

— Jerome est pareil, tu sais. Sous sa véritable apparence. Tout aussi beau. Les anges et les démons proviennent de la même souche. C'est lui qui a choisi de ressembler à John Cusack.

— Mais pourquoi ? Pourquoi fait-il cela ? Et pourquoi choisis-tu de ressembler à un clodo ou à un junkie ?

Les commissures des lèvres de l'ange s'arquèrent légèrement vers le haut.

— Pourquoi une femme qui prétend vouloir éviter l'attention des hommes bien décide-t-elle d'adopter une apparence qui provoque chez tous ceux qui l'entourent la réaction exactement inverse ?

Je déglutis de nouveau, perdue dans les vastes étendues de ses yeux, mais pas de la même façon qu'avec Roman ou Seth. J'avais plutôt le sentiment que l'ange avait le pouvoir de regarder au plus profond de moi, derrière toutes mes façades, jusqu'à mon âme ou ce qui en restait.

Avec un grand effort, je réussis à me soustraire à son regard insistant et à repartir vers ma chambre.

— Aucune punition ne dure pour l'éternité, me lança-t-il avec douceur.

— Ah bon ? Ce n'est pourtant pas ce qu'on m'a dit. Bonne nuit.

J'entrai dans ma chambre et fermai la porte derrière moi. Juste avant qu'elle se referme avec un bruit sec, j'entendis Carter demander :

— Bon, alors qui prépare le petit déjeuner ?

Chapitre 18

Vers 10 heures du matin, le téléphone m'éjecta brusquement d'un rêve où il était question de méduses et de glace à la menthe aux pépites de chocolat. Roulant sur moi-même, je décrochai, découvrant par la même occasion que j'avais beaucoup moins mal que la nuit dernière. Les immortels se remettent vite.

— Allô ?

— Salut, c'est Seth.

Seth ! Les événements de la veille me revinrent subitement à l'esprit. La fête d'anniversaire. La crème glacée. Le parfum. Je me demandai de nouveau avec qui il avait bien pu avoir rendez-vous après m'avoir déposée à la librairie.

— Salut, lançai-je en m'asseyant. Comment ça va ?

— Pas mal. Je suis… euh… je me trouve à *Emerald City* et comme je ne vous voyais pas arriver… ils m'ont dit que c'était votre jour de repos.

— Oui. Je serai là demain.

— D'accord. Qu'est-ce que vous diriez d'aller déjeuner ensemble ? Ou alors on pourrait se faire une toile ? À moins que vous ayez d'autres projets…

— Non… pas exactement…

Je me mordis la lèvre, retenant l'acceptation qui ne demandait qu'à sortir de ma bouche.

Je ressentais toujours cette attirance étrange et inexplicable, ce sentiment de familiarité rassurant, quand je me trouvais avec

Seth. J'aurais beaucoup aimé passer plus de temps avec lui, mais j'avais déjà essayé de marcher sur la corde raide qui sépare l'amitié de l'amour avec Roman et j'avais vu le résultat. Mieux valait ne rien commencer avec Seth, malgré mes désirs. Et puis je n'oubliais pas mon angélique garde du corps. Je n'avais pas envie de l'avoir sur les talons. Je préférais confiner Carter dans mon appartement aussi longtemps que possible.

—Mais je suis malade.

—Vraiment ? Je suis désolé.

—Oui, vous savez... je me sens juste complètement à plat. (Pas entièrement un mensonge.) Je n'ai pas envie de sortir aujourd'hui.

—Oh. D'accord. Avez-vous besoin de quoi que ce soit ? Je peux vous apporter à manger, si vous voulez...

—Non... non..., m'empressai-je de le décourager, chassant de ma tête l'image d'un Seth me donnant de la soupe de poulet à la cuiller pendant que je me prélassais en pyjama sexy. (Bon sang. Ça allait être encore plus dur que je l'imaginais.) Vous n'avez pas à vous occuper de moi. Mais merci quand même.

—Ça ne me dérange pas. Je veux dire, pas de problème.

—Si mon état n'empire pas, je devrais revenir travailler demain. On se verra à ce moment-là. On prendra un café – enfin, un café pour moi, vous pourrez vous contenter de regarder.

—D'accord. Ça me va – juste regarder. Vous permettez que je vous appelle plus tard ? Pour m'assurer que vous allez bien ?

—Bien sûr.

Je ne risquais rien au téléphone.

—OK. Si vous avez besoin de quoi que ce soit d'ici là...

—Je sais où vous joindre.

Après avoir pris congé, je raccrochai et sautai hors du lit pour voir ce que mijotait Carter ce matin. Je trouvai l'ange assis sur un tabouret dans la cuisine, offrant de la saucisse à Aubrey d'une main tandis qu'il tenait une sorte de sandwich en guise de petit déjeuner dans l'autre. Un énorme sachet McDonald's était posé à côté de lui sur le plan de travail.

—J'ai préparé le petit déjeuner, m'annonça-t-il, les yeux toujours rivés sur Aubrey.

—Ne lui donne pas ça, le réprimandai-je. C'est mauvais pour elle.

—Les chats ne mangent pas des croquettes dans la nature.

—Aubrey ne survivrait pas une seconde dans la nature.

Je lui grattai la tête, mais elle semblait plus intéressée à se pourlécher ses babines pleines de graisse. Ouvrant le sachet, je découvris un assortiment de sandwichs et des galettes de pommes de terre râpées et sautées.

—Je ne savais pas ce que tu aimais, expliqua Carter alors que je sortais un McMuffin bacon et œuf.

Je mordis dedans, fondant devant un tel délice, heureuse que les kilos en trop et le cholestérol restent des problèmes qui ne me concernaient pas.

—Attends un peu. Tu es vraiment allé chez McDo ?

—Tout juste.

J'avalai la nourriture.

—Tu es parti ? Comme ça ?

—Oui.

—Tu parles d'un garde du corps ! Et si le nephilim était revenu pour me régler mon compte ?

Il me dévisagea et haussa les épaules.

—Tu m'as l'air en forme.

—Tu n'es pas très doué pour ce job.

—Qui a appelé ?

—Seth.

—L'auteur ?

—Oui. Il voulait qu'on sorte ensemble aujourd'hui. Je lui ai répondu que j'étais malade.

—Le pauvre. Tu lui brises le cœur.

—Je préfère ça.

Je finis le sandwich et plongeai la main dans le sachet pour un deuxième service. Aubrey me lança un regard plein d'espoir.

—Alors, quel est le programme ?

—Rien du tout. En tout cas, je ne mets pas le nez dehors, si c'est ce que tu demandes.

—Ce n'est pas comme ça que tu vas attirer l'attention du nephilim. (Il regarda l'appartement autour de lui et fit une grimace quand je ne réagis pas.) La journée promet d'être longue, dans ce cas. J'espère que tu reçois au moins la télé par câble.

Le reste de la matinée s'écoula pour chacun de nous plus ou moins à l'écart de l'autre. Je l'autorisai à utiliser mon ordinateur portable et il se prit au jeu des enchères sur eBay. Que pouvait-il bien chercher ? Je n'en avais pas la moindre idée. Quant à moi, je décidai de garder mon pyjama, passant simplement un peignoir par-dessus et estimant que ça ferait l'affaire. J'essayai de joindre Roman au téléphone, sachant que je devrais bien finir par me décider à l'affronter, mais ne réussis qu'à lui laisser un message. Je raccrochai avec un soupir, puis me réfugiai sur le canapé en compagnie d'un livre que Seth m'avait recommandé dans l'un de ses e-mails.

Au moment où, pensant enfin avoir récupéré de mon copieux petit déjeuner, je commençais à réfléchir au repas de midi, Carter leva soudain la tête de derrière l'écran de l'ordinateur, tel un chien de chasse reniflant le vent.

— Il faut que j'y aille, m'annonça-t-il brusquement en se levant.

— Quoi ? Comment ça ?

— Je sens la signature du nephilim.

Je me redressai subitement.

— Hein ? Où ça ?

— Pas ici.

Et sur ces mots, il disparut.

Je regardai avec inquiétude autour de moi. Alors que plus tôt j'avais trouvé sa présence étouffante, sa brusque disparition sembla creuser un grand vide dans mon environnement. Je me sentais exposée. Vulnérable. Quand il ne donna pas signe de vie au bout de quelques minutes, je tentai en vain de me replonger dans mon livre, mais je laissai tomber après avoir lu cinq fois la même phrase.

Comme j'avais toujours faim, je commandai une pizza, assez grande pour moi et Carter – quand il reviendrait. Pas vraiment brillante comme idée, puisque j'allais devoir ouvrir ma porte. Quand vint ce moment, je m'attendais à trouver une armée de nephilim de l'autre côté. Au lieu de cela, j'eus droit à un livreur qui donnait l'impression de s'ennuyer ferme et me réclamait 15,07 dollars.

Je mâchonnai ma pizza tout en essayant vainement de trouver quelque chose de potable à regarder à la télévision. J'allumai mon ordinateur portable, relevai mes e-mails et découvris que Seth m'avait envoyé un message amusant, bien plus éloquent que notre conversation matinale – comme d'habitude. Cela ne me procura qu'une distraction temporaire et je me préparais à ouvrir ma boîte de peinture par numéros quand Carter réapparut subitement dans mon séjour.

— Qu'est-ce qui s'est passé ? Où étais-tu ?

L'ange me dévisagea avec un sourire tranquille et plein d'ironie.

— Doucement, voyons ! On ne t'a jamais appris à respecter la bulle de confort de l'autre dans une relation ? C'était dans ce bouquin que tu as préféré ignorer...

— Laisse tomber. Tu n'as pas le droit de dire que tu sens la signature du nephilim et de simplement disparaître ensuite.

— En fait si, j'ai le droit. J'en ai même le devoir. (Il s'empara d'une part de pizza froide et mordit dedans à belles dents. Avalant, il poursuivit :) Ce nephilim a un sens de l'humour vraiment tordu. De temps à autre, il tombe le masque... il s'exhibe devant nous en quelque sorte. Cette fois, ça venait de l'ouest de la ville.

— Tu réussis à le détecter d'aussi loin.

— Oui, et Jerome aussi. Pas moyen d'attraper ce fumier, mais nous sommes obligés de vérifier chaque fois. Il nous donne du fil à retordre.

Je mesurai pleinement les implications de ce qu'il venait de m'apprendre.

— Alors comme ça, tu m'abandonnes ? Et si jamais c'est un piège ? Genre, il s'exhibe à l'autre bout de la ville et se téléporte chez moi pendant que tous les yeux sont tournés ailleurs ?

— Il ne peut pas se « téléporter », comme tu dis. Les nephilim ne se déplacent pas comme les immortels de haut rang ; heureusement pour nous, ils sont soumis aux mêmes limites que toi. Il lui faudrait emprunter une voiture pour venir jusqu'ici, comme le commun des mortels – pas vraiment un moyen rapide de parvenir jusqu'à toi. Tu es protégée par des kilomètres de bouchons.

— C'est vraiment bizarre.

— Souviens-toi, ils sont imprévisibles. Ils aiment enfreindre les règles, secouer un peu le *statu quo* juste pour voir quelle sera notre réaction.

— Vraiment bizarre, répétai-je. Est-ce qu'il sait au moins que tu es là ? Que tu laisses tout tomber pour accourir à la moindre alerte ?

— Si le nephilim est suffisamment proche, il est capable de sentir la téléportation, mais rien d'autre. Tant que nous masquons nos signatures, notre identité, notre force et toutes nos autres caractéristiques restent cachées. S'il rôde dans le coin, il sait donc que deux immortels de haut rang sont venus jeter un coup d'œil, mais pas beaucoup plus.

— Et il se contente de regarder et d'attendre, conclus-je. C'est vraiment tordu. Bon Dieu, il nous pourrit la vie.

— Je ne te le fais pas dire. Ils « n'entrent pas sans violence dans cette bonne nuit »...

Je clignai des yeux à cette référence poétique [1].

— Attends... c'est ce qui va se passer ? Tu vas tuer ou détruire... euh... cette créature ?

Carter pencha la tête vers moi avec curiosité.

— Qu'est-ce que tu croyais ? Qu'il allait prendre dix ans avec liberté conditionnelle pour bonne conduite ?

— Je... je l'ignore. Je me disais juste... ouah. Je ne sais pas. C'est ton truc, le châtiment et tout ça ? Je veux dire, pour un gars comme toi, vaincre le mal c'est un peu la routine, non ?

— Nous « châtions », comme tu le dis si bien, quand nous n'avons pas le choix. Nous préférons laisser cela aux démons. En fait, Nanette s'est même proposé de venir nous donner un coup de main et nous débarrasser du nephilim, se remémora-t-il, se référant à l'archidémone de Portland. Mais j'ai promis à Jerome de l'aider.

— Jerome ne voulait pas s'en charger lui-même ?

— Comment refuser une main tendue si généreusement offerte ? me demanda-t-il, répondant à ma question par une autre question – pas vraiment satisfaisant comme réponse. (En y repensant, il rit doucement.) Mais j'oublie que la belle Georgina n'hésite pas à se risquer là où les anges eux-mêmes ont peur de s'aventurer.

1. Titre d'un poème de Dylan Thomas. (*NdT*)

— Ça va, ça va. Je connais le proverbe [1]. (Je me levai en m'étirant.) En attendant, j'ai eu ma dose de sensations fortes et je crois que je vais prendre un bain.

— Ouah. La dure vie de succube... J'aimerais avoir ton job.

— Je te signale que notre camp recrute. Mais tu n'as pas vraiment le physique de l'emploi pour devenir incube. Et tu n'es pas assez charmeur.

— Faux. D'ailleurs les femmes préfèrent les abrutis. Je le constate tous les jours.

— Touché.

Je le laissai et, après avoir pris mon bain, renonçai enfin à mon pyjama au profit d'un jean et d'un tee-shirt. Je retournai au séjour, allumai la télévision au moment où débutait *African Queen*. Carter referma le portable et regarda avec moi. J'avais toujours aimé Katharine Hepburn, mais je ne pouvais pas m'empêcher de penser à quel point cette journée s'annonçait ennuyeuse. Éviter de sortir ne m'avancerait pas à grand-chose, puisque je devrais traîner Carter avec moi à mon travail dès demain. Mon enfermement volontaire ne faisait que retarder l'inévitable. Autant mettre un terme à cet isolement dès maintenant. J'allais proposer à Carter de sortir pour dîner après le film, quand il se leva brusquement, de nouveau alerté par la signature du nephilim.

— Deux fois le même jour ?

— Ça arrive.

— Où ça ?

— Lynnwood.

— Il a la bougeotte.

Mais je parlais dans le vide ; Carter s'était envolé en fumée. Avec un soupir, je retournai à mon film, me sentant un peu rassurée après l'explication de l'ange. Le nephilim faisait les quatre cents coups à Lynnwood, au grand dam de Jerome et Carter. L'heure approchait, où les gens quitteraient leur travail pour rentrer chez eux, et Lynnwood n'était pas la porte à côté. Aucun nephilim ne parviendrait à revenir

1. Dans le texte original : « *Fools rush in where angels fear to tread* », soit littéralement : « Seuls les imbéciles se risquent là où les anges eux-mêmes ont peur de s'aventurer. » (*NdT*)

plus vite que l'ange. Comme l'avait souligné Carter, j'étais en sécurité pour l'instant et n'avais aucune raison de céder à la panique.

Et pourtant, je faillis sauter au plafond quand j'entendis le téléphone sonner, quelques minutes plus tard. Avec une certaine nervosité, je décrochai, imaginant qu'un nephilim allait subitement surgir du combiné.

— Allô ?

— Salut. C'est encore moi.

— Seth. Salut.

— J'espère que je ne vous dérange pas. Je voulais juste m'assurer que vous alliez bien...

— Ça va mieux, lui dis-je sincèrement. J'ai apprécié votre e-mail.

— C'est vrai ? Tant mieux.

Puis notre silence habituel tomba.

— Alors... vous avez beaucoup écrit aujourd'hui ?

— Oui. Près de dix pages. Je sais que ça n'a pas l'air de faire grand-chose, mais...

On frappa à la porte et un frisson me parcourut le dos.

— Restez en ligne, d'accord ?

— Bien sûr.

Avec l'hésitation d'un monte-en-l'air, j'avançai à pas feutrés vers la porte, comme si des mouvements lents et prolongés pouvaient constituer une défense efficace face à une créature surnaturelle d'une puissance démentielle. Arrivée devant la porte, je jetai un coup d'œil prudent par le judas.

Roman.

Avec un soupir de soulagement, j'ouvris la porte, résistant à l'envie de me jeter entre ses bras.

— Salut.

— C'est à moi que vous parlez ? fit Seth dans le combiné.

— Salut, répondit Roman, d'une voix mal assurée faisant écho à ma propre hésitation. Je peux entrer ?

— Euh... non, je veux dire oui, tu peux entrer et oui, c'est à vous que je parle à présent. (Je m'écartai afin de laisser entrer Roman.) Écoutez, Seth, je vous rappelle, d'accord ? Ou alors, on se voit demain ?

— Si vous voulez. Tout va bien ?

— Oui. Merci d'avoir appelé.

Après avoir raccroché, j'accordai toute mon attention à Roman.

— Seth Mortensen, écrivain célèbre ?

— J'ai été malade aujourd'hui, expliquai-je, usant de la même excuse qu'avec Seth. Il appelait pour savoir comment j'allais.

— Il se montre terriblement prévenant envers toi.

Roman mit ses mains dans ses poches et commença à arpenter l'appartement.

— C'est un ami, rien de plus.

— Bien sûr, j'oubliais : pas de relation durable, pas vrai ?

— Roman... (Je retins le flot de paroles qui menaçait de sortir de ma bouche et décidai de ne pas m'aventurer en terrain dangereux.) Tu veux boire quelque chose ? Un soda ? Un café ?

— Je ne peux pas rester. J'ai entendu ton message en rentrant chez moi. J'ai pensé que... Je ne sais pas ce que j'ai pensé. C'était idiot de ma part.

Il se tourna, faisant mine de partir, et je lui agrippai désespérément le bras afin de le retenir.

— Attends ! Ne pars pas. S'il te plaît.

Il se retourna et baissa les yeux vers moi, me toisant de toute sa hauteur, une expression grave sur son visage d'ordinaire si enjoué. Luttant contre ma réaction naturelle face à une telle proximité, je vis – à ma grande surprise – son expression s'adoucir.

— Tu n'as vraiment pas l'air bien, observa-t-il, plutôt étonné.

— Que... qu'est-ce qui te fait dire ça ?

J'avais effacé mes contusions comme Jerome l'avait suggéré, la douleur cuisante que je ressentais n'était donc plus visible.

Délicatement, il tendit la main et me caressa la joue, ses doigts gagnant en assurance.

— Je ne sais pas... c'est juste que tu me sembles un peu pâle...

J'allais lui rétorquer que je ne portais pas de maquillage, mais je réalisai que je *voulais* paraître malade.

— J'ai dû prendre froid.

Il laissa retomber sa main.

— As-tu besoin de quoi que ce soit ? Je... je n'aime pas te voir dans cet état...

Bon sang, j'avais l'air si terrible que ça ?

— Je vais bien. J'ai besoin de repos, c'est tout. Écoute, pour hier…

— Je suis désolé, me coupa-t-il. Je n'aurais pas dû te pousser…

Je lui lançai un regard ébahi.

— Tu n'y es pour rien. C'est moi. Je me suis comportée comme une cinglée. C'est moi qui suis incapable d'assumer.

— Non, c'était ma faute. Je connaissais tes réserves sur les relations durables et je t'ai quand même embrassée.

— J'ai participé, je te le rappelle. Ce n'était pas le problème. J'ai pété les plombs, voilà le problème. J'étais saoule et je me suis conduite comme une idiote. Je n'aurais pas dû t'infliger ça.

— Je m'en remettrai. Je t'assure. Je suis juste heureux de constater que tu vas mieux. (Un petit sourire vint faiblement éclairer son beau visage et je me souvins de Seth affirmant combien il était facile de me pardonner.) Tu sais, comme nous nous sentons tous les deux un peu coupables, peut-être que nous pouvons rattraper ça par un rendez-vous cette semaine…

— Non.

La tranquille certitude de ma voix nous surprit tous les deux.

— Georgina…

— Non, Roman. C'est terminé… et je ne pense pas que nous puissions simplement rester amis. (Je déglutis.) Mieux vaudrait nous séparer pour de bon…

— Georgina ! s'exclama-t-il en écarquillant les yeux. Tu n'es pas sérieuse… Toi et moi…

— Je sais. Je sais. Mais je ne peux pas. Pas en ce moment.

— Tu romps avec moi.

— Eh bien, nous n'étions pas à proprement parler un couple…

— Qu'est-ce qui s'est passé ? demanda-t-il. Qu'est-ce que la vie a bien pu te faire pour que tu évites à tout prix la proximité d'une autre personne ? Pourquoi fuir ainsi ? Qui t'a fait du mal ?

— Écoute, c'est compliqué. Et ça n'a pas d'importance. Le passé est le passé. Je ne peux tout simplement pas m'engager avec toi, d'accord ?

— Tu as quelqu'un d'autre ? Doug ? Ou Seth ?

— Non ! Je n'ai personne. Mais nous deux, c'est impossible.

Pendant ce qui sembla durer une éternité – quelques minutes en réalité – nous ressassâmes les mêmes arguments, formulés différemment, de plus en plus dominés par nos émotions. Il insistait et je refusais. Jamais il ne devint agressif ou ne s'emporta, mais son désarroi ne faisait aucun doute et j'avais la certitude qu'il fondrait en larmes dès qu'il serait parti.

Enfin, après avoir consulté sa montre, il passa tristement sa main dans ses cheveux noirs, une lueur de regret brillant dans ses yeux turquoise.

— Je dois y aller. Il faut qu'on parle...

— Non. Je crois qu'il vaut mieux pas. J'ai vraiment apprécié le temps passé ensemble...

Il rit durement, marchant vers la porte.

— Je t'en prie, n'essaie pas de me ménager.

— Roman... (Je me sentais abominable. La colère et le chagrin avaient envahi son visage.) Tu dois comprendre...

— À la prochaine, Georgina. Ou peut-être pas.

Il venait à peine de claquer la porte que les larmes inondaient mes joues. Me réfugiant dans ma chambre, je m'allongeai sur mon lit pour pleurer un bon coup, mais rien ne se produisit. Plus la moindre larme et ce malgré mes sentiments mitigés de désespoir et de soulagement. Une partie de moi n'avait qu'une envie : se lancer à la poursuite de Roman et le ramener près de moi ; l'autre partie me conseilla froidement d'en profiter pour couper également les ponts avec Seth avant que les choses s'aggravent.

Bon Dieu, pourquoi fallait-il que je fasse de la peine à ceux qui comptaient pour moi ? Qu'est-ce qui me faisait répéter sans arrêt le même cycle ? L'expression accablée de Roman n'avait pas quitté mon esprit, mais je me consolais en me disant qu'il n'avait pas été aussi traumatisé que Kyriakos. De loin.

La découverte de ma liaison avec Ariston m'avait valu la condamnation de nos deux familles, ainsi qu'un divorce imminent et la perte de ma dot. Je pense que j'aurais pu supporter le mépris, même les regards haineux, mais pas la façon dont Kyriakos avait perdu le goût de vivre. J'en arrivai presque à souhaiter le voir se mettre en colère et m'insulter. Mais rien de tout cela avec lui. Je l'avais détruit.

Après plusieurs jours de séparation, je le trouvai assis sur un des affleurements rocheux dominant la mer. Je tentai d'engager la conversation avec lui, mais il ne réagit à aucune de mes nombreuses tentatives. Il se contentait de fixer cette vaste étendue bleue, le visage éteint et sans expression.

Debout à côté de lui, je me sentais en proie à des émotions contradictoires. J'avais savouré le fait de jouer le rôle d'objet de désir – de fruit défendu – vis-à-vis d'Ariston, mais je voulais également garder l'amour que me portait Kyriakos. Apparemment, les deux n'étaient pas compatibles.

Je tendis la main afin d'essuyer les larmes sur ses joues, mais il la chassa d'une claque – la seule manifestation de violence physique qu'il ait jamais eue à mon égard.

— Arrête, m'ordonna-t-il, se levant d'un bond. Ne me touche plus jamais ! Tu me dégoûtes.

Sa colère témoignait du fait qu'il était toujours en vie, mais je ne pus retenir mes larmes.

— Je t'en supplie... j'ai fait une erreur. Je ne sais pas ce qui s'est passé.

Il eut un rire forcé, un son terrible et sans joie.

— Vraiment ? Ce n'est pas l'impression que j'en ai eue. Vous paraissiez pourtant parfaitement vous entendre.

— C'était une erreur.

Il me tourna le dos et se dirigea vers le bord de la falaise, fixant la mer du regard. Il écarta les bras et renversa la tête en arrière, laissant le vent l'envelopper. On entendit les cris des mouettes non loin de là.

— Que... qu'est-ce que tu fais ?

— Je vole, me répondit-il. Si je continue à voler... je serai de nouveau heureux. Ou mieux encore, je ne sentirai plus rien. Je ne penserai plus à toi, à ton visage ou à tes yeux, à ton sourire ou à ton odeur. Je ne t'aimerai plus. Je n'aurai plus mal.

Je m'approchai de lui, un peu effrayée que ma présence le pousse à commettre l'irréparable.

— Arrête ! Tu me fais peur. Tu n'y penses pas sérieusement.

— Vraiment ?

Il me dévisagea et, dans son regard, il n'y avait plus ni colère ni cynisme. Juste du chagrin. De la douleur. Du désespoir. Une dépression plus noire qu'une nuit sans lune. Terrible et effrayant à la fois. Je voulais qu'il crie, qu'il m'insulte. Je l'aurais même laissé me frapper, ne serait-ce que pour revoir un peu de passion en lui. Mais il n'y avait rien de tout cela. Seulement les ténèbres.

Il me gratifia d'un pâle sourire plein de tristesse. Le sourire de quelqu'un qui est déjà mort.

— Je ne te pardonnerai jamais.

— Je t'en supplie…

— Tu étais toute ma vie, Letha… mais c'est terminé. Maintenant… maintenant, je n'ai plus de vie.

Il s'éloigna et, alors même que mon cœur se brisait, je poussai un soupir de soulagement en le voyant s'écarter du bord de la falaise. J'avais envie de courir après lui, mais je décidai de lui laisser sa liberté. M'asseyant à l'endroit qu'il venait de quitter, je ramenai mes genoux contre ma poitrine et y enfouis ma tête, en venant presque à souhaiter ma propre mort.

— Il reviendra ici, tu sais, dit soudain une voix derrière moi. Il ne pourra pas résister. Et la prochaine fois, il finira peut-être par sauter.

Surprise, je levai brusquement la tête. Je n'avais entendu personne approcher. Je ne reconnaissais pas l'homme qui se tenait là – curieux, pour une ville où tout le monde se connaissait. Mince et bien coiffé, il portait des vêtements plus élégants que ce que j'avais l'habitude de voir dans les environs.

— Qui êtes-vous ?

— On m'appelle Niphon, répondit-il en s'inclinant légèrement. Et tu es Letha, la fille de Marthanes, anciennement l'épouse de Kyriakos.

— Je suis toujours sa femme.

— Mais plus pour longtemps.

Je détournai mon visage.

— Que voulez-vous ?

— T'aider, Letha. À te sortir du pétrin dans lequel tu t'es fourrée.

— Personne ne peut m'aider. À moins de pouvoir revenir en arrière.

— Non, personne ne détient un tel pouvoir. Ce qui est fait est fait. Mais je peux faire en sorte que les gens oublient.

Je me tournai lentement vers lui, essayant de comprendre ce qui se cachait derrière ces yeux vifs et cet air fringant.

— Je ne suis pas vraiment d'humeur à plaisanter.

— Je suis on ne peut plus sérieux, je t'assure.

Le scrutant du regard, je sus subitement qu'il disait la vérité – si incroyable que cela puisse paraître. Plus tard, j'apprendrais que Niphon était un démon, mais sur le moment, j'avais simplement senti qu'il avait quelque chose d'étrange, une sorte de bruissement qui l'enveloppait, la manifestation d'un pouvoir promettant qu'il était réellement capable d'accomplir ce qu'il disait.

— Comment ?

Ses yeux brillèrent, un peu comme ceux de Hugh quand il se savait près de conclure une négociation importante.

— Effacer des mémoires le souvenir de ton acte n'est pas une mince affaire. Cela a un prix.

— Pouvez-vous me faire oublier à moi aussi ?

— Non. Mais à tous les autres : ta famille, tes amis, la ville entière. *Lui*.

— Je ne sais pas... Je ne me crois pas capable de retourner vivre parmi eux. Même s'ils ne gardaient aucun souvenir, ce ne serait pas mon cas. Je ne pourrais jamais affronter Kyriakos dans ces conditions. À moins que... (J'hésitai, me demandant s'il ne valait pas mieux ne plus jamais entrer en contact avec aucun d'entre eux.) Pouvez-vous faire en sorte qu'ils m'oublient complètement ? Comme si je n'avais jamais existé ?

Niphon retint son souffle, apparemment excité.

— Oui. Oh oui. Mais une telle faveur... une telle faveur coûte bien plus cher...

Il m'expliqua alors ce que je devrais céder afin de me faire disparaître totalement des esprits de tous ceux qui m'avaient connue. Mon âme, bien sûr. Je la garderais tant que durerait mon séjour sur terre, mais elle ne m'appartiendrait plus – une sorte de bail. C'était le tarif standard de tout contrat infernal. Mais l'enfer exigeait plus de moi : mes services – éternels – pour la corruption des âmes. Je passerais le restant de mes jours à séduire les hommes, à réaliser leurs fantasmes, pour mon propre bénéfice et celui de mon maître. Un destin pour le moins ironique, si l'on songeait à ce qui m'avait placée dans cette situation.

Pour me faciliter la tâche, on me doterait du pouvoir de changer d'apparence à volonté, ainsi que d'accroître mon charme naturel. Et bien entendu, on m'accorderait la vie éternelle. L'immortalité et l'invulnérabilité. Pour beaucoup, ce seul avantage aurait suffi à les convaincre.

— Tu serais parfaite. Une des meilleures. Je sens que tu as ça en toi. (Les démons ont la capacité de scruter l'âme et la nature d'un mortel.) La plupart des gens considèrent que le désir est purement physique, mais ça se passe là aussi. (Il me toucha le front.) En plus, tu ne mourras jamais. Tu resteras jeune et belle pour toujours, jusqu'à la mort de la Terre.

— Et après ?

Il sourit.

— Tu as le temps de voir venir, Letha, alors que la vie de ton mari est en jeu en ce moment même.

C'est l'argument qui emporta ma décision. Savoir que je pouvais sauver Kyriakos et lui offrir une nouvelle vie, une vie sans moi avec une chance de retrouver le bonheur. Une vie d'où je pourrais m'éclipser, loin de ma honte, et qui me réserverait peut-être même la punition que je méritais. Y laisser mon âme – je comprenais à peine de quoi il s'agissait – semblait peu cher payer. J'avais accepté le marché qu'on me proposait, d'abord d'une simple poignée de main, puis en apposant ma marque sur des papiers que j'étais incapable de lire. Niphon me laissa et je retournai en ville. Ce fut étonnamment simple.

Quand je rentrai chez moi, tout était exactement comme il l'avait promis. Mon souhait avait déjà été exaucé. Personne ne me reconnaissait. Les passants – des gens que j'avais connus toute ma vie – me lançaient des regards d'ordinaire réservés aux étrangers. Mes propres sœurs me croisèrent sans le moindre signe de reconnaissance. Je voulus trouver Kyriakos, afin de m'assurer qu'il en allait de même pour lui, mais je ne parvenais pas à prendre mon courage à deux mains. Je ne voulais pas qu'il voie mon visage, plus jamais, même s'il ne le reconnaissait pas. J'errai toute la journée, essayant d'assimiler le fait que, pour ces gens, je n'existais plus. C'était plus difficile que je ne l'avais anticipé. Plus triste, aussi.

À la tombée de la nuit, je me retirai en périphérie de la ville. Je n'avais nulle part où aller. Ni famille ni maison. Je restai donc assise dans le noir, à contempler la lune et les étoiles, m'interrogeant sur ce que j'allais bien pouvoir faire à présent. La réponse arriva rapidement.

Elle parut surgir du sol, d'abord à peine plus qu'une ombre, puis adoptant progressivement la silhouette d'une femme. Autour d'elle, l'air vibrait sous l'effet de la puissance qu'elle dégageait. Brusquement, j'eus l'impression d'étouffer. J'eus un mouvement de recul, un sentiment de terreur s'insinuant dans toutes les fibres de mon corps, mes poumons devenus incapables d'inspirer. Venu de nulle part, le vent se leva, fouettant mes cheveux et aplatissant l'herbe autour de moi.

Puis elle apparut devant moi, et la nuit retrouva sa tranquillité. Lilith. La Reine des Succubes. La Mère Obscure. La Première Femme.

Je fus envahie par une peur comme je n'en avais jamais connu – et par le désir. Je n'avais jamais été attirée par une femme auparavant, mais Lilith avait cet effet sur tout le monde. Cela fait partie de son être. Personne ne peut lui résister.

Cette nuit-là, elle avait choisi de revêtir une forme grande et mince, belle et élancée. Sa peau, blanc pâle, comme le voulait la mode dans l'aristocratie de l'époque – ceux qui travaillaient régulièrement à l'extérieur ne pouvaient pas prétendre à une telle blancheur ; ses cheveux, aussi noirs qu'une aile de corbeau, lui tombant en crans brillants jusqu'aux chevilles ; et ses yeux... eh bien, laissez-moi simplement vous dire que ce n'est pas pour rien que, dans les mythes anciens, on attribue aux succubes un regard flamboyant. Ses yeux, magnifiques et mortels, promettaient tout ce dont vous aviez toujours rêvé si vous acceptiez de la laisser vous aider. Je ne parviens toujours pas à me souvenir de leur couleur, mais cette nuit-là, je fus incapable de m'en détourner.

— Letha, susurra-t-elle en s'approchant de moi.

L'air chatoyait autour d'elle et je frissonnais de désir. Malgré mon envie de fuir, je tombai à genoux, en signe de respect, mais aussi parce que mes jambes refusaient de me porter. Elle vint vers moi et me souleva le menton, ce qui m'obligea à replonger mes yeux dans les siens. Ses ongles noirs et acérés s'enfoncèrent douloureusement dans ma peau – pour mon plus grand plaisir.

— Dorénavant, tu seras ma fille, semant la discorde et la passion jusqu'à la fin de tes jours. Créature de rêve et de cauchemar, il t'appartiendra de tenter et de châtier. Les mortels feront tout pour t'avoir ou pour une simple caresse de ta part. Tu seras aimée et désirée jusqu'à ce que la Terre retourne à la poussière.

Je gémis à sa proximité, mais elle se rapprocha encore, m'obligeant à me relever jusqu'à me tenir devant elle. Ses lèvres magnifiques vinrent se presser contre les miennes et ce contact fit rayonner tout mon corps d'un plaisir orgasmique. Mes sanglots se perdirent, étouffés par ce baiser. Je fermai les yeux, incapable de la regarder et de rompre notre étreinte. Je m'imprégnai de cette extase qui continuait de faire palpiter mon corps tout entier. Et pendant que je laissais cette félicité me consumer, quelque chose d'autre se produisit.

Je me sentis dépouillée de ma mortalité.

J'eus l'impression de me désintégrer, comme si je n'étais plus que cendres emportées par le vent. Je me demandai si c'était ce que l'on ressentait en mourant. N'être plus rien. Un grand vide. Puis, tout aussi rapidement, je me reconstituai, redevins moi-même. Mais à présent, je sentais le pouvoir qui brûlait en moi, différent de la force vitale des mortels. Mon immortalité brillait comme une étoile dans la nuit, froide et pure. La vieillesse ne serait plus jamais une menace. La maladie ne viendrait plus jamais me hanter. Ma chair ne serait plus guidée par le fait de savoir que la vie était courte, que j'avais peu de temps pour laisser ma marque en ce monde. Que je devais transmettre mon sang.

J'ouvris les yeux et la vague de plaisir reflua. Lilith disparut également. Je me retrouvai seule dans le noir, frissonnant de mon tout nouveau pouvoir. Et avec ce pouvoir, je sentais quelque chose d'autre : une sorte de démangeaison dans ma chair. Une démangeaison qui me disait que, d'une simple pensée, ma peau pouvait prendre l'apparence que je choisirais. Je venais de renaître. Puissante.

Et affamée.

— Qu'est-ce qui ne va pas ?

Ravalant mes larmes, je levai la tête vers Carter. Il se tenait dans l'embrasure de la porte de ma chambre, écartant une mèche de cheveux devant ses yeux, l'air inquiet.

— Rien, marmonnai-je en enfonçant mon visage dans l'oreiller. Pas de nephilim ?

— Pas de nephilim. (Un silence gêné suivit.) Tu es sûre que ça va ? Parce qu'on ne dirait pas.

— Je t'ai dit que ça allait, tu n'as pas entendu ?

Mais il refusait de laisser tomber.

— Je sais que nous ne sommes pas vraiment proches, mais si tu as besoin de parler…

— Qu'est-ce que tu peux y comprendre ! raillai-je, du venin dans la voix. Tu n'as jamais eu de cœur. Tu ne peux pas savoir ce que c'est, alors n'essaie même pas de faire semblant !

— Georgina.

— Va-t'en ! S'il te plaît.

Je me retournai vers mon oreiller, anticipant une nouvelle protestation de sa part, mais rien ne vint. Quand j'osai jeter un coup d'œil, l'ange avait disparu.

Chapitre 19

Carter m'apporta des jonquilles le lendemain matin. J'ignorais où il avait bien pu les trouver en cette saison. Il s'était probablement téléporté sur un autre continent.

— Qu'est-ce que ça veut dire ? demandai-je. Tu ne vas pas te mettre à me draguer, toi aussi ?

— J'aurais apporté des roses dans ce cas. (Pour la première fois depuis que je le connaissais, l'ange parut gêné.) Je ne sais pas. Tu avais l'air vraiment bouleversé hier soir. J'ai pensé… j'ai pensé que ces fleurs te remonteraient le moral.

— C'est gentil, merci. À propos d'hier soir… je me suis un peu emportée…

Il chassa mes explications d'un haussement d'épaules.

— Ne t'en fais pas pour ça. Nous avons tous nos moments de faiblesse. Ce qui importe, c'est la façon dont nous les surmontons.

Je mis les jonquilles dans un vase et cherchai un endroit pour elles. Le bouquet de Roman, qui commençait à se faner, se trouvait sur le plan de travail dans la cuisine ; j'avais jeté depuis longtemps les œillets que j'avais achetés la nuit où Duane avait été tué. Il me parut injuste de mettre les fleurs de Roman en concurrence, je posai donc celles de Carter sur le rebord de la fenêtre de ma chambre.

Après cet épisode, une sorte de routine quotidienne confortable s'installa entre nous. Carter et moi ne devînmes jamais les meilleurs amis du monde, mais nous parvînmes à établir une sorte d'équilibre plaisant. Nous traînions ensemble, regardions des films ensemble et – à l'occasion – cuisinions même ensemble. L'ange se révéla plutôt à l'aise derrière les fourneaux – je restais quant à moi totalement inepte.

À la librairie, il ne me lâchait pas d'une semelle, aussi invisible et discret qu'il l'avait promis. J'ignorais ce qu'il faisait pendant que je travaillais. Il me donnait l'impression qu'il se promenait dans le magasin et qu'il observait les gens, peut-être feuilletait-il un livre de temps à autre. Je savais aussi qu'il passait beaucoup de temps à attendre dans mon bureau, espérant un autre billet de la part du nephilim. Il n'y en eut pas. Mais des alertes continuèrent de se produire et, à ces occasions, Carter disparaissait quelque temps sans même me prévenir, ne me signalant son retour que par une légère caresse sur la joue ou quelques mots entrés dans mon esprit par télépathie.

Je pris également l'habitude de commencer ma journée en prenant un café avec Seth. Quand j'avais repris le travail, le premier jour après ma « maladie », il m'avait accueillie avec un moka blanc et, à ma grande surprise, un autre pour lui. « Bruce m'a préparé un déca », m'avait-il expliqué.

Devant un geste si touchant, je n'avais pas pu refuser. Je m'étais donc assise avec lui ce jour-là et nous avions parlé. Et de même le lendemain, puis le jour suivant, et le suivant... Pas vraiment la bonne méthode pour couper les ponts comme j'en avais eu l'intention, mais je restai ferme sur les sorties hors du travail. Heureusement, il sembla se contenter de nos rendez-vous autour d'un café et une dynamique intéressante se développa vite entre nous.

Comme je me sentais toujours déprimée à cause de Roman, je me déplaçais et j'agissais mollement, parlant peu, trop absorbée par mon propre malheur. Seth devait se douter de quelque chose et, plutôt que de laisser se tarir nos échanges autour du café, il prit l'initiative dans nos discussions – un changement notable pour lui. Au début, il parut se forcer un peu, mais dès qu'il se sentit plus à l'aise, je découvris qu'il pouvait réellement parler avec cette aisance que j'appréciais tant dans ses livres. Je m'émerveillai de cette transformation et pris plaisir à nos rendez-vous quotidiens. Ma peine concernant Roman s'en trouva un peu soulagée.

— *C'est vraiment un type bien*, me fit remarquer Carter un matin après que j'eus quitté Seth pour tenir l'accueil. *Je ne sais pas pourquoi tu perds ton temps à pleurnicher sur cet autre gars alors que tu l'as, lui, sous la main.*

— *Ce n'est pas aussi simple que ça*, répliquai-je sèchement, pas encore habituée à cette communication directe entre esprits que les immortels de haut rang employaient si facilement. *Et d'abord, qui a dit que je cherchais de nouveau quelqu'un ? En plus, qu'est-ce que tu en sais ? Tu ne connaissais même pas Roman.*

— *Tu ne le connaissais toi-même pas depuis très longtemps. Qu'est-ce que vous avez bien pu avoir le temps de bâtir entre vous en si peu de temps ?*

— *Plein de choses. Il était très drôle. Et intelligent. Et beau.*

— *Je suppose que l'on construit des relations durables sur moins que ça. N'empêche, je parie sur Seth.*

— *Va-t'en. J'ai du travail.*

Les anges… Qu'est-ce qu'ils en savaient ?

À mon quatrième jour de travail en compagnie de Carter, alors que nous rentrions chez moi, il me demanda :

— *Tu veux faire un tour chez Erik ?*

Fronçant les sourcils, je réfléchis. J'avais travaillé avec la première équipe aujourd'hui et je devais retourner à la librairie ce soir pour mon dernier cours de danse. J'avais deux heures devant moi et j'avais cru que l'ange et moi regarderions un vieux film, conformément à notre nouvelle habitude.

— Qu'est-ce que tu mijotes ? demandai-je à voix haute, une fois que nous fumes à l'abri dans mon appartement.

Il se matérialisa à côté de moi.

— Je veux prendre la température. Cela fait un moment que le nephilim ne s'est pas manifesté. Pas de note. Pas d'attaque. Et pourtant, nous savons qu'il se trouve dans les environs, puisque je continue à recevoir ces petites alertes. Pourquoi ? À quoi joue-t-il ?

Je sortis une cannette de Mountain Dew du réfrigérateur et m'assis sur un tabouret.

— Et tu soupçonnes toujours Erik d'être la fuite.

— Il figure sur la liste des suspects. Comme je l'ai dit plus tôt, je préférerais que ce ne soit pas Erik, mais il est probablement la plus importante source mortelle d'informations sur les immortels.

— Et, conclus-je tristement, s'il communique avec le nephilim, il se peut qu'il connaisse ses projets. Qu'est-ce que tu comptes faire ? Le passer à tabac pour obtenir des informations ? Parce qu'alors, c'est sans moi.

— Je ne travaille pas de cette façon. Je peux dire si quelqu'un me ment, mais je ne suis pas particulièrement doué pour... comment dire... tirer les vers du nez. Comme tu as pu t'en rendre compte récemment, je ne suis pas vraiment charmant. Toi, par contre, le charme c'est ton domaine...

Je n'aimais pas du tout la direction que prenait cette conversation.

— Qu'est-ce que tu attends de moi ?

— Rien qui sorte de l'ordinaire, je t'assure. Va simplement lui parler, comme tu le ferais normalement. Reprends là où vous en étiez restés. Fais allusion au nephilim si l'occasion se présente, et guette sa réaction. Il t'aime bien.

— Et toi ?

— Je serai là, mais invisible.

— Ça va faire un peu juste pour rentrer à temps pour mon cours de danse.

— Faux. Je te téléporterai.

— Argh.

Au cours des années, j'avais eu plusieurs fois l'occasion de faire appel à des immortels de haut rang pour me rendre ce service. Ce n'était pas une expérience plaisante.

— Allez, insista-t-il, sentant ma réticence. Tu ne veux pas en finir avec cette histoire de nephilim ?

— C'est bon, c'est bon, donne-moi le temps de me changer. Je ne suis pas complètement persuadée de ne pas finir à la bourre.

Il fit quelques commentaires – que n'aurait pas reniés Jerome – sur mon désir de me vêtir à l'ancienne, mais je l'ignorai. Quand je fus prête, nous devînmes tous deux invisibles et il me saisit par les poignets. L'espace d'une milliseconde, j'eus le sentiment qu'une rafale de vent m'enveloppait, puis nous nous retrouvâmes dans un coin du magasin d'Erik. Je sentis une légère nausée monter en moi – similaire à celle que je ressentais quand j'avais trop bu – et disparaître tout aussi rapidement.

Ne voyant personne dans les environs – pas même Erik –, je redevins visible.

—Y a quelqu'un ?

Quelques instants plus tard, la tête du vieux libraire s'encadra dans l'embrasure de la porte donnant sur l'arrière-boutique.

—Mademoiselle Kincaid ! Mon Dieu, je ne vous ai pas entendue entrer. Quel plaisir de vous revoir !

—C'est réciproque.

Je lui lançai mon plus beau sourire de succube.

—Vous êtes en beauté ce soir, me complimenta-t-il en voyant ma robe. Une raison particulière ?

—Je vais danser. En fait, je ne peux pas rester longtemps.

—Bien sûr, je comprends. Mais vous aurez bien le temps pour une tasse de thé ?

J'hésitai un instant et Carter parla dans ma tête : *Oui.*

—Oui.

Erik retourna faire chauffer l'eau et je débarrassai notre table – nous avions tous les deux repris nos rôles habituels. Quand il revint avec le thé, j'appris qu'il s'agissait d'une de ses tisanes à thème, un mélange appelé « Clarté » cette fois.

Je lui dis tout le bien que j'en pensais, sans cesser de sourire, faisant de mon mieux pour accentuer mon charme naturel. J'allais jusqu'à échanger des banalités avant d'en venir à l'objectif de ma mission.

—Je tenais à vous remercier pour votre aide, l'autre fois, vous savez, le passage dans la Bible, expliquai-je. Grâce à cela, j'ai mieux compris la nature des anges déchus, mais je dois vous avouer que ça m'a aussi amenée à orienter mes recherches dans une direction… plutôt curieuse.

—Oh ?

Ses sourcils gris et touffus se levèrent tandis qu'il portait la tasse à ses lèvres.

Je hochai la tête.

—À propos de la chute des anges, il est fait mention de ceux qui se marièrent et eurent des enfants. Les nephilim.

Tu ne perds pas de temps, remarqua sèchement Carter.

Le vieil homme hocha la tête avec moi, comme si je venais de faire une observation des plus ordinaires.

— Oui, oui. Les nephilim, quel sujet passionnant. Également un sujet de controverse parmi les spécialistes des Écritures.

— Comment ça ?

— Eh bien, certains croyants voient d'un assez mauvais œil que des anges, les plus saints d'entre tous les saints, se livrent à des activités aussi indignes d'eux – déchus ou pas. Que leurs bâtards semi-divins puissent courir le monde en toute liberté est encore plus saisissant. Une telle idée provoque la colère de nombreux fidèles.

— Mais alors c'est vrai ? Les nephilim existent bel et bien ?

Erik me gratifia encore d'un de ses sourires circonspects.

— Une nouvelle fois, vous me posez des questions dont je suis surpris que vous ne connaissiez pas la réponse.

— *Tu vois ? Il me fait le coup chaque fois aussi. Il élude la question.*

— *Toi et Jerome, vous nous faites ça tout le temps*, rétorquai-je à l'ange.

À Erik, je répondis :

— Comme je vous l'ai déjà expliqué, cela dépasse le cadre de mes compétences. (Il se contenta de rire doucement et j'insistai :) Alors ? Ils existent, oui ou non ?

— Vous parlez comme si vous pourchassiez des extraterrestres, mademoiselle Kincaid. C'est plutôt ironique, puisque certains adeptes de la théorie du complot prétendent que ceux qui déclarent avoir aperçu des extraterrestres ont, en réalité, vu des nephilim – et vice versa. Mais pour vous rassurer – ou peut-être pas –, oui, ils sont bien là.

— Les extraterrestres ou les nephilim ? plaisantai-je, essayant de maintenir le ton léger de la conversation, bien que je sache pertinemment qu'il parlait des nephilim.

Je savais déjà qu'ils existaient, mais j'étais contente de l'entendre me le confirmer sans détour. S'il avait voulu dissimuler le fait qu'il était l'allié d'un nephilim, il se serait certainement montré plus évasif.

— Les deux, en fait, du moins à en croire certains ouvrages vendus par mon employeur précédent.

J'éclatai de rire, me rappelant que *Krystal Starz* proposait effectivement une sélection d'ouvrages sur la manière d'entrer en contact avec des êtres d'outre-espace.

— J'avais complètement oublié. Vous savez, j'ai eu quelques prises de bec ces derniers temps avec votre ex-patronne.

Le regard d'Erik s'anima.

— C'est vrai ? Que s'est-il passé ?

— Rien de grave. Un différend d'ordre professionnel. J'ai débauché d'anciennes collègues à vous. Tammi et Janice. Helena n'était pas très contente.

— Ça, je peux l'imaginer. Comment a-t-elle réagi ?

— Elle est venue faire un esclandre à mon travail et m'a prédit un destin funeste. Rien de grave.

— C'est une femme intéressante, observa-t-il.

— C'est peu dire. (Je pris conscience que nous nous étions écartés du sujet et je m'attendais à moitié à essuyer les remontrances de Carter. Mais il s'abstint.) Alors, y a-t-il un moyen de repérer un nephilim ? D'anticiper ses faits et gestes ?

Ne répondant pas immédiatement, Erik me lança un regard étrange. Je sentis mon estomac se nouer un peu. Peut-être en savait-il plus sur notre nephilim ? J'espérais bien que non.

— Pas vraiment, finit-il par dire. Les immortels ne sont pas faciles à identifier.

— Mais c'est possible.

— Oui, bien sûr. Mais certains d'entre eux se cachent mieux que d'autres. Les nephilim ont d'autant plus de raisons de rester discrets qu'ils sont constamment pourchassés.

— Même quand ils ne font rien de mal ? demandai-je, surprise.

Ni Carter ni Jerome ne m'avaient signalé ce fait.

— Oui, même dans ce cas.

— C'est triste.

Je me remémorai le texte de présentation du livre de Harrington, rappelant que le ciel comme l'enfer avaient rejeté les nephilim. Peut-être qu'à leur place j'aurais, moi aussi, été en rogne et fait mon possible pour montrer aux deux camps que je désapprouvais leur politique à mon égard.

Erik n'avait pas grand-chose de plus à m'offrir sur les nephilim et notre conversation s'éloigna de plus en plus du sujet. À ma grande surprise – parce que je m'attendais à être interrompue par Carter –, je découvris qu'une heure s'était écoulée. Je m'excusai auprès d'Erik, lui expliquant que je devais partir. Comme d'habitude, j'achetai un peu de thé et il m'incita à repasser le voir quand bon me semblerait.

Quand j'arrivai devant la porte, il m'interpella avec hésitation :

— Mademoiselle Kincaid ? À propos des nephilim…

Je sentis la chair de poule se propager sur ma peau. Merde. Il ne m'avait donc pas tout dit…

— Ils sont immortels, ne l'oubliez pas. Ils sont sur cette terre depuis longtemps, mais contrairement aux autres immortels, ils n'ont rien à y faire ; personne ne leur a confié une mission divine à accomplir. Pour la plupart, ils essaient de donner un sens à leur existence ou de simplement mener une vie ordinaire.

Tout en marchant, je méditai cette information pour le moins inattendue, imaginant un nephilim se rendant tous les jours à son travail. Difficile de concilier cette image avec les horreurs que j'avais, par ailleurs, imaginées.

La soirée était bien avancée et le parking était vide. Redevenant invisible, j'attendis que Carter nous ramène. Mon attente se prolongea.

— Alors ? Problème technique ? murmurai-je.

Aucune réponse.

— Carter ?

Toujours rien.

Puis je compris : Carter avait dû s'absenter en réponse à une nouvelle alerte au nephilim. Je me retrouvais livrée à moi-même. Super. Qu'est-ce que j'étais censée faire ? Je n'avais pas de voiture et, en dépit des paroles rassurantes de l'ange sur ma sécurité lors de ce genre d'expéditions, je me sentais mal à l'aise – dehors, seule dans le noir. Je retournai – visible – à l'intérieur de la boutique. Erik leva des yeux surpris vers moi.

— Quelqu'un doit venir me chercher. Vous permettez que j'attende ici ?

— Bien sûr.

Bon. Maintenant il me fallait trouver un chauffeur. Armée de mon téléphone portable flambant neuf, je me demandai qui appeler. Cody serait le choix idéal, mais il vivait très au sud d'*Emerald City*, alors que je me trouvais au nord de la librairie. Il était probablement déjà en route pour assister au cours de danse et lui faire faire un détour par ici ne réussirait qu'à nous faire arriver en retard tous les deux. Il me fallait quelqu'un qui habitait près d'ici, mais je ne connaissais personne à part… eh bien, Seth vivait dans le quartier de l'université. Ce n'était pas trop loin de Lake City. Restait à savoir s'il se trouvait toujours à Queen Anne ou s'il était déjà rentré chez lui.

Je me jetai à l'eau et l'appelai sur son mobile.

— Allô ?

— C'est Georgina. Où êtes-vous ?

— Euh… chez moi…

— Formidable. J'ai besoin d'un chauffeur. Ça vous dit ?

Quinze minutes plus tard, Seth arriva chez Erik. Carter aurait pu réapparaître dans l'intervalle, mais l'ange n'avait donné aucun signe de vie. Remerciant Seth, je me glissai dans sa voiture.

— Vous me rendez un fier service. La personne qui devait me ramener m'a fait faux bond.

— Pas de problème. (Il hésita et me lança un regard oblique.) Vous êtes très belle ce soir.

— Merci.

Je portais une robe rouge sans manches avec un haut qui ressemblait à un corset.

— Avec une chemise en flanelle par-dessus, ce serait parfait.

Il me fallut un moment pour me souvenir de l'ensemble que j'avais porté chez son frère, et quelques instants de plus pour me rappeler que je ne lui avais jamais rendu sa chemise.

— Je suis désolée, dis-je après lui en avoir expliqué la raison. Je vous la rapporte dès que possible.

— Ce n'est pas grave. Après tout, je retiens toujours votre livre en otage. N'hésitez pas à la mettre encore un peu ; quand je la récupérerai, elle aura votre odeur et celle de ce parfum.

Il se tut brusquement, craignant visiblement d'en avoir trop dit, ce qui était probablement le cas. Je voulus détendre l'atmosphère en riant de son commentaire, mais au lieu de cela, je ne parvins pas à chasser de mon esprit l'image de Seth pressant sa chemise contre son visage et inspirant profondément, afin de s'imprégner de mon odeur. Je trouvai cette vision tellement érotique – terriblement provocante – que je me détournai un peu de lui, regardant par la fenêtre pour cacher mon trouble et ma respiration devenue soudain laborieuse.

J'étais vraiment une dévergondée, décidai-je tandis que notre trajet se poursuivait en silence. Pas encore remise de ma rupture avec Roman, je n'avais qu'une idée : mettre Seth dans mon lit. Volage, voilà ce que j'étais. Avec les hommes, je me comportais de façon contradictoire, je passais d'un amant à un autre, attirant l'un et repoussant l'autre. Certes, l'énergie issue de Martin s'épuisait, la plupart des mâles commençaient donc à me paraître appétissants, mais tout de même… Je n'avais aucune honte. Je ne savais même plus moi-même qui ou ce que je voulais.

Quand Seth me déposa devant *Emerald City*, mais refusa d'entrer, je me sentis coupable, sachant qu'il devait penser que j'avais de lui l'image d'une sorte de pervers à cause de sa remarque sur mon parfum. Je ne pouvais pas laisser passer cela ; je ne supportais pas l'idée qu'il ait une piètre opinion de lui-même à cause de moi. Surtout que cette histoire de chemise m'avait plutôt excitée. Je devais arranger les choses.

Je me penchai vers lui, espérant que le corset ferait la moitié du boulot à ma place.

— Vous vous souvenez de cette scène dans *La Maison de verre* ? Quand O'Neill raccompagne la serveuse ?

Il leva un sourcil.

— Euh… j'ai écrit cette scène.

— Si ma mémoire est bonne, ne dit-il pas quelque chose du genre « Quel dommage d'abandonner une femme avec un décolleté » ?

Seth me regarda fixement, son expression devenue indéchiffrable. Finalement, un sourire entendu erra sur ses lèvres.

— Il dit : « Un homme qui abandonne une femme dans une robe pareille n'est pas un homme. Une femme dans une telle robe ne veut pas être seule. »

Je lui lançai un regard qui en disait long.

— Alors ?

— Alors quoi ?

— Ne m'obligez pas à mettre les points sur les i. Je suis dans cette robe et je n'ai pas envie d'être seule. Entrez avec moi. Vous me devez une danse, vous savez.

— Et vous savez très bien que je ne danse pas.

— Et vous croyez qu'O'Neill s'arrêterait à ce genre de détail ?

— Je pense qu'O'Neill dépasse parfois les bornes et ne connaît pas ses limites.

Je secouai la tête, exaspérée, et me détournai.

— Attendez ! cria Seth. Je viens.

— C'était moins une, observa Cody quand nous arrivâmes – presque en courant – quelques minutes plus tard dans le café de la librairie à présent fermée.

Je le serrai rapidement dans mes bras et lui et Seth se saluèrent cordialement, puis l'écrivain se mêla au groupe d'employés.

— Je te raconterai.

— Est-ce que c'est vrai ? me chuchota Cody à l'oreille. Carter traîne dans les parages au moment où nous parlons ?

— En fait, non. Il m'a fait faux bond. C'est la raison de mon retard. J'ai dû demander à Seth de venir me chercher.

La mine sérieuse du jeune vampire se détendit.

— Je suis persuadé que cela a exigé un grand sacrifice de votre part à tous les deux.

Ignorant son ton railleur, je rassemblai les troupes pour le début du cours. Comme nous l'avions observé la fois précédente, la plupart des participants étaient fin prêts. Nous ne leur apprîmes rien de nouveau, décidant au contraire de réviser d'anciennes techniques et de nous assurer que tout le monde possédait des bases solides. Comme il l'avait déclaré, Seth ne dansait pas. Mais il eut plus de mal à résister, parce que bon nombre des employés le connaissaient bien à présent. Nombreuses furent les femmes à essayer de l'entraîner sur la piste. Il leur opposa un refus obstiné.

— Si c'est toi qui le lui demandes, il dansera, finit par me dire Cody.

— J'en doute. Il a refusé toute la soirée.

— Oui, mais tu peux être très persuasive.

— Carter a laissé entendre la même chose. Je ne sais vraiment pas d'où me vient cette réputation de Miss Bonne Copine.

— Invite-le.

Levant les yeux au ciel, j'avançai vers Seth, notant au passage qu'il avait déjà les yeux fixés sur moi.

— Très bien, Mortensen, c'est votre dernière chance. Le voyeur que vous êtes est-il prêt à se transformer en exhibitionniste ?

Il inclina la tête vers moi avec curiosité.

— On parle toujours de danse, là ?

— Ça dépend. Un jour, quelqu'un m'a dit que les hommes dansaient comme ils faisaient l'amour. À vous de voir, mais si vous voulez que tout le monde ici pense que vous êtes plutôt du genre spectateur…

Il se leva.

— Dansons.

Je le guidai vers la piste. Malgré une assurance de façade, sa nervosité transparaissait. Sa paume était moite quand il saisit ma main et son autre main hésitait à se poser franchement sur ma hanche.

— Votre main engloutit la mienne, le taquinai-je gentiment. Détendez-vous. Écoutez la musique et comptez les pas. Regardez mes pieds.

Alors que nous commencions à bouger, j'eus l'impression qu'il connaissait déjà le pas de base. Il n'avait aucune difficulté à se souvenir de l'enchaînement. Son problème consistait à coordonner ses pieds avec la musique – quelque chose d'instinctif chez moi. Je voyais bien qu'il comptait littéralement les pas dans sa tête, s'efforçant de suivre avec ses pieds. Par conséquent, il avait plus souvent le nez sur ses chaussures que les yeux sur moi.

— Vous viendrez avec nous, quand le groupe ira danser dehors ? demandai-je sur le ton de la conversation.

— Désolé, mais je ne peux pas parler et compter en même temps.

— Oh. D'accord.

Je fis de mon mieux pour dissimuler mon sourire.

Nous continuâmes ainsi, en silence, jusqu'à la fin du cours. Cela ne devint jamais quelque chose de naturel pour Seth, mais il ne manqua aucun pas, faisant preuve d'une application et d'une détermination sans faille, et suant à grosses gouttes tout le temps que cela dura. Me tenant si proche de lui, je pus de nouveau sentir ce qui ressemblait à de l'électricité statique entre nous, une sensation excitante.

Je fis la tournée des autres participants avec Cody, saluant tout le monde. Seth fut l'un des derniers à partir, s'approchant de Cody et moi alors que nous sortions par la porte de derrière.

— Belle performance, ce soir, le félicita Cody.

— Merci. Je jouais ma réputation. (Seth se tourna vers moi.) J'espère m'être sorti avec les honneurs de votre petite comparaison entre le sexe et la danse.

— Je suppose qu'on peut trouver une ou deux similitudes, observai-je avec le plus grand sérieux.

— Une ou deux ? Que faites-vous de l'attention accordée aux détails, de l'effort et de la sueur ? Et je ne parle pas de ma détermination farouche et de mon amour du travail bien fait...

— En fait, j'en ai juste déduit que vous ne parliez pas pendant l'amour.

Un peu vache, d'accord. Mais je ne pouvais pas résister.

— Peut-être parce que ma bouche a mieux à faire...

Je déglutis, ma propre bouche sèche.

— Parlons-nous encore de danse ?

Seth nous souhaita bonne nuit et partit.

Je le regardai s'éloigner d'un air rêveur.

— Je crois que je vais tomber dans les pommes. Pas d'autre candidat ?

— Si, moi, fit la voix joviale de Carter derrière nous, nous faisant sursauter, Cody et moi.

— Bon Dieu ! m'exclamai-je. Tu es là depuis longtemps ?

— Nous n'avons pas de temps à perdre. Accrochez-vous, les enfants.

Après un rapide coup d'œil autour de nous pour s'assurer que nous étions bien seuls, l'ange nous saisit brusquement par le poignet. Je ressentis cette même sensation de nausée monter en moi et, l'instant d'après, nous nous retrouvâmes dans une salle de séjour décorée avec beaucoup de goût. Je n'avais jamais vu cet endroit auparavant, mais c'était magnifique. Des meubles en cuir assortis occupaient la pièce, des tableaux visiblement hors de prix ornaient les murs. Opulence. Style. Magnificence.

Seul problème : les lieux avaient été saccagés. Le cuir des meubles avait été tailladé, les tables renversées ; quant aux peintures, elles avaient été vandalisées ou pendaient de travers – ou les deux. Sur un des murs, un énorme symbole dont j'ignorais la signification avait été peint à la bombe : un cercle, traversé verticalement par une droite et une autre tracée de biais, de gauche à droite. Qu'une telle profanation ait eu lieu dans un endroit aussi chic me laissait sans voix.

— Bienvenue au Château Jerome, annonça Carter.

Chapitre 20

— Encore toutes mes excuses pour ce transport un peu précipité, poursuivit Carter, mais Jerome commençait à péter les plombs, parce que je t'avais laissée sans protection pendant si longtemps.

— Je n'ai jamais « pété les plombs » de toute ma vie – de toute mon existence, je veux dire, enfin on s'en fiche…, répliqua Jerome d'un air songeur, parcourant la pièce.

En l'observant, je le croyais bien volontiers. Tiré à quatre épingles, comme d'habitude, il tenait un Martini dans une main et paraissait parfaitement à son aise au milieu du carnage.

— Chouette appart, lui dis-je, encore sous le choc devant l'ampleur des dégâts occasionnés à une telle merveille. On t'a fait un bon prix à cause des travaux ?

Ma plaisanterie alluma une lueur d'amusement dans les yeux du démon.

— Ah, Georgina, qu'est-ce que je deviendrais sans toi ? (Il sirota son verre.) C'est vrai, ça demande encore quelques aménagements, mais ne t'en fais pas pour moi. Je ne suis pas à la rue.

Jerome était toujours resté muet sur l'endroit où il vivait et je soupçonnais que nous ne devions notre présence ici qu'à l'intervention de Carter. Le démon ne nous aurait jamais invités. Avançant vers une grande baie vitrée, je découvris une vue magnifique sur le lac Washington et la silhouette de Seattle scintillant au-delà. À en juger par mon angle de vue, j'aurais parié que nous nous trouvions à Medina, l'une des banlieues les plus huppées de l'Eastside. Rien n'est trop beau pour Jerome.

—Alors, qu'est-ce qui s'est passé ? finis-je par demander quand il apparut clairement que personne n'allait aborder le sujet. S'agit-il d'une attaque du nephilim ou tes invités se sont-ils un peu lâchés ? Parce que, franchement, si ma seconde hypothèse est la bonne, je ne te pardonnerai jamais d'avoir fait la fête sans nous.

—Rien à craindre, me rassura Carter en souriant. Notre ami le nephilim s'est amusé à refaire un peu la décoration et a pris la peine de nous signaler sa présence une fois sa mission accomplie. C'est la raison pour laquelle je t'ai abandonnée chez Erik. J'aurais voulu te prévenir, mais quand j'ai senti que le nephilim se trouvait ici...

Il lança un regard lourd de sous-entendus à Jerome. Le démon répondit par un grognement méprisant.

—Quoi ? Tu as cru que j'étais en danger ? Tu sais que ça n'est pas possible.

Carter marqua son désaccord en émettant un bruit indéfinissable.

—Ah oui ? Et comment tu appelles ça ?

Il inclina la tête en direction du symbole peint sur le mur.

—Un graffiti, répondit Jerome avec indifférence. Cela ne veut rien dire.

Je m'éloignai de l'impressionnante fenêtre et de sa vue à couper le souffle et étudiai le symbole de plus près. Je n'avais jamais rien vu de pareil et pourtant je connaissais bon nombre de caractères et de signes de toutes sortes d'époques et de civilisations.

—Ça a forcément une signification, répliquai-je. Personne ne se donne autant de mal pour rien. Sinon, il aurait juste écrit « Va te faire foutre ! » ou quelque chose d'approchant.

—Peut-être qu'il a gardé ça pour les autres pièces, suggéra Cody.

—Un bon mot digne de Georgie ! Elle semble t'avoir appris bien plus que la danse.

Ignorant la tentative du démon pour changer de sujet, je me tournai vers Carter.

—Qu'est-ce que c'est ? Je suis sûre que tu en connais la signification.

L'ange m'étudia avec curiosité pendant un moment et je pris conscience que je n'avais jamais fait appel à lui pour des questions sérieuses auparavant. Jusqu'à notre récente période de cohabitation, nos relations s'étaient limitées à une franche hostilité.

— Il s'agit d'un avertissement, répondit-il lentement, sans croiser le regard de son homologue diabolique. L'avertissement d'un désastre imminent. Le signal d'une bataille qui se prépare.

Incapable de se retenir plus longtemps, Jerome explosa. Le visage empourpré, il reposa violemment son verre sur une table en déséquilibre.

— Bon sang, Carter ! As-tu perdu la tête ?

— C'est sans importance et tu le sais. Tout va finir par se savoir.

— Non, siffla le démon sur un ton glacial. Pas tout.

— Alors vas-y, dis-leur, toi ! (Carter fit un geste grandiloquent en direction du symbole.) Essaie de leur expliquer en leur en révélant le moins possible.

Jerome lui lança un regard noir et ils se dévisagèrent l'un l'autre comme ils en avaient l'habitude. J'en avais été le témoin un nombre de fois incalculable, mais j'étais pratiquement certaine de ne les avoir jamais vus s'opposer de la sorte.

— Ce symbole a pu avoir une signification à une époque, concéda Jerome, respirant profondément pour se calmer. Mais ce n'est plus le cas. Comme je l'ai dit, il ne veut plus rien dire aujourd'hui. Un gribouillage archaïque. Un sort en lequel plus personne ne croit ne détient aucun pouvoir.

— Alors pourquoi l'utiliser ? demandai-je à haute voix. Une autre manifestation du sens de l'humour si particulier du nephilim ?

— Quelque chose comme ça. C'est une façon de me rappeler à qui j'ai affaire – comme s'il y avait la moindre chance que j'oublie. (Levant son verre dont une partie du contenu avait débordé sur la table, Jerome finit son Martini d'une traite. Avec un soupir, paraissant soudain très las, il jeta un coup d'œil vers Carter.) Parle-leur des autres si tu veux.

Le visage de l'ange afficha une expression légèrement surprise face à cette concession. Il se tourna vers le mur barbouillé.

— Ce symbole est le deuxième d'une série qui en compte trois. Le premier équivaut à une déclaration de guerre – une façon de jouer avec les nerfs de son ennemi. Il ressemble à celui-là, mais sans la diagonale. Le dernier symbole marque la victoire. Il comprend deux diagonales et n'est affiché qu'après la défaite de son ennemi.

Je suivis son regard.

— Mais attends… si c'est le deuxième, est-ce que ça signifie que vous avez déjà vu le premier ?

Jerome sortit de la pièce et revint un moment plus tard, me tendant un morceau de papier.

— Tu n'es pas la seule à recevoir des billets doux, Georgina.

Je le dépliai. Le papier correspondait à celui utilisé pour les billets que j'avais reçus. Dessus, quelqu'un avait tracé à l'encre noire une copie du symbole figurant sur le mur de Jerome, mais sans la diagonale. Le premier symbole, la déclaration de guerre, selon Carter.

— Quand l'as-tu reçu ?

— Juste avant la mort de Duane.

Dans ma tête, je revins quelques semaines en arrière.

— C'est pour ça que tu ne m'as pas trop cuisinée quand il est mort. Tu avais déjà ta petite idée sur le coupable.

Le démon haussa les épaules en guise de réponse.

— Attends une minute, s'exclama Cody, venu jeter un coup d'œil à la note par-dessus mon épaule. Si c'est le premier avertissement… est-ce que tu es en train de nous dire que tout ce qui s'est passé – Duane, Hugh, Lucinda, Georgina – faisait partie de la phase « jouer avec les nerfs de l'ennemi » ? (Une incrédulité grandissante sembla s'emparer du vampire quand aucun des deux immortels de haut rang ne répondit.) Jusqu'où ça peut aller ? À quoi peut-on s'attendre quand il va attaquer pour de bon ? Il a tout de même déjà agressé ou tué quatre immortels, si je ne me trompe ?

— Quatre *simples* immortels, précisai-je, venant subitement de comprendre. (Je regardai tour à tour Jerome et Carter.) J'ai pas raison ?

L'ange me gratifia d'un sourire crispé.

— Si. Vous avez été le tour d'échauffement avant de passer aux choses sérieuses.

Il lança à Jerome un autre regard appuyé.

— Ça suffit ! réagit le démon. Je ne suis pas une cible pour lui.

— Crois-tu ? Personne n'est venu chez moi pour peindre sur les murs.

— Personne ne sait où tu vis.

— Ton adresse ne figure pas vraiment dans les Pages blanches non plus. Tu es la cible.

— C'est purement théorique. Je suis hors de sa portée.

— Tu n'en sais rien…

— Si, je le sais – et toi aussi. Il est absolument impossible qu'il soit plus fort que moi.

— Nous avons besoin de renfort. Appelle Nanette…

— Mais bien sûr, ricana durement Jerome. Personne ne va rien remarquer si je la rapatrie depuis Portland. Autant agiter un drapeau rouge! Les gens vont se mettre à poser des questions…

— Et alors? Où est le problème?

— Facile à dire – pour toi. Qu'est-ce que tu connais à…

— Je t'en prie. J'en sais assez pour penser que tu fais preuve d'une paranoïa aiguë…

Les deux immortels continuèrent à se renvoyer la balle, Jerome niant catégoriquement l'existence même d'un problème, Carter maintenant qu'ils devaient prendre les précautions qui s'imposaient. Comme je l'ai déjà fait remarquer plus tôt, je ne les avais jamais vus aussi ouvertement en désaccord. Je n'aimais pas beaucoup ça, surtout quand le volume de leurs voix commença à augmenter. Je ne voulais vraiment pas me trouver à proximité s'ils en venaient aux mains ou à des démonstrations de pouvoir; j'en avais eu largement ma dose ces dernières semaines. Lentement, je battis en retraite jusqu'à un couloir non loin de là. Cody, également sensible à l'atmosphère qui régnait, me suivit.

— Je déteste quand papa et maman se disputent, commentai-je tandis que nous nous éloignions de la divine chamaillerie, à la recherche d'un endroit plus sûr.

Passant la tête dans l'encadrement de plusieurs portes, je découvris une salle de bains, une chambre à coucher et une chambre d'ami. Pourtant, j'imaginais mal le démon héberger des amis pour la nuit.

— Voilà qui semble prometteur, observa Cody quand nous pénétrâmes dans une salle dédiée à la détente.

Des fauteuils en cuir étaient disposés en arc de cercle devant un gigantesque écran à plasma – ridiculement fin – accroché au mur.

De magnifiques enceintes aux lignes pures nous entouraient, placées à des emplacements stratégiques, et une vitrine impressionnante contenait des centaines de DVD. Cette pièce, comme les autres, avait été saccagée. Avec un soupir, je me laissai tomber dans un des fauteuils éventrés pendant que Cody s'amusait avec le système audio vidéo.

—Qu'est-ce que tu penses de tout ça? lui demandai-je. Je parle des derniers rebondissements, pas du home cinéma.

—Tout ça me paraît très clair. Ce nephilim s'est fait la main sur de simples immortels et maintenant il a décidé de s'attaquer à de plus gros poissons. C'est un malade, mais que veux-tu y faire? Le bon côté des choses, c'est qu'on est peut-être enfin hors de danger – désolé pour Jerome et Carter.

—Je ne sais pas. (Je penchai la tête en arrière, songeuse.) Pour moi, il y a toujours quelque chose qui ne colle pas. Un truc qui nous échappe. Tu n'as qu'à les écouter. Pourquoi Jerome se conduit-il comme un idiot à propos de toute cette affaire? Pourquoi refuse-t-il d'entendre ce que Carter lui dit?

Le jeune vampire leva les yeux des films qu'il survolait et me sourit d'un air espiègle.

—Je n'aurais jamais cru qu'un jour tu prendrais la défense de Carter. Vous êtes devenus très copains cette semaine.

—Ne te berce pas d'illusions romantiques, l'arrêtai-je. J'ai bien assez de problèmes comme ça. C'est juste que, je ne sais pas... Carter n'est pas aussi mauvais bougre que je le croyais.

—C'est un ange. Il n'est pas mauvais *du tout*.

—Tu comprends ce que je veux dire. Et force est d'admettre qu'il a raison. Jerome devrait prendre des mesures appropriées. Cette créature a saccagé son appartement et laissé des avertissements – je me fiche que le sort soit obsolète ou pas. Pourquoi Jerome est-il tellement convaincu qu'il ne risque rien?

—Parce qu'il pense qu'il est plus puissant que le nephilim.

—Comment le saurait-il? Aucun d'eux n'a réussi à le sonder – pas même Carter, la nuit où il m'a sauvée.

—Jerome ne me semble pas être du genre à ne pas prendre une menace au sérieux sans raison. S'il prétend qu'il est plus fort, alors je... Merde alors! Regarde-moi ça!

D'un éclat de rire, il balaya le sérieux de notre conversation.

Je me levai et allai m'agenouiller à côté de lui.

— Quoi ?

Il pointa du doigt la dernière rangée de DVD. Je lus les titres. *High Fidelity, Better Off Dead, Say Anything, Grosse Pointe Blank.* Que des films avec John Cusack.

— J'en étais sûre, soufflai-je, songeant à la ressemblance prétendument fortuite entre le démon et l'acteur. Je savais que c'était un fan. Il l'a toujours nié.

— Attends un peu qu'on raconte ça à Peter et Hugh, exulta Cody. (Il prit *Better Off Dead* sur l'étagère.) C'est son meilleur.

Je sortis *Dans la peau de John Malkovich*, me sentant tout de suite plus détendue.

— Absolument pas. C'est celui-là.

— Je le trouve un peu trop zarbi.

Je jetai un coup d'œil à l'écran plasma, sa surface traversée par une profonde entaille.

— Normalement, je suggérerais une confrontation pour régler la question, mais je ne crois pas qu'on pourra regarder quoi que ce soit ici avant longtemps.

Cody suivit mon regard et grimaça devant un tel massacre.

— Quel gâchis. Ce nephilim est vraiment un bâtard.

— Aucun doute là-dessus ! approuvai-je en me relevant. Pas étonnant que...

Je restai clouée sur place. Tout se figea. « *Vraiment un bâtard.* »

— Georgina ? demanda Cody avec curiosité. Tout va bien ?

Je fermai les yeux. La tête me tournait.

— Oh, mon Dieu...

« *Vraiment un bâtard.* »

Je repensai à la suite des événements liés au nephilim, à la façon dont, dès le tout début, Jerome nous avait tenus éloignés. Il avait justifié ses actions en invoquant notre sécurité, mais il n'avait eu aucune raison de ne pas nous parler des nephilim – nous expliquer la nature de notre adversaire ne nous mettait pas en danger. Pourtant Jerome était resté muet, allant même jusqu'à s'emporter quand l'un d'entre nous approchait la vérité de trop près. Lorsque Cody avait avancé sa théorie de l'ange rebelle pour la première fois, j'en avais déduit que tous ces secrets avaient pour but de masquer l'embarras de l'autre camp. Mais ce n'était pas l'autre camp qui avait quelque chose à cacher. C'était le nôtre.

« Clic, clic. » Avec un petit bruit sec, les dominos basculaient les uns après les autres, de plus en plus vite, dans ma tête. Je songeai au livre de Harrington : « Les anges corrompus ont enseigné “leurs charmes et leurs enchantements” à leurs femmes pendant que leurs enfants se déchaînaient… » Des charmes. Comme ce symbole obsolète sur le mur de Jerome. « C'est une façon de me rappeler à qui j'ai affaire – comme s'il y avait la moindre chance que j'oublie », avait-il expliqué avec désinvolture.

Carter m'avait raconté que les démons traquaient généralement les nephilim. Nanette avait proposé son aide pour débusquer celui-là, mais Jerome avait décliné son offre, maintenant ainsi au minimum le nombre de personnes au courant. Il avait pourtant gardé Carter sous la main pour la mise à mort. Quand j'avais demandé à l'ange si Jerome n'aurait pas préféré s'en charger lui-même, Carter avait éludé la question.

Et les dominos continuaient de basculer. *« Les nephilim héritent de bien plus de la moitié de la puissance de leur parent, bien qu'ils ne puissent jamais la dépasser. »* Mot pour mot ce que nous avait dit Jerome la semaine dernière, juste après mon agression. À peine quelques minutes plus tôt, je m'étais interrogée sur son assurance d'être plus fort que le nephilim, me demandant d'où lui venait une telle certitude. J'avais ma réponse. La génétique divine avait déjà dicté les paramètres.

— Georgina ? Où vas-tu ? s'exclama Cody, tandis que je sortais de la pièce à grands pas, en direction de la dispute qui faisait toujours rage au bout du couloir.

— Écoute, disait Carter, ça ne changera rien si…

— C'est le tien ! criai-je à Jerome en essayant de lui faire baisser les yeux – pas facile, il était plus grand que moi. Le nephilim : c'est le tien.

— Quoi ? Mon problème ?

— Non ! Tu sais très bien ce que je veux dire. Ton enfant. Ton fils… ou ta fille… Peu importe.

Le silence s'abattit et Jerome me scruta de ses vifs yeux noirs, son regard me transperçant jusqu'au plus profond de mon âme. Je m'attendais à être incessamment projetée à travers la pièce. Au lieu de cela, il se contenta de demander :

— Et alors ?

Surprise par sa réaction anodine, j'avalai ma salive.

— Alors… alors… pourquoi ne nous l'as-tu pas dit ? Dès le début ? Pourquoi garder le secret ?

— Comme tu peux peut-être l'imaginer, il ne s'agit pas d'un sujet que j'aime aborder. Et contrairement à ce que l'on croit, je pense avoir droit à une vie privée.

— Oui, mais… (Maintenant qu'il avait confirmé l'information, je ne savais plus quoi dire, penser ou faire.) Que va-t-il se passer ? Que vas-tu faire ?

— Ce que j'avais prévu. Nous allons trouver cette créature et la détruire.

— Mais… il ou elle… est de ton sang…

Moi, qui avais jalousement et envieusement observé la progression de la grossesse de Paige, ainsi que la volée de nièces de Seth, je ne parvenais pas à comprendre qu'on puisse prononcer aussi calmement l'arrêt de mort de sa propre progéniture.

— C'est sans importance, affirma froidement le démon. Le nephilim représente un handicap, un danger pour nous tous. Notre lien de parenté n'a rien à y voir.

— Tu… tu n'arrêtes pas de dire « le nephilim ». Es-tu détaché au point de ne pas l'appeler par son nom ? Au fait, c'est un fils ou une fille ?

Il hésita un moment et je détectai une légère trace d'embarras derrière ce masque froid.

— Je ne sais pas.

Je le dévisageai.

— Quoi ?

— J'étais absent à sa naissance. Quand j'ai découvert qu'elle… ma femme… était enceinte, je suis parti. Je savais que cela finirait par arriver. Je n'étais pas le premier – ni le dernier – à épouser une mortelle. À ce stade, de nombreux nephilim étaient nés et avaient été détruits. Nous savions tous de quoi ils étaient capables. Il aurait dû être éliminé à sa naissance. (Il marqua une pause, le visage de nouveau sans expression.) Je n'ai pas pu. J'ai fui mes responsabilités, je suis parti pour ne pas avoir à prendre cette décision. Je me suis conduit comme un lâche.

— Tu... tu l'as revue ? Ton épouse ?

— Non.

Interloquée, je me demandai quel genre de femme elle avait pu être. J'arrivais à peine à comprendre Jerome en tant que démon, alors avant qu'il soit déchu... Il ne montrait pratiquement jamais ses émotions ni d'affection pour qui que ce soit. Je ne parvenais pas à m'imaginer la femme qui avait réussi à lui faire perdre la tête au point de tourner le dos à tout ce qu'il considérait comme sacré. Et pourtant, malgré cet amour, il l'avait quittée pour ne plus jamais la revoir. Elle devait être morte depuis des millénaires à présent. Il l'avait quittée pour sauver leur enfant, mais aujourd'hui il tenait une nouvelle fois sa vie entre ses mains. Une situation déchirante. J'avais envie de faire quelque chose – le serrer dans mes bras, peut-être – mais je savais que le démon ne me serait pas reconnaissant de ma compassion. La révélation de son secret l'embarrassait déjà bien assez.

— Alors tu ne l'as jamais vu ? Comment peux-tu être sûr qu'il s'agit bien de ta progéniture ?

— Sa signature. Quand je la sens, je sens la moitié de mon aura et la moitié de... celle de ma femme. Aucune autre créature ne pourrait présenter une telle combinaison.

— Et c'est ce que tu as senti chaque fois ?

— Oui.

— Ouah. Et tu ne sais rien d'autre de lui ?

— Exact. Comme je l'ai dit, je suis parti bien avant sa naissance.

— Mais alors tout s'explique : tu constitues réellement une cible pour lui, fis-je en désignant le mur. Indépendamment de tout ça, le nephilim a une raison bien particulière de t'en vouloir.

— Merci pour ton soutien inconditionnel.

— Ce n'est pas ce que je voulais dire. Mais réfléchis... les nephilim ont déjà une raison valable d'être en colère. Tout le monde les déteste et essaie de les tuer. Quant à celui qui nous occupe... eh bien, je connais des gens qui dépensent des fortunes en thérapie pour surmonter une mauvaise expérience avec leur père. Imagine un peu les névroses qu'il a pu développer en quelques milliers d'années.

— Nous suggères-tu de consulter un psychologue, Georgie ?

— Non... bien sûr que non. Quoique... je ne sais pas. As-tu essayé de lui parler ? De le raisonner ? (Je me souvins d'Erik affirmant que les nephilim désiraient simplement qu'on leur fiche la paix.) Il y a peut-être moyen de s'entendre.

— Très bien. Cette conversation prend un tour de plus en plus absurde – si une telle chose est possible. (Jerome se tourna vers Carter.) Tu veux bien les ramener chez eux ?

— Je reste avec toi, affirma l'ange sur un ton sans appel.

— Oh, bon sang, je croyais qu'on avait réglé ça...

— Carter a raison, dis-je d'une voix flûtée. La phase d'avertissement est terminée. Je ne risque plus rien.

— Nous n'en savons rien...

— Et d'ailleurs, assurer ma sécurité t'a surtout servi de prétexte ; la présence de Carter avait essentiellement pour objectif de m'empêcher de découvrir la vérité à propos de tes problèmes familiaux. C'est trop tard pour ça et je suis fatiguée d'avoir une ombre. Garde-le avec toi et nous dormirons tous sur nos deux oreilles – même si tu penses qu'on en fait un peu trop.

— Je ne saurais mieux dire, gloussa Carter.

Jerome protesta et nous nous chamaillâmes encore un peu, mais au final, la décision appartenait à Carter. Jerome n'avait aucun pouvoir sur lui ; si Carter décidait de s'accrocher aux basques du démon jusqu'à nouvel ordre, Jerome ne pouvait pas y faire grand-chose. En dépit de la colère qu'ils éprouvaient l'un envers l'autre en cet instant, ils n'allaient pas se lancer dans un combat épique.

Carter accepta de nous téléporter chez nous, mais je le soupçonnais d'avoir plutôt voulu faire un geste à l'intention de Jerome, afin de s'assurer que nous continuions d'ignorer où habitait l'archidémon. Après avoir déposé le vampire chez lui, Carter me transporta dans ma salle de séjour, hésitant avant de disparaître de nouveau.

— C'est mieux ainsi, je crois, me dit-il. Que je reste avec Jerome. Je sais que le nephilim ne peut pas être plus fort que lui... mais il y a toujours quelque chose qui me chiffonne dans cette histoire. Je ne suis pas non plus entièrement convaincu que tu sois hors de danger, mais ton implication, quelle qu'elle soit, me paraît d'une nature différente.

(Il haussa les épaules.) Je ne sais pas. Il y a beaucoup de décisions difficiles à prendre ; j'aimerais que Jerome accepte de demander des renforts. Pas énormément, bien sûr. Juste un peu.

— Ne t'en fais pas, le rassurai-je. Je vais me débrouiller. Tu ne peux pas être partout à la fois.

— C'est tellement vrai. Quand tout sera terminé, il faudra que je demande au nephilim comment il s'y prend.

— On ne peut pas interroger les morts.

— Non, admit-il d'un air mécontent. On ne peut pas.

Il se tourna, faisant mine de partir.

— C'est étrange…, commençai-je lentement. Imaginer Jerome amoureux. Et déchoir par amour.

Il me gratifia d'un de ses sourires rusés qui me donnaient la chair de poule.

— L'amour ne fait pas déchoir les anges, Georgina. Au contraire, il peut même avoir l'effet inverse.

— Ah bon ? Alors si Jerome retombe amoureux, il pourrait redevenir un ange ?

— Non, non. Ce n'est pas aussi simple. (Devant mon expression déconcertée, il rit et me serra brièvement l'épaule.) Fais attention à toi, Fille de Lilith. Appelle-moi si tu as besoin d'aide.

— Je n'y manquerai pas, l'assurai-je, tandis qu'il disparaissait en un clin d'œil.

Comme si entrer en contact avec un immortel de haut rang était si facile… Jerome pouvait sentir si j'étais blessée, mais l'appeler pour simplement bavarder était une tout autre paire de manches.

Peu après, j'allai me coucher, épuisée par tout ce qui venait de se passer, trop fatiguée pour me soucier d'une éventuelle attaque de nephilim dans mon sommeil. Le lendemain, c'était mon tour de faire la fermeture de la librairie – mon dernier jour de travail avant deux journées de repos. Cette pause me ferait le plus grand bien.

Je me réveillai tard le lendemain matin – toujours en vie. En marchant en direction d'*Emerald City*, je tombai sur Seth, armé de son ordinateur portable, fin prêt pour une nouvelle journée d'écriture. Le souvenir du dernier cours de danse avec lui chassa momentanément de mon esprit tous mes problèmes de nephilim.

— Vous avez pensé à rapporter mon livre ? demandai-je alors qu'il me tenait la porte.

— Non. Vous avez pensé à ma chemise ?

— Non plus. Mais j'aime bien ce que vous portez aujourd'hui. (Son tee-shirt affichait le logo de la comédie musicale *Les Misérables*.) Ma chanson préférée provient de ce spectacle.

— C'est vrai ? Qu'est-ce que c'est ?

— *J'avais rêvé.*

— C'est une chanson vraiment déprimante. Pas étonnant que vous ne vouliez sortir avec personne.

— Et vous ? Quelle est votre chanson favorite ?

J'avais déjà posé ma question fétiche à Roman, mais jamais à Seth.

— *Ultraviolet*, de U2. Vous connaissez ?

Nous approchâmes du comptoir. Bruce commença à préparer mon moka sans me laisser le temps de commander.

— Je connais un peu leur musique, mais pas ce titre. De quoi ça parle ?

— D'amour, bien sûr. Comme toutes les bonnes chansons. De la souffrance de l'amour et de son pouvoir rédempteur. Un rien plus optimiste que votre choix.

Je me rappelai le commentaire de Carter la nuit dernière. *« L'amour ne fait pas déchoir les anges. »*

Une fois installés, Seth et moi bavardâmes – entretenir la conversation ne nous demandait plus aucun effort. Difficile d'imaginer qu'il n'en avait pas toujours été ainsi. Il paraissait tellement à l'aise.

Enfin – parce qu'il fallait bien que je me mette au travail – je décidai de m'assurer que le reste du personnel était bien à son poste, puis je me retirai dans mon bureau. J'avais seulement l'intention de consulter ma boîte mail ; d'humeur sociable, j'avais envie de travailler en boutique. Jetant mon sac sur mon bureau, j'allais m'asseoir dans mon fauteuil quand j'aperçus une enveloppe blanche bien trop familière avec mon nom écrit dessus.

Je retins mon souffle. Et dire que je croyais ne plus intéresser le nephilim… Les mains tremblantes, je saisis l'enveloppe et l'ouvris avec mes doigts maladroits.

« Je t'ai manqué ? J'imagine que toi et tes amis immortels avez eu fort à faire : vérifier que personne ne manquait à l'appel et que tout le monde se portait bien. Et avec une vie privée tellement fascinante et aussi tumultueuse, tu n'as guère eu le temps de penser à moi. Comme c'est cruel… Après tout ce que j'ai fait pour toi.

Mais je me demande si tu te soucies autant des mortels dans ta vie que des immortels ? La mort d'un humain reste bien moins significative, j'en conviens. Après tout, que représente une cinquantaine d'années en moins comparées aux siècles d'un immortel. Les mortels ne méritent pas qu'on en fasse tant d'histoires, et pourtant tu sembles vraiment apprécier leur compagnie. Mais peut-être n'est-ce qu'une apparence ? Une distraction au fil des siècles de ta propre vie ? Et ton petit ami ? N'est-il qu'un jouet de plus, un passe-temps ? As-tu vraiment des sentiments pour lui ?

Je te propose de le découvrir. De m'en convaincre. Aujourd'hui même. Je te laisse jusqu'à la fin de ton service pour t'assurer qu'il ne lui arrivera rien. Tu connais les règles du jeu – ne pas le laisser seul, privilégier les endroits sûrs, etc., etc. Je serai avec toi, je t'observerai. Convaincs-moi que tu tiens vraiment à lui et je l'épargnerai. Il faut que j'y croie. Si tu échoues – ou si tu mêles l'un de tes amis immortels à notre petit jeu –, rien ne pourra le sauver. »

Je laissai tomber le billet, les mains glacées. Qu'est-ce que ce taré avait encore inventé ? Ça n'avait aucun sens. Le nephilim commençait par me demander d'assurer la protection de quelqu'un, tout ça pour me prévenir, juste en dessous, que, quoi que je fasse, cela ne changerait rien. C'était tout bonnement stupide. Une nouvelle provocation pour voir comment j'allais réagir. Mal à l'aise, je regardai autour de moi en me demandant si le nephilim me surveillait en ce moment même. La progéniture dépitée de Jerome rôdait-elle, invisible, à côté de moi, ricanant devant mon angoisse ? Que devais-je faire ?

Et surtout – peut-être la question la plus importante –, qui diable était mon petit ami ?

Chapitre 21

Je n'avais pas de petit ami. En dépit de toutes mes incertitudes, voilà au moins une affirmation qui ne faisait aucun doute. Malheureusement, le nephilim semblait avoir une vision plus optimiste de ma vie amoureuse.

— J'ignore de qui tu parles, criai-je dans mon bureau vide. Tu m'entends, fils de pute ? Je ne sais pas de qui tu parles !

Personne ne répondit.

Paige, qui passait par là, glissa la tête dans l'embrasure de la porte.

— Tu m'as appelée ?

— Non, grommelai-je. (Elle portait une robe qui épousait son ventre gonflé. Mon humeur ne s'en trouva pas améliorée.) Je pensais tout haut.

Je fermai la porte après son départ.

Mon premier réflexe fut de demander de l'aide. Carter. Jerome. Quelqu'un. N'importe qui. Je ne pouvais pas m'en sortir toute seule.

« Si tu échoues – ou si tu mêles l'un de tes amis immortels à notre petit jeu – rien ne pourra le sauver. »

Merde. Je ne savais même pas qui « il » était. Je tâchai désespérément de deviner qui, parmi les mortels que je fréquentais, avait pu donner l'impression au nephilim qu'il y avait quelque chose de plus entre nous. Comme si être mon ami n'était pas déjà assez difficile comme ça.

Étonnamment – ou peut-être pas – mes pensées vagabondèrent rapidement jusqu'à Seth. Je réfléchis à la récente évolution de nos relations. Plus chaleureuses qu'avant. Rien d'inconvenant, mais je me sentais bien avec lui et parfois, quand nous nous touchions, j'en avais le souffle coupé.

Non, c'était idiot. Je n'éprouvais à son égard qu'une fascination superficielle. Je le vénérais pour ses livres et notre amitié m'avait aidée à surmonter ma rupture avec Roman. Le béguin ou le peu d'attirance qu'il avait pu ressentir pour moi avait dû bien vite s'estomper. Plus rien ne laissait supposer que ses sentiments dépassaient la simple amitié et le fait que j'avais pris mes distances y avait certainement contribué. D'ailleurs, il n'arrêtait pas de s'éclipser pour de mystérieux rendez-vous, probablement avec une femme dont il n'osait pas me parler par timidité. Le considérer comme un petit ami potentiel semblait tout simplement présomptueux de ma part.

Oui, mais… et si le nephilim ignorait tout cela ? Comment savoir ce que pensait ce tordu ? S'il nous avait observés – Seth et moi – prendre tous les jours le café en bavardant, il avait très bien pu se faire des idées. La peur me noua l'estomac. Je n'avais qu'une envie : me précipiter à l'étage pour m'assurer que Seth allait bien. Mais non. Ç'aurait été une perte de temps, pour l'instant du moins. Il écrivait dans un lieu public, entouré de nombreuses personnes. Le nephilim ne l'attaquerait pas dans ces conditions.

Qui d'autre, alors ? Warren, peut-être ? Le nephilim avait joué les voyeurs et nous avait regardés baiser. De là à en déduire que nous avions une liaison, il n'y avait qu'un pas. Bien sûr, le nephilim avait également pu remarquer que mes rapports avec Warren se limitaient justement à nous envoyer en l'air de temps en temps. Pauvre Warren. Déjà que je le vidais petit à petit de sa force vitale… Quelle ironie cruelle, si le sexe avec moi en faisait également la victime du sens de l'humour dérangé du nephilim. Heureusement, j'avais déjà croisé Warren aujourd'hui. Il travaillait dans son bureau, et peut-être pouvais-je le considérer en sécurité. Il avait beau être seul, les cris provoqués par une attaque du nephilim ne manqueraient pas d'attirer l'attention.

Doug ? Nous n'avions jamais dépassé le stade d'un flirt enjoué. Certains pouvaient peut-être interpréter ses avances sporadiques comme la manifestation de quelque chose de plus qu'une simple amitié. Mais ces dernières semaines, nous avions à peine eu l'occasion de nous parler. J'avais été bien trop distraite par les agressions du nephilim. Par Roman, aussi.

Ah, Roman. Je me décidai enfin à envisager la seule hypothèse plausible. La réalité que j'avais préféré fuir parce qu'elle m'obligeait à prendre contact avec lui, à rompre le silence que j'avais eu tant de mal à maintenir. Je ne savais pas comment définir notre relation, au-delà d'une attirance torride et d'un pincement de cœur de temps en temps. J'ignorais si c'était de l'amour, ou même le début d'une histoire d'amour. Mais il comptait pour moi. Beaucoup. Il me manquait. Couper complètement les ponts avec lui avait été la méthode la plus sûre pour m'en remettre, oublier mon désir et reprendre le cours normal de ma vie. Je craignais les effets de nos retrouvailles.

Et pourtant... parce qu'il comptait pour moi, je ne pouvais pas accepter que le nephilim s'en prenne à lui. Je ne pouvais laisser Roman risquer sa vie – parce que, pour être franche, il représentait le candidat le plus probable. La moitié de la librairie pensait que nous étions en couple ; pourquoi pas le nephilim ? Sans compter que nous n'avions pas été avares de contacts physiques lors de plusieurs de nos sorties. Tout nephilim en chasse aurait eu toutes les raisons de croire à un attachement romantique.

Retenant mon souffle, je l'appelai sur mon mobile. Pas de réponse.

— Merde, jurai-je en écoutant le message d'accueil de son répondeur. Salut Roman, c'est moi. Je sais que j'avais promis de ne plus t'appeler, mais il s'est passé quelque chose... et j'ai vraiment besoin de te parler. Dès que possible. C'est un truc très bizarre, mais superimportant. Rappelle-moi, s'il te plaît.

Je conclus en lui laissant mon numéro au bureau et celui de mon mobile.

Après avoir mis fin à la communication, je réfléchis. Que faire à présent ? Sur un coup de tête, je consultai l'annuaire du personnel et composai le numéro du domicile de Doug. C'était son jour de repos.

Pas de réponse. Comme Roman. Où étaient-ils tous aujourd'hui ?

Concentrant de nouveau mon attention sur Roman, je me demandai où il pouvait bien se trouver. Au travail, vraisemblablement. Malheureusement, je ne connaissais pas son employeur. Pas sérieux, pour une prétendue petite amie… Il m'avait dit qu'il enseignait dans une université publique. Il y faisait sans cesse allusion, mais toujours en employant des termes comme « à l'école » ou « à l'université ». Il n'avait jamais mentionné le nom de son établissement.

Je me tournai vers mon ordinateur et lançai une recherche locale sur le sujet. Quand s'affichèrent plusieurs résultats pour la seule ville de Seattle, je jurai de nouveau. D'autres établissements existaient en dehors de la ville, en banlieue et dans la région. N'importe lequel d'entre eux aurait pu être le bon. J'imprimai la liste, avec les numéros de téléphone, et fourrai la feuille dans mon sac. Le moment était venu de poursuivre mon enquête sur le terrain.

J'ouvris la porte de mon bureau et tressaillis. Une autre note, de la même écriture, m'attendait scotchée sur la porte. Je jetai un coup d'œil dans le couloir, espérant presque apercevoir quelque chose. Rien. J'arrachai l'enveloppe et l'ouvris.

« Tu perds du temps et des hommes. Tu as déjà perdu l'écrivain. Tu ferais mieux de te dépêcher. La chasse au trésor a commencé. »

— Chasse au trésor, c'est ça…, marmonnai-je en chiffonnant le billet. Connard…

Mais… « Tu as déjà perdu l'écrivain. » Qu'avait-il voulu dire par là ? Seth ? Mon pouls s'accéléra et je courus au café, ce qui me valut quelques regards étonnés en chemin.

Pas de Seth. Son coin était vide.

— Où est passé Seth ? m'enquis-je auprès de Bruce. Il était là tout à l'heure.

— Exact, confirma le *barista*. Mais il a brusquement rangé ses affaires et il est parti.

— Merci.

Je ne pouvais pas rester ici. Je trouvai Paige au rayon des nouveautés.

— Je crois que je vais devoir rentrer chez moi, lui expliquai-je. J'ai la migraine.

Elle parut étonnée. En matière d'absentéisme, je me montrais une employée irréprochable. Je n'étais jamais malade. Raison pour laquelle elle pouvait difficilement refuser d'accéder à ma demande. Je n'étais pas du genre à profiter du système.

Après qu'elle m'eut assuré que cela ne posait aucun problème, j'ajoutai :

— Peut-être que tu peux demander à Doug de venir me remplacer ?

D'une pierre deux coups.

— Peut-être. Mais je suis persuadée qu'on va s'en sortir. Warren et moi sommes là toute la journée.

— Lui aussi ?

Quand elle me confirma que Warren ne bougerait pas d'ici, je me sentis un peu soulagée. Parfait. Un de moins sur ma liste.

En marchant vers chez moi, j'appelai Seth sur son mobile.

— Où êtes-vous ? demandai-je.

— Chez moi. J'ai oublié des notes dont j'avais besoin.

Chez lui ? Seul ?

— Ça vous dirait de prendre le petit déjeuner avec moi ? lui proposai-je soudain, pour le pousser à sortir de chez lui.

— Il est presque une heure de l'après-midi.

— On peut déjeuner ou prendre un brunch si vous préférez.

— Vous n'êtes pas au travail ?

— Je me suis fait porter pâle.

— Vous êtes malade ?

— Non. Venez me retrouver, c'est tout.

Je lui communiquai une adresse et raccrochai.

Alors que je me rendais en voiture à notre rendez-vous, j'essayai de nouveau de joindre Roman sur son portable. Messagerie. Je sortis la liste des universités de mon sac et composai le premier numéro.

Quelle galère ! Je devais d'abord passer par l'accueil et tenter d'obtenir le bon département. La plupart des établissements ne disposaient même pas d'un département linguistique, bien que la plupart d'entre eux proposent au moins un cours d'introduction sur le sujet, mais par le biais d'une autre matière – anthropologie ou lettres classiques, par exemple.

Quand j'arrivai à Capitol Hill, j'avais eu le temps de contacter trois universités. Je laissai échapper un soupir de soulagement en apercevant Seth qui patientait à l'endroit que je lui avais indiqué. Après avoir garé ma voiture et mis de l'argent dans le parcmètre, je marchai vers lui, tâchant d'afficher un sourire dans un semblant de normalité.

Sans succès, apparemment.

— Qu'est-ce qui ne va pas ?

— Rien, rien, proclamai-je sur un ton enjoué.

Un peu trop enjoué.

Son expression me laissa entendre qu'il n'était pas dupe, mais il n'insista pas.

— On mange ici ?

— Oui. Mais d'abord nous allons rendre une petite visite à Doug.

— Doug ?

La confusion de Seth s'intensifia.

Je le conduisis jusqu'à un immeuble non loin de là et montai à l'étage où habitait Doug. De la musique beuglait derrière sa porte – un bon signe, selon moi. Je dus frapper à trois reprises avant que quelqu'un vienne ouvrir.

Ce n'était pas Doug, mais son colocataire. Il avait l'air défoncé.

— Est-ce que Doug est là ?

Il cligna des yeux et se gratta le crâne sous ses longs cheveux en bataille.

— Doug ? demanda-t-il.

— Oui, Doug Sato.

— Oh, Doug. D'accord.

— Alors, il est là ?

— Non, il... (Le type plissa les yeux. Bon Dieu, comment pouvait-il être aussi défoncé aussi tôt dans la journée ? Je ne faisais même pas ça dans les années 1960.) Il répète.

— Où ça ? Où est-ce qu'il répète ? (Il fixa son regard sur moi.) Où est-ce qu'il répète ? insistai-je.

— La vache ! Tu sais que t'as les plus beaux nichons que j'ai jamais vus ? C'est comme... comme de la poésie. C'est des vrais ?

Je serrai les dents.

— Où. Est-ce-que. Doug. Répète ?

Il détourna les yeux de ma poitrine.

— West Seattle. Chez Alki.

— Vous avez l'adresse ?

— C'est quelque part entre California Avenue et Alaska Street. (Il cligna de nouveau des yeux.) Waou. Entre California et Alaska. Compris ?

— L'adresse ?

— C'est vert. Vous pouvez pas le manquer.

Quand il ne nous proposa plus aucune autre information, Seth et moi partîmes pour le restaurant que je lui avais indiqué.

— De la poésie, répéta-t-il d'un ton amusé pendant que nous marchions. Un poème de E. E. Cummings, d'après moi.

J'étais bien trop préoccupée pour faire attention à ce qu'il me disait. Mon esprit fonctionnait à toute vitesse. Même les gaufres à la fraise ne réussirent pas à me détourner de cette stupide chasse au trésor. Seth essaya d'entretenir la conversation, mais mes réponses restèrent vagues et distraites. Je n'avais manifestement pas la tête à ça. Quand nous eûmes terminé, je tentai de nouveau ma chance avec Roman – sans succès – puis je me tournai vers Seth.

— Vous retournez à la librairie ?

Il secoua la tête.

— Non. Je rentre chez moi. J'ai réalisé que j'avais vraiment besoin de mes recherches pour écrire cette scène. À mon bureau, j'ai tout sous la main ; c'est plus simple.

Un sentiment de panique m'envahit.

— Chez vous ? Mais…

Que pouvais-je lui dire ? Que s'il restait à la maison, il risquait d'être agressé par une créature surnaturelle et sociopathe ?

— Passez l'après-midi avec moi, bafouillai-je. Allons faire des courses.

J'avais finalement eu raison de son calme poli.

— Allez-vous enfin m'expliquer ce qui se passe, Georgina ? Vous vous faites porter pâle alors que vous n'êtes pas malade. Quelque chose vous met visiblement dans tous vos états. Racontez-moi ! Il y a un problème avec Doug ?

Je fermai les yeux une seconde, souhaitant que tout ça soit fini. Souhaitant être ailleurs. Ou être quelqu'un d'autre. Seth devait penser que j'avais perdu la tête.

— Je ne peux vous donner aucune autre précision. Il faut me faire confiance. (Puis, avec hésitation, je tendis la main et serrai la sienne, levant des yeux suppliants vers lui.) Restez avec moi. S'il vous plaît.

Il raffermit sa prise sur ma main et s'approcha de moi, une expression à la fois inquiète et compatissante sur le visage. L'espace d'un instant, j'oubliai le nephilim. Qu'importaient les autres hommes quand Seth me regardait ainsi ? Je dus lutter pour ne pas l'enlacer et sentir ses bras se refermer sur moi.

Je faillis éclater de rire. Qui croyais-je tromper? Dire que j'avais eu peur de l'encourager, alors c'était moi qui devenais accro, moi qui changeais la nature de nos relations. Et il m'appartenait d'y mettre un terme. De toute urgence.

Je m'écartai précipitamment et baissai les yeux.

— Merci.

Il se proposa de prendre le volant, me permettant ainsi de continuer à téléphoner aux universités de ma liste. J'avais presque terminé en arrivant au carrefour d'Alaska Street et de California Avenue. Il ralentit un peu, et nous scrutâmes tous deux les environs à la recherche d'une maison verte.

« C'est vert. Vous pouvez pas le manquer. » Vraiment un conseil idiot. Et d'abord, quel vert ? J'aperçus successivement des bâtiments vert cendré, vert forêt et d'une couleur incertaine, entre le vert et le bleu. D'autres présentaient des moulures ou des portes vertes, ou encore...

— Waou..., fit Seth.

Une petite maison délabrée peinte dans un vert-jaune criard – limite bonbon à la menthe – se tenait devant nous, presque cachée par deux constructions bien plus jolies.

— « Vous pouvez pas le manquer », marmonnai-je.

Seth gara la voiture et nous nous dirigeâmes vers la maison. Chemin faisant, les sons du groupe de Doug émanèrent clairement du garage. Quand nous atteignîmes la porte grande ouverte, je vis Nocturnal Admission dans toute sa splendeur, Doug braillant les paroles de sa voix si particulière. Il s'interrompit brusquement en me voyant.

— Kincaid ?

Les autres membres du groupe échangèrent des regards interdits tandis qu'il sautait au bas de la scène et courait vers moi.

Seth recula discrètement de quelques pas, concentrant son attention sur un massif d'hortensias tout proche.

— Qu'est-ce que tu fais là ? demanda Doug, plus étonné que choqué.

— J'ai pris ma journée. J'ai dit que j'étais malade, expliquai-je stupidement.

Et maintenant ?

— Tu es malade ?

— Non. Je… j'avais quelque chose à faire. C'est d'ailleurs toujours le cas. Mais je… ça m'embêtait de laisser la librairie en plan. Tu en as encore pour longtemps ? Est-ce que tu pourrais me remplacer quand tu auras fini ?

— Tu es venue jusqu'ici pour me demander ça ? Pourquoi avoir prétendu que tu étais malade ? Tu t'es enfin décidée à partir avec Mortensen ?

— Je… Non. Je ne peux pas t'en dire plus. Promets-moi simplement qu'après la répétition, tu passeras au magasin afin de vérifier qu'ils n'ont pas besoin d'un coup de main.

Il me dévisageait avec le même regard que Seth m'avait lancé tout l'après-midi. Un regard qui laissait entendre que j'avais grand besoin d'un calmant.

— Kincaid… tu me fiches un peu les jetons, là…

Je levai les yeux vers lui, avec la même expression lugubre que j'avais employée avec Seth. Le charisme du succube en action.

— S'il te plaît ? Tu m'es toujours redevable, tu te rappelles ?

Il fronça les sourcils d'un air consterné bien compréhensible.

— D'accord, accepta-t-il enfin. Mais ce ne sera pas avant quelques heures.

— Ça ira. Vas-y directement, juste après. Ne t'arrête pas en route. Et… ne leur dis pas que tu m'as vue. Ils me croient malade. Trouve un prétexte pour expliquer ta présence.

Il secoua la tête avec exaspération et je le remerciai en le serrant brièvement dans mes bras. Alors que Seth et moi prenions congé, je vis Doug lancer un regard interrogateur à Seth. Ce dernier haussa les épaules, répondant à la question muette de l'autre homme par une confusion partagée.

Pendant que nous roulions, je passai d'autres coups de fil, arrivant au bout de ma liste, et laissai un nouveau message désespéré à Roman.

— Et maintenant ? demanda Seth quand je m'enfermai dans le silence.

Difficile de deviner ce que lui inspirait le harcèlement que j'exerçais sur Roman et Doug.

— Je... je ne sais pas.

J'avais fait tout ce qui était en mon pouvoir. J'avais retrouvé tout le monde, excepté Roman, et je n'avais aucun moyen d'entrer en contact avec lui. L'heure tournait. J'ignorais où il habitait. Je croyais l'avoir entendu mentionner Madrona une fois, mais il s'agissait d'un quartier plutôt vaste. Je me voyais mal aller frapper à toutes les portes. Le nephilim m'avait donné jusqu'à la fin de ma journée de travail. Bien que je ne sois pas à mon poste, j'estimais que cela me laissait toujours jusqu'à 21 heures. Il me restait trois heures.

— Je crois que je vais récupérer ma voiture et rentrer chez moi.

Seth me déposa au restaurant et me suivit jusqu'à Queen Anne. Un feu de signalisation l'obligea à s'arrêter, j'arrivai donc à mon appartement environ une minute avant lui. Un nouveau billet m'attendait sur ma porte.

« Beau travail. Tu finiras probablement par t'aliéner tous ces hommes à force de te conduire de manière aussi fantasque, mais j'admire ton courage. Plus qu'un. Je suis curieux de savoir si ton danseur est aussi agile qu'il le paraît. »

Je froissais cette note quand Seth me rejoignit. Je pris ma clé dans mon sac et tentai faiblement de la faire entrer dans la serrure. Mes mains tremblaient si fort que j'en étais incapable. Il se saisit de la clé et ouvrit la porte.

Nous entrâmes et je m'effondrai sur le canapé. Aubrey surgit en ondulant de derrière le canapé et sauta sur mes genoux. Seth, assis à proximité, observait l'intérieur de mon appartement – y compris ma collection de ses romans, bien en vue sur mon étagère toute neuve – puis il se tourna vers moi, visiblement inquiet.

— Georgina... comment puis-je vous aider ?

Je secouai la tête, me sentant à la fois impuissante et vaincue.

—Vous ne pouvez rien faire de plus. Votre présence me fait déjà beaucoup de bien.

—Je… (Il hésita.) Je regrette d'avoir à vous le dire, mais je vais devoir bientôt partir. J'ai un rendez-vous.

Je levai brusquement la tête. Une autre de ces mystérieuses rencontres. La curiosité céda temporairement la place à la peur, mais je me voyais difficilement l'interroger, lui demander s'il fréquentait une femme. Au moins avait-il rendez-vous *avec quelqu'un*. Il ne serait pas seul.

—Vous… vous en aurez pour longtemps ?

Il fit oui de la tête.

—Je pourrais repasser plus tard, si vous voulez. Ou alors… je peux peut-être annuler.

—Non, non, ne vous en faites pas.

Tout serait terminé à ce moment-là.

Il resta encore un peu, prenant de nouveau l'initiative d'une conversation à laquelle je ne me sentais pas la force de participer. Quand il se leva pour prendre congé, je lus une certaine anxiété sur son visage et me sentis terriblement coupable de l'avoir entraîné dans toute cette histoire.

—Tout ira mieux demain, affirmai-je. Alors ne vous inquiétez pas. Je serai redevenue la Georgina que vous connaissez. Promis.

—D'accord. Si vous avez besoin de quoi que ce soit, faites-le-moi savoir. Appelez-moi, quoi qu'il arrive. Sinon… on se voit demain matin au travail.

—Non. C'est mon jour de repos.

—Oh. Bien. Je peux passer, si vous n'y voyez pas d'inconvénient ?

—Bien sûr. Avec plaisir.

J'aurais accepté n'importe quoi. Je me sentais trop fatiguée pour rester fidèle à la promesse que je m'étais faite de prendre mes distances avec lui. J'aurais tout le temps d'y songer plus tard. Franchement. Chaque chose en son temps.

Il partit à contrecœur, sans doute déconcerté quand je lui conseillai de passer beaucoup de temps avec la personne qu'il devait retrouver. Quant à moi, j'errai dans mon appartement, sans savoir quoi faire. Peut-être que je ne parvenais pas à joindre Roman parce que le nephilim l'avait déjà trouvé. Ça n'aurait pas vraiment été loyal de sa part, parce que je n'avais pas réellement eu l'occasion de le mettre en garde, mais le nephilim ne me semblait pas se soucier beaucoup de ce qui était juste ou pas.

Prise d'une soudaine inspiration, j'appelai les renseignements, consciente d'avoir oublié le moyen le plus évident pour obtenir ses coordonnées. Ça n'aurait rien changé, il était sur liste rouge.

Deux heures avant la fin théorique de ma journée de travail, je laissai un autre message à Roman.

— Rappelle-moi, je t'en supplie. Même si tu m'en veux toujours, appelle pour me dire que tu vas bien.

Aucun appel en retour. Vingt heures. Encore une heure. Je laissai un nouveau message. Je sentais l'hystérie me gagner. Mon Dieu, qu'est-ce que j'allais bien pouvoir faire ? Je continuai à faire les cent pas, me demandant sous quel délai raisonnable j'allais pouvoir rappeler Roman encore une fois.

Cinq minutes avant 21 heures, folle d'inquiétude, j'empoignai mon sac, voulant à tout prix sortir de chez moi et faire quelque chose. N'importe quoi. C'était presque l'heure.

Qu'allait-il se passer? Comment saurais-je si j'avais réussi l'épreuve que m'avait imposée le nephilim ? En découvrant l'annonce du meurtre de Roman dans les journaux du matin ? Recevrais-je un autre billet ? Ou peut-être un souvenir macabre ? Et si le nephilim n'avait pas eu en tête les individus auxquels, moi, j'avais pensé ? Et si quelqu'un que je ne connaissais ni d'Ève ni d'Adam avait...

M'apprêtant à sortir, j'ouvris la porte et restai bouche bée.

— Roman !

Il se tenait là, le poing levé, apparemment aussi surpris que moi.

Je laissai tomber mon sac et courus me jeter dans ses bras, l'étreignant avec une force qui le fit vaciller.

— Oh, mon Dieu ! soufflai-je sur son épaule. Comme je suis contente de te voir !

— Je vois ça, répondit-il, s'écartant légèrement pour me regarder, une réelle inquiétude dans ses yeux turquoise. Bon sang, Georgina, qu'est-ce qui ne va pas ? Tu m'as laissé je ne sais combien de messages...

— Je sais, je sais, l'interrompis-je, mais refusant de le lâcher. (Sa simple vue suffisait à remuer en moi des sentiments que je croyais enfouis. Il était si beau. Il sentait si bon.) Je suis désolée… je… je croyais qu'il t'était arrivé malheur…

Je l'étreignis de nouveau et mon regard se posa sur ma montre. Vingt et une heures. L'heure à laquelle se terminait ma journée de travail, ainsi que le ridicule petit jeu du nephilim.

— D'accord, ça va. (Il me tapota le dos d'une façon un peu embarrassée.) Qu'est-ce qui se passe ?

— Je ne peux pas te le dire.

Ma voix trembla.

Il ouvrit la bouche pour protester, puis se ravisa.

— Très bien. Procédons par ordre. Tu as une petite mine. Allons manger quelque chose. Ensuite, tu pourras tout m'expliquer.

C'est ça, j'imaginais déjà notre conversation.

— Non. C'est impossible…

— Sois raisonnable, enfin ! Tu ne peux pas me laisser tous ces messages et me refaire le coup du « gardons nos distances ». Sérieusement, Georgina. Tu es à bout. Tu trembles comme une feuille. Je ne peux pas te laisser seule dans cet état, surtout après tous ces appels.

— Non. Non. On ne sort pas. (Je m'assis sur le canapé ; je voulais qu'il parte, mais ne me sentais pas le courage de le chasser.) Restons ici.

Pas vraiment rassuré, Roman alla me chercher un verre d'eau, puis s'installa à côté de moi, me tenant par la main. Petit à petit, je me calmai, écoutant Roman me parler de choses insignifiantes dans l'espoir de me réconforter.

Il se montra des plus compréhensif à propos de mes coups de téléphone hystériques. Il continua à essayer d'obtenir une explication, mais, constatant que je restais évasive – m'en tenant à ma première version : je me faisais du souci pour lui –, il renonça – pour l'instant. Il continua à me remonter le moral, me régalant d'anecdotes amusantes et de ses habituels soliloques sur la politique, se plaignant des lois irrationnelles et de l'hypocrisie de ceux qui nous gouvernent.

Plus tard dans la soirée, je me sentis de nouveau détendue, simplement embarrassée par ma conduite. La vache ! Je détestais vraiment ce nephilim.

— Il se fait tard. Tu vas t'en sortir toute seule ? demanda-t-il, debout à mes côtés devant la fenêtre qui donnait sur Queen Anne Avenue.

— Probablement mieux que si tu restes.

— C'est une question de point de vue, répliqua-t-il avec un petit rire, passant la main dans mes cheveux.

— Merci d'être passé. Je sais… Je sais que tout ça peut sembler dingue, mais je te demande de me faire confiance.

Il haussa les épaules.

— Tu ne me laisses pas vraiment le choix. En plus… ça me fait plutôt plaisir de savoir que tu t'inquiétais pour moi.

— Bien sûr que je m'inquiète. C'est normal.

— Je ne sais pas. Tu n'es pas toujours facile à comprendre. Je me suis demandé si tu m'avais vraiment aimé un peu… ou si je n'avais été qu'une passade. Une distraction.

Ses mots me rappelèrent quelque chose et j'aurais dû y prêter plus d'attention. Mais j'étais totalement absorbée par sa soudaine proximité, par sa main qui me caressait la joue, descendait sur mon cou et mon épaule. Il avait de longs doigts sensuels. Des doigts capables de faire beaucoup de bien dans plein de bons endroits.

— Tu me plais beaucoup, Roman. Même si tu ne crois pas un mot de ce que je t'ai dit, tu dois au moins croire ça.

Il sourit, alors, un large sourire, tellement beau que mon cœur se serra. Bon Dieu, que ce sourire m'avait manqué. Son charme enjoué aussi. Plaçant sa main sur ma nuque, il m'attira vers lui et je pris conscience qu'il allait de nouveau m'embrasser.

— Non… non… ne fais pas ça, murmurai-je, me tortillant pour échapper à son étreinte.

Il interrompit son baiser, reprenant son souffle, mais sans me lâcher. Sa déception apparaissait clairement sur son visage.

— N'avons-nous pas dépassé ce stade ?

— Tu ne peux pas comprendre. Je suis désolée. C'est imp…

— Georgina, il ne m'est rien arrivé de traumatique la dernière fois que nous nous sommes embrassés. Si j'exclus ta réaction, s'entend.

— Je sais, mais ce n'est pas aussi simple.

— Rien n'est arrivé, répéta-t-il avec une dureté étrange dans la voix.

— Je sais, mais…

Je restai bouche bée, en plein milieu de ma phrase, tandis que je repassais ces mots dans ma tête. *« Rien n'est arrivé. »* Non, il s'était bien passé quelque chose cette nuit-là, au concert, quand nous nous étions embrassés dans le couloir. Roman avait chancelé suite à ce baiser. Mais moi… que m'était-il arrivé ? Qu'avais-je ressenti ? Rien. Un baiser d'une telle intensité, un baiser avec quelqu'un de fort, quelqu'un que je désirais plus que tout, un tel baiser aurait dû déclencher quelque chose. Même avec un homme à faible rendement en énergie comme Warren, un baiser fougueux suffisait à réveiller mon instinct de succube, à nous lier, même si aucun transfert significatif n'avait lieu. En embrassant Roman de cette façon – surtout vu son apparente réaction – j'aurais dû sentir quelque chose de mon côté. Une sensation. Et pourtant, il n'y avait rien eu. Rien du tout.

J'avais attribué cela au trop-plein d'alcool. Mais c'était ridicule. Je buvais tout le temps avant de prendre ma dose d'énergie vitale. L'alcool embrouillait mes sens – comme il l'avait visiblement fait cette nuit-là – mais aucune ivresse, aussi profonde soit-elle, n'était capable de totalement gommer la sensation procurée par le transfert. Rien ne le pouvait. J'avais été trop bourrée pour comprendre la vérité. Avec ou sans alcool, je ressentais toujours quelque chose lors d'un contact physique intime ou sexuel, sauf…

Sauf en présence d'un autre immortel.

Je m'écartai brusquement de Roman, l'obligeant à me lâcher. Sur son visage s'afficha d'abord une expression de surprise, immédiatement remplacée par la compréhension. Ses yeux pétillèrent dangereusement. Il éclata de rire.

— Il t'en a fallu du temps !

Chapitre 22

— Tu as fait semblant… tu as fait semblant d'être affecté par moi, compris-je d'une voix rendue pâteuse et hésitante par le choc.

Sans cesser de glousser, il fit un pas vers moi et je reculai, essayant de trouver un moyen de lui échapper, de m'enfuir de mon propre appartement. Ce lieu qui, quelques instants plus tôt, me semblait sûr et accueillant, me donnait l'impression de se refermer sur moi et de m'étouffer. Mon appartement me paraissait soudain trop petit, ma porte trop éloignée. J'avais du mal à respirer. Sur le visage de Roman, l'amusement céda la place à la stupéfaction.

— Qu'est-ce qui ne va pas ? De quoi as-tu peur ?

— À ton avis ?

Il cligna des yeux.

— Moi ?

— Oui, toi. Tu tues des immortels.

— D'accord, c'est vrai, avoua-t-il, mais je ne te ferais jamais le moindre mal. Jamais. Tu sais cela, n'est-ce pas ? (Je ne répondis pas.) N'est-ce pas ?

Je reculai un peu plus, bien que je n'aie nulle part où aller. Vu sa position, je n'avais d'autre choix que de battre en retraite vers ma chambre, et non en direction de l'entrée. Ça n'allait pas arranger mes affaires.

Roman semblait abasourdi par ma réaction.

— Enfin, sois raisonnable. Je serais incapable de lever la main sur toi, voyons. Je suis pratiquement amoureux de toi. Bon sang, tu n'imagines pas à quel point tu m'as mis des bâtons dans les roues !

— Moi ? Qu'est-ce que j'ai fait ?

— Ce que tu as fait ? Tu m'as mis le cœur à l'envers ! Ce jour-là… quand tu m'as sollicité à la librairie… Je n'arrivais pas à croire en ma chance. Je t'avais espionnée toute la semaine, afin de me familiariser avec tes habitudes. Bon Dieu, je n'oublierai jamais la première fois que je t'ai vue. Si belle. Si pleine d'entrain. J'aurais pu tout abandonner et te suivre jusqu'au bout du monde. Et plus tard… quand tu as refusé de sortir avec moi après la séance de dédicace… Je n'en croyais pas mes oreilles. Tu sais qu'à l'origine tu devais être ma première cible ? Mais je n'ai pas pu. Pas après t'avoir parlé. Pas après avoir compris ce que tu étais.

Je déglutis, curieuse malgré moi.

— Ce que… ce que j'étais ?

Il fit un pas vers moi, un demi-sourire un peu triste sur son beau visage.

— Un succube qui ne veut pas être un succube. Un succube qui veut être humain.

— Non, ce n'est pas vrai…

— Bien sûr que si. Tu es comme moi. Tu ne respectes pas les règles du jeu. Tu es lasse de ce système. Tu ne les laisses pas t'enfermer dans le rôle qu'ils t'ont imposé. Mon Dieu, parfois, en te regardant, j'avais du mal à en croire mes yeux. Plus tu semblais t'intéresser à moi, plus tu essayais de me repousser. Tu penses qu'il s'agit d'un comportement normal pour un succube ? Je n'avais jamais rien vu de pareil – sans parler de ma propre frustration. C'est la raison pour laquelle j'ai organisé cette petite épreuve pour toi aujourd'hui. Je n'arrivais pas à décider si tu avais rompu avec moi pour mon propre bien ou simplement parce que tu avais rencontré un autre homme – Mortensen, par exemple.

— Attends un peu… c'est l'unique raison de ce petit jeu débile ? Soulager ton putain d'amour-propre ?

En guise d'excuse, Roman haussa les épaules, mais sans se défaire de son expression empreinte de suffisance.

— Évidemment, présenté ainsi, cela peut sembler superficiel. Bon, j'admets que ce n'était pas très malin. Un peu puéril même. Mais j'avais besoin d'en avoir le cœur net. Tu n'imagines pas à quel point j'ai été touché de constater que tu t'inquiétais pour moi – sans compter que tu m'as appelé en premier. Tu m'as donné la priorité sur les autres ; c'est vraiment ça qui m'a convaincu.

Je faillis protester et lui avouer qu'en fait, ma première pensée avait été pour Seth – j'avais d'abord appelé Roman parce que je pensais que Seth était en sécurité. Heureusement, j'eus la sagesse de la fermer sur ce point. Mieux valait laisser Roman penser qu'il avait réussi sa démonstration.

— Tu as vraiment un problème, dis-je à la place, peut-être imprudemment. Me faire tourner en bourrique de cette façon… Moi et les autres immortels.

— C'est possible. Et je m'excuse si je t'ai causé du tort. Mais les autres ? (Il secoua la tête.) Ils n'ont que ce qu'ils méritent. Ne me dis pas que tu ne leur en veux pas. Après ce qu'ils t'ont fait ? Tu n'es visiblement pas satisfaite de ton sort, mais crois-tu que ceux qui en sont responsables vont te laisser y changer quoi que ce soit ? Non. Pas plus qu'ils ne sont capables de faire preuve d'indulgence à mon égard – ou à celui des miens. Le système est corrompu. Ils se sont laissé enfermer dans cette foutue mentalité où tout est bien ou mal, blanc ou noir. Pas de place pour le gris. Pour le changement. C'est pour ça que je passe mon temps à faire ce que je fais. Ils ont besoin d'un avertissement. D'apprendre qu'ils ne sont pas l'alpha et l'omega de la damnation et du salut. Certains d'entre nous continuent de se battre.

— Tu « passes ton temps » à faire ça… Ça te prend souvent ? Ce genre de massacre ?

— Oh, pas si souvent. Tous les vingt ou cinquante ans. Parfois j'attends un siècle. Je me sens mieux après, mais ensuite, année après année, je recommence à éprouver cette colère envers tout le système. Alors, je choisis un nouvel endroit, un nouveau groupe d'immortels.

— C'est toujours le même schéma ? (Je me rappelai les symboles chez Jerome.) D'abord la phase d'avertissement… puis l'attaque proprement dite ?

Roman s'anima.

—Eh bien, je constate que tu as bien travaillé. Oui, généralement je procède de cette façon. Je commence par éliminer quelques simples immortels. Ils font des cibles faciles, même si je me sens toujours un peu coupable, parce qu'ils sont autant les victimes de ce système que toi et moi. Mais ça permet d'affoler les immortels de haut rang. Un peu comme une première partie qui prépare la scène pour la tête d'affiche.

—Jerome, déclarai-je d'un air grave.

—Qui ?

—Jerome... l'archidémon local. (J'hésitai.) Ton père.

—Oh. Lui.

—Qu'est-ce que tu veux dire ? Tu ne sembles pas y attacher beaucoup d'importance.

—Parce que, dans la vue d'ensemble, il n'en a pas.

—D'accord... mais c'est ton père...

—Et alors ? Nos rapports – ou plutôt notre absence de rapports – ne changent rien, ou presque.

Jerome avait tenu exactement le même discours à propos de Roman. Perplexe, je m'assis sur l'accoudoir d'un des fauteuils tout proches, puisque ma destruction imminente semblait reportée *sine die.*

—Mais... n'est-il pas la véritable cible de tout cela, l'immortel de haut rang que tu es venu tuer ?

Redevenant soudain sérieux, Roman secoua la tête.

—Non, ce n'est pas comme ça que cela fonctionne. Une fois que j'en ai terminé avec les simples immortels, je me concentre sur le gros bonnet du coin. Celui qui détient le plus de pouvoir. Les gens ont plus de mal à s'en remettre. L'effet psychologique obtenu est bien supérieur, tu comprends ? Si j'arrive à éliminer le grand chef, alors personne n'est à l'abri.

—C'est bien ce que j'ai dit : Jerome.

—Non, répliqua-t-il patiemment. Archidémon ou pas, mon illustre paternel ne représente pas la source de pouvoir suprême dans les environs. Comprends-moi bien, j'éprouve une profonde satisfaction à venir pisser sur son territoire – métaphoriquement parlant – mais il paraît tout petit à côté d'un autre. Tu ne le connais probablement pas. Vous n'évoluez pas dans les mêmes sphères.

Plus puissant que Jerome ? Ça ne laissait que...

— Carter. Carter est la cible.

— C'est le nom de l'ange local ?

— Il est plus puissant que Jerome ?

— Considérablement. (Roman me lança un regard curieux.) Tu le connais ?

— J'en... j'en ai entendu parler, mentis-je. Comme tu l'as dit, nous n'évoluons pas dans les mêmes sphères.

En réalité, mon esprit s'emballait. Carter était la cible ? Le doux et sardonique Carter ? J'avais peine à croire qu'il était plus puissant que Jerome, mais il est vrai que je ne savais presque rien de lui. J'ignorais tout de ce qu'il faisait à Seattle, de son travail ou de sa mission. Pourtant, une chose me semblait claire, mais apparemment je devais être la seule à en avoir conscience : si l'ange surclassait réellement Jerome, alors Roman ne pourrait rien contre lui – pas si la règle selon laquelle le pouvoir d'un nephilim ne pouvait pas excéder celui de ses parents se vérifiait. Techniquement, Roman ne pouvait faire de mal ni à l'ange ni au démon.

Je décidai néanmoins de ne pas en faire mention – pas plus que du fait que je connaissais Carter bien mieux qu'il ne le croyait. Moins il en saurait, plus grandes seraient nos chances de le neutraliser.

— Bien. Je n'imaginais pas qu'un succube puisse entretenir des relations amicales avec un ange, mais avec toi on ne sait jamais. Tu n'as pas la langue dans ta poche, mais tu réussis tout de même à attirer une foule d'admirateurs les plus divers.

Un peu plus détendu, Roman s'appuya contre un mur, croisant les bras sur sa poitrine.

— Dieu sait que je n'ai pas épargné mes efforts afin d'éviter de m'en prendre à tes amis.

La colère m'aida à surmonter ma peur.

— Oh, vraiment ? Et Hugh alors ?

— C'est lequel ?

— Le démon.

— Ah, oui. J'étais bien obligé de faire un exemple, n'est-ce pas ? Alors, oui, je me suis un peu amusé avec lui. Il t'avait manqué de respect. Mais je ne l'ai pas tué. (Il me lança un regard qui se voulait sans doute encourageant.) Je l'ai fait pour toi.

Je gardai le silence. Je me souvins de Hugh sur son lit d'hôpital. Pour m'avoir manqué de respect ?

— Et les autres ? insista-t-il. Cet ange tellement agaçant ? Le vampire qui t'a menacée ? J'ai eu envie de lui briser le cou sur-le-champ. Je les ai éliminés pour toi. Je n'étais pas obligé de faire ça.

J'en avais la nausée. Je ne voulais pas avoir de sang sur les mains.

— Trop aimable.

— J'aurais voulu t'y voir ! Je devais agir, mais après avoir rencontré ton ami le vampire au cours de danse, je n'ai pas pu me résoudre à m'en prendre à lui. Tu m'as vraiment mis dans une situation délicate. Je me trouvais à court de victimes potentielles.

— Désolée pour le désagrément, lançai-je sèchement, sentant la colère monter en moi devant cette pathétique démonstration de compassion. C'est pour ça que tu n'as pas eu la main trop lourde avec moi, l'autre nuit ?

Il fronça les sourcils.

— Que veux-tu dire ?

— Tu le sais parfaitement ! (Je repensai à mon agression ; tout s'expliquait. Elle avait eu lieu après ma visite chez *Krystal Starz*, le lendemain du concert où j'avais rompu avec Roman. Une bonne excuse pour être en colère et vouloir se venger.) Souviens-toi… Le lendemain du concert de Doug ? Après être partie avec Seth ?

Roman parut enfin comprendre de quoi je lui parlais.

— Oh. Ça.

— C'est tout ce que tu as à dire pour ta défense ?

— J'avoue que je me suis comporté de façon puérile, mais tu ne peux pas m'en vouloir. Si tu crois que c'était facile pour moi de rester les bras croisés pendant que tu faisais copain-copain avec Mortensen, juste après m'avoir largué. Je vous avais vus rentrer ensemble, chez lui, la veille. Je devais faire quelque chose.

Je me levai d'un bond. Il me faisait soudain de nouveau très peur.

— Tu devais « faire quelque chose » ? Comme de me tabasser dans une ruelle ?

Roman leva un sourcil.

— Mais de quoi parles-tu ? Je t'ai juré que je ne lèverais jamais la main sur toi.

— Alors vas-y *toi*, dis-moi de quoi tu parles…

— De l'épisode chez le marchand de glaces. Je vous avais suivis plus tôt le même jour et quand je vous ai vus, tellement adorables, au dessert, je suis devenu jaloux et j'ai provoqué une rafale de vent qui a ouvert la porte. C'était puéril, je l'admets.

— Oui, je m'en souviens…, acquiesçai-je stupidement.

La porte du restaurant, brusquement ouverte, avait laissé le vent faire des ravages dans le petit local. Malgré le caractère inhabituel de l'incident, je n'avais pas soupçonné d'influence surnaturelle. Il avait raison : il s'était vraiment conduit comme un gamin.

— Et cette histoire dans la ruelle, alors ?

Je revins à la réalité.

— Plus tard… ce soir-là. Je revenais de faire des courses et tu… ou quelqu'un… m'a attaquée près de chez moi.

Le visage de Roman prit une expression glaciale, ses yeux se transformant en billes d'acier bleuté.

— Raconte-moi. Raconte-moi tout. En détail.

Je m'exécutai, expliquant comment, pour suivre la piste du livre de Harrington, je m'étais rendue chez *Krystal Starz*, avant de rentrer chez moi, seule dans le noir. J'omis cependant de mentionner mon sauveur. Je ne voulais pas que Roman apprenne que ma relation avec Carter était rien moins que superficielle, de peur que le nephilim en conclue que je représentais un obstacle pour ses plans. Tant qu'il pensait que je ne me sentais pas concernée par le sort de l'ange, je gardais espoir de pouvoir le prévenir d'une façon ou d'une autre.

Quand j'eus terminé mon histoire, Roman renversa la tête contre le mur en fermant les yeux et laissa échapper un soupir. Soudain, il ressembla moins à un dangereux tueur et plus à une version fatiguée de l'homme que j'avais connu et presque aimé.

— Je le savais. J'avais pourtant expressément exigé qu'on te laisse tranquille, mais c'était trop demander…

— Quoi ? Qu'est-ce que tu entends par là ?

J'éprouvai une sensation curieuse.

— Rien. Oublie ça. Écoute, je suis désolé. J'aurais dû prendre les précautions nécessaires pour te protéger. Je m'en doutais, d'ailleurs…

Le lendemain, quand je suis passé te voir et que tu as définitivement rompu avec moi, tu te souviens ? Tu avais utilisé ton pouvoir pour dissimuler tes contusions, mais je sentais que tu avais été blessée. J'en avais également identifié l'origine surnaturelle, mais je n'aurais jamais cru… J'ai pensé qu'un autre immortel – quelqu'un de ton cercle – t'avait infligé ça. Tu portais une sorte de résidu… les traces à peine perceptibles du pouvoir d'un autre… un démon aurait-on pu croire…

—Mais ce n'est pas… oh. Tu veux dire Jerome.

—Encore mon cher papa ? Ne me dis pas… ne me dis pas qu'il t'a, lui aussi, fait du mal.

Après un bref relâchement qui l'avait conduit à adopter une expression plus douce, Roman reprit un air plus sinistre.

—Non, non, m'empressai-je de le détromper, me rappelant de la gifle psychique de Jerome qui m'avait clouée sur le canapé. Il s'agissait plus des retombées collatérales d'une démonstration de puissance. Il ne m'a rien fait. Jamais il ne lèverait la main sur moi.

—Bien. Mais sache que je ne vais pas laisser passer l'incident de la ruelle ; j'aurai une petite conversation avec le coupable et je te garantis que cela ne se reproduira plus. Quand je t'ai vue ce jour-là, j'ai bien failli massacrer tous les immortels du secteur. La seule pensée que quelqu'un ait pu te faire du mal… (Il s'approcha de moi, de plus en plus. Avec hésitation, il me serra le bras. J'hésitais entre le fuir ou me jeter dans ses bras. Je ne savais pas comment concilier l'attirance qu'il avait exercée sur moi et la terreur qu'il suscitait en moi à présent.) Tu n'imagines pas à quel point tu comptes à mes yeux, Georgina.

—Mais alors… dans la ruelle…

Avant que je puisse aller au bout de ma pensée, une autre se fit jour dans ma tête en me remémorant les paroles de Roman. « *Quand je t'ai vue ce jour-là…* » Il était passé le lendemain de mon agression, pendant que Carter était parti enquêter sur une manifestation du nephilim. Mais c'était impossible. Je ne me rappelais pas exactement où cette alerte avait eu lieu, mais ce n'était pas tout près de chez moi. Roman n'avait pas pu révéler sa présence à Carter, puis revenir jusqu'à mon appartement aussi vite.

« J'avais pourtant expressément exigé qu'on te laisse tranquille, mais c'était trop demander. J'aurai une petite conversation avec le coupable. »

Je compris alors pourquoi Roman avait le sentiment de pouvoir se mesurer à Carter, pourquoi le fait d'avoir moins de pouvoir que l'ange ne poserait aucun problème. Cette découverte me tomba dessus comme du plomb, lourd et froid. Je ne suis pas certaine de l'expression qui traversa mon visage, mais les traits de Roman s'adoucirent brusquement sous l'effet de la compassion.

— Qu'y a-t-il ?

— Combien ? chuchotai-je.

— Comment ça, combien ?

— Combien y a-t-il de nephilim dans cette ville ?

Chapitre 23

— Deux, répondit-il après un moment d'hésitation. Seulement deux.

— Seulement deux, répétai-je platement, tout en pensant *oh merde*. Toi inclus ?

— Oui.

Je me frottai les tempes, me demandant comment je pourrais prévenir Jerome et Carter qu'ils avaient deux nephilim sur les bras. Personne n'avait jamais évoqué cette possibilité.

— Quelqu'un aurait dû s'en rendre compte, marmonnai-je, plus pour moi que pour Roman. Quelqu'un aurait dû le sentir… il aurait dû y avoir deux signatures de nephilim différentes. C'est comme ça que Jerome a su que c'était toi. Tu possèdes une signature unique – personne ne peut avoir la même.

— Personne, confirma Roman avec un sourire suffisant, à part ma sœur.

Oh merde.

— Jerome n'a pas parlé d'un autre enfant… Oh… (Je cillai, venant soudain de comprendre. Jerome, de son propre aveu, n'avait pas été présent à la naissance.) Des jumeaux ? Ou… plus ?

L'archidémon aurait très bien pu être le père de quintuplés.

Roman secoua la tête, visiblement amusé par mes déductions.

— Des jumeaux. Il n'y a que nous deux.

— Alors c'est une affaire de famille ? Vous prenez la route tous les deux, vous allez de ville en ville et vous semez le chaos…

— Rien d'aussi palpitant, mon amour. D'ordinaire, j'agis seul. Ma sœur préfère rester discrète – elle se satisfait pleinement de son travail et de la vie qu'elle mène. Les machinations grandioses ne sont pas vraiment sa tasse de thé.

— Alors comment l'as-tu persuadée de t'épauler cette fois ?

Les explications d'Erik me revinrent en mémoire. La plupart des nephilim n'aspiraient qu'à la tranquillité.

— Elle vit ici. À Seattle. Comme nous sommes sur son territoire, je l'ai convaincue de se joindre à moi pour éliminer la dernière cible. La destruction des simples immortels ne la branchait pas trop.

— Elle m'a quand même flanqué une rouste, fis-je remarquer.

— J'en suis navré. Je crois que tu l'as poussée à bout.

— Je ne la connais même pas ! m'exclamai-je, me demandant s'il était pire d'avoir un nephilim amoureux de vous ou un nephilim qui vous en voulait.

Il sourit.

— N'en sois pas si sûre. (Il tendit la main pour me toucher, presque de façon désinvolte, et je reculai. Son sourire disparut.) Mais enfin, c'est quoi ton problème ?

— Tu veux rire ? Après la bombe que tu viens de lâcher sur moi ? Tu crois que tout baigne entre nous ?

— Et pourquoi pas ? Franchement, tu n'as plus à t'inquiéter. (J'ouvris la bouche pour protester, mais il poursuivit sans m'en laisser le temps :) Je t'ai déjà promis qu'il n'arriverait rien à tes amis – ni à toi. La seule personne qui reste sur ma liste est quelqu'un que tu ne connais même pas. C'est tout. Fin de l'histoire.

— Ah oui ? Et après ? Une fois que tu auras tué Carter ?

Il haussa les épaules.

— Je partirai. Je trouverai un endroit où me tenir à carreau pendant quelque temps. Je reprendrai peut-être mon boulot de prof. (Il se pencha vers moi et me regarda droit dans les yeux.) Tu pourrais venir avec moi, tu sais.

— Quoi ?

— Réfléchis. Toi et moi. (Il parlait avec passion, son excitation de plus en plus palpable avec chaque mot.) Tu pourrais changer de vie, te consacrer à ce que tu aimes – les livres, la danse – sans avoir à obéir aux règles d'autres immortels.

Je m'esclaffai.

— Je ne vois pas comment. Je ne peux pas décider de ne plus être un succube. J'aurai toujours besoin de sexe pour survivre.

— Oui, oui, je sais que tu devras toujours t'offrir une victime à l'occasion, mais songe au reste du temps. Toi et moi. Ensemble. Être avec quelqu'un que tu n'auras pas peur de blesser. Être avec quelqu'un simplement pour le plaisir, pas pour survivre. Pas de hiérarchie pour te harceler sur l'atteinte de tes quotas.

À cet instant, Seth surgit dans mon esprit, une part de moi se demandant négligemment ce que ce serait d'être avec lui, « simplement pour le plaisir ».

De retour à la dure réalité, je répondis à Roman :

— C'est impossible. Seattle est mon poste. J'ai des comptes à rendre ; on ne me laisserait pas partir comme ça.

Prenant mon visage entre ses mains, il chuchota :

— Georgina, Georgina... Je peux te protéger. J'ai le pouvoir de te cacher. Tu peux choisir de vivre ta propre vie. Sans tenir compte de tes supérieurs, de la bureaucratie. Nous pouvons être libres.

Je me sentais prise dans ses yeux hypnotiques, aussi sûrement qu'un poisson accroché au bout d'un hameçon. Pendant des siècles, j'avais vécu mon immortalité dans une douloureuse solitude, passant d'une aventure sans lendemain à une autre et mettant un terme à toute relation qui devenait trop sérieuse. À présent, Roman était là. Il me plaisait et je n'avais pas besoin de le rejeter. Je ne pouvais pas lui faire de mal par contact physique. Nous deux, c'était possible. Nous pouvions nous réveiller côte à côte, vivre ensemble pour l'éternité. Je n'aurais plus jamais à craindre la solitude.

Je sentis le désir monter en moi. J'en avais envie. Dieu que j'en avais envie. Je n'en pouvais plus d'entendre Jerome me réprimander parce que je ne chassais que des individus louches. Je voulais pouvoir rentrer chez moi le soir et raconter ma journée de travail à quelqu'un. Je voulais qu'on parte en vacances ensemble. Je voulais quelqu'un qui me serrerait dans ses bras quand je n'aurais pas le moral, quand les hauts et les bas de ce monde deviendraient trop durs à supporter.

Je voulais quelqu'un à aimer.

Ses mots se frayèrent un chemin en moi, me fendant le cœur. Mais justement, ce n'étaient que des mots. L'éternité, c'est bien long.

On finirait par nous retrouver ou, quand Roman se ferait tuer lors d'une de ses « missions », je serais grillée et j'aurais à répondre de mes actes auprès de nombreux démons en colère. Il m'offrait un rêve de môme, une fantaisie irréaliste, éphémère et vouée à l'échec.

En outre, fuir avec Roman revenait à accepter les conséquences de sa conspiration démentielle. Sur un plan logique, je pouvais comprendre son angoisse existentielle et son désir de vengeance. Je plaignais sa sœur – même si, inexplicablement, elle me haïssait – qui n'aspirait qu'à une vie ordinaire. Au cours de toutes ces années, j'avais assisté à des massacres et à des bains de sang, à la disparition de peuples entiers, dont le nom et la culture n'étaient même pas parvenus jusqu'à ce siècle. Être forcé de porter un tel fardeau pendant des millénaires, devoir perpétuellement fuir et se cacher simplement à cause d'un accident de naissance… Oui, je pense aussi que je serais en rogne.

Pourtant, cela ne me semblait pas justifier le meurtre d'immortels pris au hasard. Le fait que je connaisse personnellement ces immortels n'arrangeait rien. Le comportement de Carter continuait de m'agacer, bien sûr, mais il m'avait sauvé la vie et ces quelques jours passés en sa compagnie n'avaient pas été insupportables. En fait, Roman aurait dû louer l'ange. Le nephilim se plaignait essentiellement des immortels qui campaient sur leurs positions, enfermés dans des règles et des rôles archaïques. Mais Carter sortait des sentiers battus : voilà un ange qui avait décidé de se lier d'amitié avec ses prétendus ennemis. Avec Jerome, il symbolisait le style de vie rebelle et non conformiste que Roman appelait de tous ses vœux.

Dommage que cela ne semblât pas suffisant pour dissuader le nephilim. Je me demandai si j'y parviendrais.

— Non, répondis-je. Je ne peux pas faire ça. Et tu n'y es pas obligé non plus.

— Faire quoi ?

— Ton plan. Tuer Carter. Laisse tomber. Laisse tout tomber. La violence n'engendre que la violence, pas la paix.

— Je suis navré, mon amour, mais c'est impossible. Les miens ne connaîtront jamais la paix.

Je tendis la main et touchai son visage.

— Tu m'appelles ainsi, mais le penses-tu vraiment ? Est-ce que tu m'aimes ?

Il retint son souffle et je pris soudain conscience qu'il pouvait être hypnotisé par mes yeux autant que je l'étais par les siens.

— Oui. Je t'aime.

— Alors, si tu m'aimes, fais-le pour moi. Va-t'en ! Quitte Seattle. Je... partirai avec toi.

Je n'avais pas compris que je le pensais vraiment avant que les mots sortent de ma bouche. Fuir ensemble était peut-être un rêve de môme, mais cela valait la peine d'essayer si je parvenais à éviter ainsi ce qui se préparait.

— Tu es sérieuse ?

— Oui. Tant que tu peux garantir ma sécurité.

— Ce n'est pas un problème, mais...

Il s'écarta de moi et arpenta la pièce, passant la main dans ses cheveux d'un air consterné.

— Je ne peux plus reculer, finit-il par dire. Je serais prêt à faire n'importe quoi pour toi, mais ne me demande pas ça. Tu n'imagines pas l'enfer que j'ai vécu. Tu crois que la vie ne t'a pas épargnée ? Imagine ce que c'est de fuir sans arrêt, de continuellement rester sur ses gardes. J'ai autant de mal que toi à trouver ma place. Heureusement que j'ai ma sœur, elle représente tout pour moi, mon unique soutien. La seule personne que j'aimais – avant toi.

— Elle peut nous accompagner...

Il ferma les yeux.

— Georgina, quand ma mère était encore en vie – il y a des millénaires de cela – nous vivions dans un camp avec quelques autres nephilim et leurs mères. Nous bougions sans arrêt, essayant de garder une longueur d'avance sur nos poursuivants. Une nuit... je ne l'oublierai jamais. Ils nous ont retrouvés et, crois-moi, l'Apocalypse elle-même n'aurait pas pu être aussi épouvantable. Je ne sais même pas qui ils étaient – anges ou démons, peu importe. De toute façon, ils ne sont pas si différents. Magnifiques et terribles.

— Je sais, chuchotai-je. Je les ai vus.

— Alors tu sais de quoi ils sont capables. Ils ont envahi notre camp et ont tué tout le monde. Sans distinction. Enfants nephilim. Humains. Ils n'ont fait aucune différence.

— Mais tu leur as échappé ?

— Oui. Nous avons eu plus de chance que la plupart des autres. (Il se tourna de nouveau vers moi. Son chagrin faisait peine à voir.) Tu comprends maintenant ? Tu comprends pourquoi je dois absolument terminer ce que j'ai commencé ?

— Tu ne fais que perpétuer le massacre.

— Je le sais, Georgina ! Bon sang, tu crois que je l'ignore ! Mais je n'ai pas le choix.

Je lus sur son visage qu'il détestait être un acteur de ce carnage, qu'il se méprisait pour avoir adopté le comportement destructeur qui avait hanté son enfance. Mais je vis également que cela faisait inextricablement partie de lui. Il ne pouvait pas y échapper. Il avait vécu trop longtemps, tellement plus longtemps que moi. Toutes ces années de peur, de colère et de sang l'avaient irrémédiablement changé. Il devait aller jusqu'au bout.

« Tous les jours, je me bats afin de ne pas laisser mon passé me rattraper. Parfois je gagne, parfois non. »

— Je n'ai pas le choix, répéta-t-il, le visage désespéré. Mais toi si. Je veux toujours que tu partes avec moi quand j'aurai terminé.

Un choix. C'est vrai, j'avais un choix à faire. Entre lui et Carter. À moins que… Que pouvais-je faire de plus, à ce stade, pour sauver Carter ? Avais-je seulement envie de le sauver ? Pour autant que je sache, pendant toutes ces années, Carter avait très bien pu massacrer un nombre incalculable d'enfants nephilim au nom du bien. Peut-être qu'il méritait le châtiment que Roman entendait lui infliger ? Finalement, qu'étaient le bien et le mal, à part des catégories stupides ? Des catégories stupides qui restreignaient les gens, les punissaient ou les récompensaient en fonction d'actes liés à leur propre nature, nature sur laquelle ils n'avaient aucune influence.

Roman avait raison. Le système était corrompu. Mais je ne voyais pas ce que je pouvais y faire.

J'avais besoin de temps pour réfléchir. Pour trouver un moyen de sauver aussi bien l'ange que le nephilim – à supposer qu'un tel exploit soit du domaine du possible. Mais j'ignorais comment gagner du temps, avec Roman en face de moi, tout feu tout flamme à l'idée de s'enfuir avec sa bien-aimée.

Du temps. Il me fallait du temps et je n'avais pas la moindre idée sur la façon d'en obtenir. Mes pouvoirs ne m'étaient d'aucun secours dans une situation comme celle-là. Si Roman décidait que je représentais une menace, je ne serais pas de taille à lutter contre lui. « *Un nephilim ne ferait qu'une bouchée de n'importe lequel d'entre vous.* » Je n'avais pas d'allié divin sur qui compter. Hugh, lui, avait ses contrats. Je n'avais pas non plus de réflexes ou de force surhumains comme Cody et Peter. J'étais un succube. Je changeais d'apparence et je faisais l'amour avec des hommes. C'était toute l'étendue de mes pouvoirs.

J'étais bien avancée…

Chapitre 24

— Alors ? s'enquit doucement Roman. Qu'est-ce que tu en dis ? Tu viendras avec moi ?

— Je ne sais pas, répondis-je en baissant les yeux. J'ai peur, ajoutai-je avec un trémolo dans la voix.

Il fit pivoter mon visage vers le sien, visiblement inquiet.

— Peur de quoi ?

Avec une modestie affectée, je lui lançai un regard en dessous. Un signe de vulnérabilité qui, je l'espérais, me rendait irrésistible.

— D'eux… Je voudrais te suivre… mais je ne crois pas… je ne crois pas que nous serons jamais totalement libres. Tu ne peux pas me cacher éternellement, Roman.

— Si, bien sûr, souffla-t-il en m'enlaçant, son cœur se gonflant devant ma frayeur. (Je ne lui résistai pas et le laissai serrer mon corps contre le sien.) Je te l'ai dit. Je peux te protéger. Demain, j'irai trouver cet ange et nous partirons le jour suivant. Ce n'est pas plus compliqué que ça.

— Roman…

Je levai des yeux écarquillés vers lui, le regard de quelqu'un submergé par une émotion. L'espoir, peut-être. La passion. L'émerveillement. Je vis mon expression reflétée dans la sienne et, quand il se pencha pour m'embrasser, je ne fis rien pour l'arrêter, cette fois. Je lui rendis même son baiser. Cela faisait bien longtemps que je n'avais pas embrassé quelqu'un pour le plaisir, pour le contact de sa langue forçant délicatement l'entrée de ma bouche, ses lèvres caressant les miennes tandis que ses mains me serraient contre lui.

J'aurais voulu que ce baiser dure pour l'éternité, pour le simple plaisir d'une sensation physique dépourvue de toute conséquence liée à mon statut de succube. C'était magnifique. Grisant, même. Pas de place pour la peur. Mais Roman n'entendait pas se contenter d'un baiser et, quand il m'entraîna sur le tapis du séjour, je ne fis rien pour le retenir non plus.

Son corps respirait la passion et le désir. Pourtant, il bougeait en prenant son temps, faisant preuve d'une retenue qui me surprit et m'impressionna. J'avais couché avec tellement de types qui ne pensaient qu'à satisfaire au plus vite leurs propres besoins que je trouvais véritablement stupéfiant d'avoir quelqu'un qui se souciait apparemment de ma satisfaction.

Je ne m'en plaignais pas.

Il garda son corps contre le mien, tandis qu'il continuait de m'embrasser, ne laissant aucun espace entre nous. Enfin, il abandonna ma bouche pour mon oreille, dessinant le lobe avec sa langue et ses lèvres avant de descendre vers mon cou. Le cou avait toujours été une de mes zones les plus érogènes et je laissai échapper un souffle frémissant quand cette langue si habile commença à lentement caresser ma peau si sensible, me donnant la chair de poule. Mon corps se cambra contre le sien, l'informant qu'il pouvait accélérer les choses s'il le souhaitait, mais il ne semblait pas pressé.

Plus bas, toujours plus bas, il embrassa mes seins à travers la charmeuse délicate de mon chemisier, jusqu'à ce que le tissu humide colle à mes mamelons. Je me redressai afin de lui permettre de me retirer complètement le vêtement. Faisant d'une pierre deux coups, il en profita pour faire glisser ma jupe, ne me laissant vêtue que de ma seule culotte. Toujours concentré sur mes seins, il continua de les embrasser et de les toucher, alternant baisers doux et légers, et morsures plus voraces qui menaçaient de laisser des fleurs violacées sur ma peau. Enfin, il glissa plus bas, laissant sa langue s'attarder sur la peau lisse de mon ventre, ne s'interrompant qu'une fois arrivé entre mes cuisses.

Je n'en pouvais plus ; il fallait absolument que je le touche à mon tour. Mais quand j'avançai les mains, il repoussa gentiment mes poignets contre le sol.

— Pas maintenant, me rabroua-t-il doucement.

Cela valait mieux ainsi, sinon je risquais d'oublier ma mission. Gagner du temps ? Oui, c'était bien ça. Je le retardais, en attendant d'avoir trouvé un plan. Une tâche que je gardais pour… plus tard.

— Magenta, observa-t-il en caressant ma culotte – une petite chose ultra-fine, à peine quelques bouts de dentelles et de tissu – du bout des doigts. Qui aurait pu le deviner ?

— Je ne porte presque jamais d'habits magenta ou roses, expliquai-je, mais j'avoue avoir un faible pour la lingerie dans cette famille de couleurs. Et pour le noir, bien sûr.

— Ça te va bien. Tu peux la recréer à volonté, n'est-ce pas ?

— Oui, pourquoi ?

Il tendit la main et, d'un geste adroit, arracha ma culotte.

— Parce qu'elle se trouve sur mon chemin.

Se penchant en avant, il écarta mes cuisses et y enfouit son visage. Sa langue taquina d'abord lentement les bords de mes lèvres, avant de se lancer à l'assaut de mon clitoris brûlant et gonflé. Gémissante, je soulevai les hanches, comme pour m'enfoncer en lui, essayant de satisfaire encore plus le désir qui me rongeait. De nouveau, il me repoussa contre le sol, prenant son temps, décrivant une trajectoire circulaire avec sa langue, faisant monter le plaisir en moi de plus en plus fort. Chaque fois que je semblais approcher de l'orgasme, il se retirait et déplaçait sa langue vers le bas, m'explorant à l'intérieur, là où je mouillais de plus en plus.

Quand il me permit enfin de jouir, je vins bruyamment, violemment, mon corps se débattant pendant qu'il me maintenait clouée au sol et continuait de me lécher et de me goûter à travers mes soubresauts. À ce stade, la tête me tournait et ma peau était si sensible que son contact devenait presque insupportable. Je m'entendis le supplier d'arrêter, alors qu'il me faisait jouir encore une fois.

Se calmant, il me lâcha et recula, observant les spasmes de bonheur s'espacer dans mon corps. À nous deux, il nous fallut moins de deux secondes pour faire disparaître ses vêtements. Il coucha son corps sur le mien, peau contre peau. Quand mes mains glissèrent vers le bas pour saisir et caresser son érection, il poussa un soupir de contentement.

— Oh, mon Dieu, Georgina, souffla-t-il, ses yeux dans les miens. Mon Dieu. Tu n'as pas idée à quel point je te veux...

Croyait-il.

Je le guidai vers moi, le faisant glisser en moi. Mon corps s'ouvrit pour lui, l'accueillant comme une part de moi-même qui m'aurait manqué toutes ces années. Puis, avec de longs mouvements réguliers, il entama son va-et-vient, observant mon visage et appréciant l'effet que produisait sur moi chaque mouvement.

Je gagne du temps, me dis-je avec sagesse, mais, alors qu'il maintenait mes poignets au sol, prenant un peu plus possession de mon corps à chaque poussée, je sus que je me mentais. Je n'étais pas en train d'essayer de trouver une solution pour avertir Jerome et Carter. J'agissais pour moi, par pur égoïsme. Ces dernières semaines j'avais continuellement – et terriblement – eu envie de Roman, et à présent, je l'avais tout à moi. En plus, il avait eu raison sur toute la ligne : il n'était plus question de survie, mais de plaisir. J'avais fait l'amour avec d'autres immortels auparavant, mais pas depuis longtemps. J'avais oublié ce que l'on ressentait quand on n'entendait pas les pensées de son partenaire sous son crâne, ce que cela faisait de seulement se délecter de ses propres sensations.

Nous avions trouvé notre rythme, comme si nos corps avaient l'habitude de faire cela tout le temps. Ses mouvements devinrent moins réguliers, moins précis. Il entrait en moi avec de plus en plus de force et d'ardeur, comme s'il avait l'intention de traverser le plancher. Quelqu'un faisait beaucoup de bruit et je pris vaguement conscience que c'était moi. Je perdais toute notion de mon environnement, je n'arrivais plus à penser de manière cohérente. Seul mon corps existait, et la force grandissante qui me consumait, me dévorait et me faisait tout de même en redemander. J'attendais la conclusion avec impatience et l'encourageais, pressant mon corps contre le sien et serrant mes muscles autour de lui.

Il haleta quand il sentit que je resserrai ma prise. Dans ses yeux brûlait une passion quasi primitive.

— Je veux te voir jouir de nouveau, demanda-t-il d'une voix pantelante. Jouis pour moi.

Pour une raison qui m'échappait, son ordre suffit à m'achever, à me faire basculer dans une extase vertigineuse. Je criai encore plus fort, mais cela faisait bien longtemps que je n'avais plus de voix. L'expression de mon visage – quelle qu'elle fût – suffit à provoquer son propre orgasme. Aucun son ne franchit la barrière de ses lèvres, mais il ferma les yeux et resta en moi après une ultime et forte poussée, frissonnant de plaisir.

Quand il eut terminé, le corps encore tremblant sous la force de son orgasme, il roula sur le dos, en sueur et comblé. Je me tournai vers lui, écartant mes doigts sur sa poitrine, admirant ses muscles fins et sa peau hâlée.

— Tu es superbe, lui dis-je, prenant un de ses tétons dans ma bouche.

— Tu n'es pas mal non plus, murmura-t-il, me caressant les cheveux. (Étant moi-même en nage, certaines des mèches – humides – bouclaient plus que d'habitude.) C'est vraiment toi ? Je parle de ton apparence actuelle.

Je secouai la tête, surprise par sa question. Mes lèvres vinrent effleurer son cou.

— Je n'ai revêtu mon corps d'origine qu'une fois depuis que je suis devenue un succube. Il y a longtemps. (Interrompant un baiser, je lui demandai :) Tu aimerais quelque chose de différent ? Je peux être tout ce que tu veux, tu sais…

Il me fit un grand sourire, dévoilant brièvement ses dents si blanches.

— L'un des avantages de tomber amoureux d'un succube, sans aucun doute. (Se redressant, il me prit dans ses bras, puis se leva, titubant légèrement à cause de la charge supplémentaire.) Mais non. Repose-moi la question dans un siècle et je te ferai peut-être une autre réponse. Pour l'heure, il me reste beaucoup à apprendre de ce corps-là.

Il me porta jusque dans ma chambre où il me fit l'amour plus lentement, de manière plus civilisée, nos corps s'entrelaçant tels des rubans de feu liquide. Ayant déjà satisfait notre animalité première, nous prîmes chacun le temps d'explorer le corps de l'autre et ses réactions à différents stimuli. Le reste de la nuit s'écoula en respectant une sorte de cycle : une phase lente et tendre, suivie d'une phase rapide et déchaînée, puis repos, avant de recommencer. Vers 3 heures du matin, épuisée, je cédai enfin au sommeil, ma tête reposant sur sa poitrine. Je décidai d'ignorer, pour l'heure, les problèmes qui ne manqueraient pas de revenir me tourmenter au matin.

Je me réveillai quelques heures plus tard, m'asseyant droite comme un I tandis que, dans un éclair de lucidité, je prenais la pleine mesure des événements de la nuit. Je m'étais endormie dans les bras d'un nephilim. Totalement vulnérable. Et pourtant… j'étais toujours en vie. Roman se trouvait confortablement allongé à mes côtés, Aubrey à ses pieds. Tous deux me dévisageaient avec des yeux ensommeillés et plissés, s'interrogeant sur la raison de mon brusque mouvement.

—Quelque chose ne va pas? demanda-t-il, étouffant un bâillement.

—Non, rien, le rassurai-je.

Loin de toute passion, je parvins à penser un peu plus clairement. Qu'avais-je fait? Coucher avec Roman m'avait permis de gagner du temps, mais je ne voyais toujours pas comment nous sortir de cette situation inextricable.

Depuis mon lit, j'aperçus les jonquilles de Carter et, d'un seul coup, je pris ma décision. Les fleurs elles-mêmes n'avaient représenté qu'un petit geste, mais elles m'aidèrent à comprendre que je ne pouvais pas rester les bras croisés pendant que Roman tuerait Carter. Je devais agir, quel que soit le risque encouru ou la probabilité d'un échec. *« Nous avons tous nos moments de faiblesse. Ce qui importe, c'est la façon dont nous les surmontons. »*

Le fait que j'aime le nephilim et déteste l'ange – ce qui restait à prouver – n'entrait pas en ligne de compte. Le choix que je m'apprêtais à faire en disait plus sur moi, sur le genre de personne que j'étais. Pour assurer ma survie pendant des siècles, je n'avais pas hésité à faire du mal aux hommes, souvent de manière dévastatrice, mais je me refusais à devenir la complice d'un meurtre prémédité, fût-ce au nom d'une noble cause. Je n'étais pas tombée aussi bas. Pas encore.

Je ravalai mes larmes, accablée par la tâche qui m'attendait, par ce que j'allais faire à Roman.

—Alors, rendors-toi, murmura-t-il, passant sa main le long de mon corps, de la taille à la cuisse.

Oui, j'avais pris ma décision. Ce n'était pas gagné d'avance, mon plan ne tenait pas vraiment la route, mais rien d'autre ne me venait à l'esprit pour tirer profit de ce moment d'inattention de sa part.

— Impossible, expliquai-je, faisant mine de sortir du lit. Je dois aller travailler.

Ses yeux s'ouvrirent un peu plus grands.

— Quoi ? Quand ça ?

— C'est moi qui fais l'ouverture. Dans une demi-heure.

Il se redressa, dépité.

— Tu travailles toute la journée ?

— Oui.

— J'avais encore deux ou trois choses que je voulais faire avec toi, marmonna-t-il, glissant un bras autour de ma taille afin de me retenir, saisissant un sein dans sa main.

Je m'appuyai contre lui, feignant de ressentir la même passion. D'accord, je ne simulais pas vraiment.

— Mmm… (Je tournai mon visage vers le sien, nos lèvres s'effleurèrent.) Je pourrais appeler pour dire que je ne me sens pas très bien… mais ils ne me croiraient pas. Je ne suis jamais malade et ils le savent.

— Qu'ils aillent se faire foutre, grommela-t-il. (Il m'attira de nouveau vers le lit, ses mains devenant de plus en plus aventureuses.) Qu'ils aillent se faire foutre et c'est toi que je vais foutre !

— Alors laisse-moi me lever, fis-je en riant. Le temps de passer un coup de fil…

Il me lâcha à contrecœur et je me glissai hors du lit, me retournant pour lui lancer un sourire. Il me jeta un regard de convoitise, tel un chat observant sa proie – je dois avouer que j'aimais ça.

Le désir le céda rapidement à l'appréhension tandis que je pénétrais dans le séjour et prenais mon téléphone portable. J'avais laissé toutes les portes ouvertes, me comportant de manière aussi décontractée et naturelle que possible, essayant de ne donner à Roman aucune raison de s'alarmer. Sachant qu'il pouvait probablement m'entendre, je répétai mentalement ce que j'allais dire tout en composant le numéro de mobile de Jerome.

Mais le démon ne répondit pas, ce qui n'avait rien de surprenant. Qu'il aille au diable ! À quoi bon partager un lien comme le nôtre si je ne pouvais pas l'utiliser quand j'en avais besoin ? Comme j'avais anticipé ce cas de figure, je me rabattis sur mon option suivante : Hugh. Si je tombais sur sa messagerie, je devrais trouver autre chose. Mon plan ne pouvait pas fonctionner si j'étais obligée de l'appeler à son bureau et de venir à bout de son arsenal de secrétaires.

— Hugh Mitchell.

— Salut Doug, c'est Georgina.

Un temps d'arrêt.

— Est-ce que tu viens de m'appeler « Doug » ?

— Écoute, je ne pourrai pas venir travailler aujourd'hui. Je pense que j'ai attrapé cette cochonnerie qui traînait dans les environs.

Roman sortit de ma chambre et je lui souris alors qu'il se dirigeait vers mon frigo. Pendant ce temps, Hugh essayait de comprendre dans quel nouveau délire je l'entraînais.

— Euh, Georgina… Je crois que tu t'es trompée de numéro.

— Non, Doug, je ne plaisante pas, alors n'essaie pas de faire le malin avec moi. Je ne peux pas venir aujourd'hui, tu m'as comprise ?

Silence de mort. Finalement, Hugh demanda :

— Georgina, tu es sûre que tu vas bien ?

— Non, je viens de te le dire. Écoute, contente-toi de prévenir les autres, d'accord ?

— Georgina, qu'est-ce qui se passe…

— Eh bien, tu te débrouilleras sans moi. Je tâcherai d'être là demain.

Je raccrochai et levai les yeux vers Roman en secouant la tête.

— Il a fallu que je tombe sur Doug, expliquai-je. Il ne m'a visiblement pas crue.

— Il te connaît trop bien, c'est ça ? demanda-t-il, un verre de jus d'orange à la main.

— Oui, mais il a beau râler, je sais que je peux compter sur lui. Il est comme ça.

Je jetai le téléphone sur le canapé et m'approchai de Roman. Le moment était venu pour moi de continuer à faire diversion. Je doutais que Hugh comprenne totalement la situation, mais il présumerait au moins que quelque chose n'allait pas. Comme j'avais pu le noter dans le passé, un immortel ne faisait pas long feu sans un minimum de jugeote. J'espérais que ses soupçons l'amèneraient à prendre contact avec Jerome. Pour l'heure, ma mission consistait à occuper le nephilim en attendant l'arrivée de la cavalerie.

—Alors, ces deux ou trois choses que tu voulais encore faire avec moi ? susurrai-je.

De retour dans ma chambre, je découvris que patienter le temps que Hugh agisse n'était pas aussi difficile que je l'avais craint. Je ressentis une pointe de culpabilité à prendre mon plaisir avec Roman, surtout maintenant que j'avais décidé d'appeler les renforts. Il avait assassiné un nombre incalculable d'immortels et projetait d'éliminer un – presque – ami. Pourtant mes sentiments pour lui demeuraient. Il me plaisait – ça ne datait pas d'hier – et il s'était révélé un amant exceptionnel.

—L'éternité paraît très supportable avec toi dans mes bras, murmura-t-il plus tard, me caressant les cheveux alors que je me pelotonnais contre lui.

Tournant mon visage vers lui, je surpris une expression sombre dans ses yeux.

—Qu'est-ce qui ne va pas ?

—Georgina… tu… tu souhaites vraiment que je laisse cet ange tranquille ?

—Oui, lâchai-je enfin, une fois revenue de ma surprise. Je préfère que tu ne fasses de mal à personne.

Il m'étudia longuement avant de parler.

—La nuit dernière, quand tu me l'as demandé, j'ai pensé que ce serait au-dessus de mes forces. Je ne croyais pas pouvoir m'y résoudre. Mais… après ce que nous avons fait ensemble… à présent que nous sommes… comme ça. Ça me paraît juste mesquin. Mesquin n'est peut-être pas le mot juste, ce qu'ils nous ont fait reste épouvantable… mais en les pourchassant, je leur donne raison. Je deviens ce qu'ils prétendent que je suis. Je les laisse me dicter les paramètres de ma vie. Une façon, pour moi, de me conformer à l'anticonformisme, je suppose, et de passer à côté des choses réellement importantes. Comme l'amour et être amoureux.

—Que… qu'est-ce que tu veux dire ?

Il prit ma joue dans le creux de sa main.

— Je vais le faire, mon amour. Je ne laisserai pas le passé me dicter mon avenir. Pour toi, je vais mettre un terme à tout ça. Toi et moi. Nous partirons aujourd'hui même, abandonnant cette vie pour une vie différente, ailleurs et ensemble. Nous pourrions aller à Las Vegas.

Je me raidis entre ses bras, écarquillant les yeux. Oh Dieu !

On frappa à la porte et je faillis sauter au plafond. Il ne s'était écoulé que quarante minutes. *Non, non*, pensai-je. C'était trop tôt. En particulier à la lumière de ce brusque revirement.

Roman leva un sourcil, plus curieux qu'autre chose.

— Tu attends quelqu'un ?

Je secouai la tête, tâchant de dissimuler les battements de mon cœur.

— Doug m'a toujours menacée de venir me chercher, plaisantai-je. J'espère qu'il n'a pas choisi aujourd'hui pour mettre sa menace à exécution.

Sortant du lit, j'avançai vers ma penderie, exhortant chaque fibre de mon corps à se comporter comme si de rien n'était. J'enfilai un kimono rouge, passai ostensiblement la main dans mes cheveux en bataille et me dirigeai vers le séjour, m'efforçant de ne pas hyperventiler une fois hors du champ de vision de Roman. *Mon Dieu,* pensai-je, approchant de la porte. *Que vais-je faire ? Que vais-je...*

— Seth ?

L'écrivain se tenait sur le seuil, une boîte de viennoiseries à la main, apparemment aussi surpris que moi. Je vis son regard me parcourir des pieds à la tête en un clin d'œil et pris soudain conscience que je portais un peignoir plutôt court et que la soie collant à ma peau en révélait peut-être un peu trop. Ses yeux remontèrent brusquement à mon visage et il avala sa salive.

— Salut. Je... euh...

L'un de mes voisins passa dans le couloir, marqua un temps d'arrêt et me lorgna sans vergogne quand il m'aperçut en peignoir.

— Entrez, invitai-je Seth avec une grimace et fermant la porte derrière lui.

Comme je m'attendais à un cortège d'immortels, je me sentais plus désorientée que jamais.

— Je suis désolé, réussit-il enfin à bafouiller, essayant d'empêcher ses yeux de s'égarer sur mon corps. J'espère que je ne vous ai pas réveillée…

— Non… non… aucun problème…

Naturellement, Roman choisit ce moment précis pour faire son apparition – depuis le couloir menant à ma chambre –, et en caleçon, s'il vous plaît !

— Alors, qu'est-ce que… oh, salut, comment ça va ? Seth, c'est bien ça ?

— C'est bien ça, confirma Seth d'une voix éteinte.

Ses yeux se posèrent sur Roman, puis revinrent sur moi. Après ce regard, je me fichais bien des nephilim, des immortels ou de sauver Carter. Que devait penser Seth ? Rien d'autre ne comptait pour moi. Le pauvre… Il avait fait preuve de gentillesse depuis que nous nous connaissions et, en guise de récompense, je n'avais réussi qu'à le blesser par mon insensibilité – sans compter un malheureux concours de circonstances. Je ne savais pas quoi dire. Je me sentais aussi mortifiée qu'il semblait l'être. Je ne voulais pas qu'il me voie ainsi, tous mes mensonges et mes contradictions révélés au grand jour.

— C'est le petit déjeuner ? demanda le nephilim sur un ton enjoué.

Il était le seul d'entre nous à ne pas ressentir la moindre gêne.

— Hein ? (Encore sous le choc, Seth restait sans voix.) Oh, oui. (Il posa la boîte sur ma table basse.) C'est pour vous. Un moka, à la noix de pécan. Quant à moi… il faut… il faut que j'y aille. Je ne voulais pas vous déranger. Je suis vraiment navré. Je savais que c'était votre jour de congé et je pensais qu'on aurait pu… Hier, vous aviez dit que… J'ai été stupide. J'aurais dû vous appeler avant. C'était idiot de ma part. Je suis désolé.

Il fit mine de partir, mais je sus que le mal était fait. De tous les scénarios possibles… Il avait fallu que Seth, d'ordinaire si peu bavard, se mette à radoter. « Je savais que c'était votre jour de congé. » Et merde… Roman se tourna vers moi, l'incrédulité sur son visage se transformant, sous mes yeux, en fureur.

— Qui ? demanda-t-il d'une voix déformée par la colère. Qui as-tu appelé ? Qui, putain ?

Je reculai.

— Seth, fiche le camp d'ici…

Trop tard. Une onde de force, un peu comme celle que Jerome avait utilisée contre moi, s'abattit sur Seth et moi, nous projetant contre le mur de mon séjour.

Roman avança vers nous, me lançant un regard menaçant.

— Qui as-tu appelé ? rugit-il. (Je ne répondis pas.) As-tu la moindre idée de ce que tu viens de faire ?

Il se détourna de nous, saisit mon téléphone et composa un numéro.

— Rejoins-moi immédiatement… oui, oui, je m'en fiche. Laisse tout tomber.

Il récita mon adresse et raccrocha. Je ne lui demandai pas qui il avait contacté. Je le savais. L'autre nephilim. Sa sœur.

Passant la main dans ses cheveux, Roman faisait désespérément les cent pas dans mon salon.

— Merde. Merde ! Avec tes mensonges, tu as peut-être tout gâché ! hurla-t-il. Tu comprends ça ? Tu comprends ça, sale garce ? Comment as-tu pu me faire une chose pareille ?

Je ne répondis pas. J'en étais incapable. Le plus petit mouvement, même parler, aurait exigé trop d'efforts, prise comme je l'étais dans les mailles de ce filet psychique. Je ne pouvais même pas regarder Seth. Dieu seul savait ce qu'il devait penser de tout ce cirque.

Dix minutes plus tard, j'entendis de nouveau frapper. Si le ciel ne m'avait pas totalement abandonnée, Jerome et Carter se tenaient derrière ma porte, prêts à venir à mon secours. Même un succube méritait une seconde chance, de temps à autre, pensai-je en regardant Roman aller ouvrir.

Helena entra. La vache !

— Tu as pris ton temps, l'accueillit Roman d'une voix cassante et claquant la porte derrière elle.

— Qu'est-ce que tu… (Elle s'interrompit, écarquillant les yeux en nous voyant, Seth et moi. Se retournant vers Roman, elle le regarda – lui et son caleçon – de la tête aux pieds.) Bon sang ! Qu'est-ce que tu as encore fait ?

— Quelqu'un vient, siffla-t-il en ignorant sa question. Maintenant.

— Qui ? demanda-t-elle, les mains sur les hanches.

Elle avait abandonné sa voix rauque et semblait tout à fait avoir la tête sur les épaules. Si je n'avais pas déjà été sans voix, la voir ainsi aurait suffi à me rendre muette.

— Je l'ignore, admit-il. Probablement notre cher papa. *Elle* a appelé quelqu'un.

Helena se tourna vers moi et s'approcha. Comprenant le danger, je sentis la terreur monter en moi. Helena était l'autre nephilim. Helena la cinglée, Helena l'arnaqueuse. Helena, que j'avais insultée en de nombreuses occasions, dont je m'étais moquée – dans son dos – et à qui j'avais fauché du personnel. L'expression de son visage m'apprit qu'elle n'avait rien oublié de tout cela.

— Annule le champ, ordonna-t-elle sèchement à Roman. (Un instant plus tard, Seth et moi, libérés de la force qui nous retenait, nous écroulâmes en avant, pantelants.) C'est vrai ? Vous avez appelé notre père ?

— Je n'ai... appelé... personne...

— Elle ment, observa doucement Roman. À qui as-tu téléphoné, Georgina ?

Comme je ne répondais pas, elle s'avança vers moi et me donna une gifle sonore. Le coup me parut étrangement familier. Rien d'étonnant à cela : le mystérieux agresseur qui m'avait tabassée cette nuit-là dans la ruelle n'était autre qu'Helena. Je compris alors qu'elle avait dû me reconnaître, malgré mon déguisement, lors de ma visite à *Krystal Starz*. Reconnaissant ma signature, elle avait décidé de me jouer un tour à sa façon et m'avait servi son baratin sur mon avenir si prometteur, me conseillant divers ouvrages et des animations auxquelles participer.

— Toujours à faire des difficultés, pas vrai ? railla-t-elle. Depuis des années, je supporte ceux qui, comme vous, tournent en dérision mon style de vie et mes enseignements. J'aurais dû m'occuper de vous depuis bien longtemps.

— Pourquoi ? demandai-je, recouvrant l'usage de ma voix. Pourquoi fourguer ces conneries New Age ? Vous êtes pourtant bien placée pour savoir la vérité sur les anges et les démons...

Elle me foudroya du regard.

— Ces « conneries » ? J'encourage les gens à reprendre le contrôle de leur propre vie, à se considérer comme des sources de pouvoir au lieu de se laisser ronger par la culpabilité de ce qui est bien ou mal. Des conneries, vraiment ? (Comme je ne réagissais pas, elle poursuivit :) J'enseigne aux gens comment s'assumer. Je leur apprends à ne plus miser sur un hypothétique salut, c'est-à-dire trouver le bonheur ici et maintenant – dans *ce* monde. Bien sûr, j'enjolive un peu tout ça afin de provoquer l'émerveillement, d'impressionner, mais quelle importance, du moment que l'objectif est atteint ? Après avoir assisté à mes cours, les gens se sentent comme des dieux ou des déesses. Ils découvrent cette force en eux-mêmes, plutôt qu'à travers le dogme d'une institution hypocrite et indifférente.

J'avais envie de lui répondre, mais je n'aurais pas su par où commencer. Je réalisai qu'Helena et Roman pensaient exactement de la même façon, tous deux déçus par un système qui les avait engendrés, chacun se rebellant à sa manière.

— Je sais ce que vous pensez de moi. J'ai entendu ce que vous disiez dans mon dos. Je vous ai vue jeter à la poubelle les brochures que je vous avais remises, sans doute persuadée que je n'étais qu'une radoteuse New Age un peu fofolle. Vous semblez bien sûre de vous et tellement critique envers les autres. Et pourtant, malgré votre suffisance, je n'ai jamais connu quelqu'un d'aussi malheureux. Vous détestez ce jeu, mais vous en respectez les règles. Mieux encore, vous le défendez, parce que vous n'avez pas le courage de changer les choses. (Elle secoua la tête, avec un petit rire sec.) Je n'avais pas besoin d'être devin, pour vous faire ces prédictions, l'autre jour. Vous avez du talent, mais vous le gaspillez. Vous gâchez votre vie et vous finirez seule et malheureuse.

— Je ne peux pas changer ce que je suis, rétorquai-je vertement, piquée au vif par ses mots.

— Des paroles dignes d'une esclave du système.

— Allez vous faire foutre, lançai-je en retour. (Lorsque sa fierté et son identité sont foulées au pied, une personne peut s'emporter de manière irrationnelle ; la qualité de son argumentation passe, dans ce cas, au second plan.) Je préfère être une esclave plutôt qu'une sorte de bâtard divin monstrueux. Pas étonnant qu'on cherche à vous exterminer.

Elle me frappa de nouveau, mais cette fois en y mettant toute la force dont était capable un nephilim – un peu comme dans la ruelle. Je le sentis passer.

— Sale petite pute ! Vous ne savez pas de quoi vous parlez.

Elle allait remettre ça quand Seth s'interposa soudain entre nous.

— Stop ! s'exclama-t-il. Ça suffit…

Un souffle puissant – provoqué par Roman ou Helena, je l'ignorais – envoya valser Seth à travers la pièce, sur un autre mur. Je tressaillis.

— Comment oses-tu…, commença Helena, ses yeux bleus lançant des éclairs. Toi, un simple mortel, qui ne sais rien de…

J'agis avant même que les mots sortent de sa bouche. Voir Seth malmené de la sorte avait déclenché quelque chose en moi, une réaction de colère que je savais sans espoir, mais que j'étais totalement incapable d'empêcher. Je me jetai sur Helena, adoptant la première forme qui me vint à l'esprit, sans doute influencée par le fait d'avoir aperçu Aubrey un peu plus tôt : un tigre.

La transformation ne dura qu'une seconde, mais me fit un mal de chien. Mon corps humain se développa, mes mains et mes pieds devinrent des pattes dotées de griffes. J'avais l'élément de surprise de mon côté, mais seulement pour un moment. J'entrai en collision avec elle, renversant son corps fragile sur le sol.

Ma victoire fut de courte durée. Avant que j'aie pu planter mes crocs dans son cou, un souffle de la force d'un ouragan m'obligea à la relâcher et me fit atterrir dans mon dressing. L'impact, dix fois plus fort que celui qui nous avait immobilisés, Seth et moi, contre le mur, provoqua une douleur telle que je repris ma forme d'origine, au milieu des éclats de verre et de cristal qui me coupaient la peau.

Dans le feu de l'action, je repartis à la charge, consciente de la futilité de mes efforts, mais incapable de rester sans rien faire. Je me précipitai sur Roman cette fois, forçant mon corps à prendre la forme de… d'un… honnêtement, je ne savais pas trop. Je n'avais pas de forme bien définie à l'esprit, simplement quelques caractéristiques : des griffes, des dents, des écailles, des muscles. Brutal. Gros. Dangereux. Une créature de cauchemar, un vrai démon de l'enfer.

Mais je ne parvins même pas à approcher du nephilim. Il devança mon attaque et, à mi-bond, me projeta en arrière, peut-être avec l'aide de sa sœur. Je tombai à côté de Seth qui écarquilla les yeux, à la fois terrorisé et émerveillé. Des éclairs d'énergie vinrent me frapper, me faisant pousser des cris de douleur, pilonnant chaque nerf en moi. La carapace de ma nouvelle forme ne me protégea que brièvement, puis, sous l'effet conjugué de la douleur et de l'épuisement, je perdis le contrôle de ma transformation. Je me glissai de nouveau dans ce corps humain si fragile quand un champ de force vint s'assurer que je ne bougerais plus.

Toute mon intervention avait duré moins d'une minute, mais à présent je me sentais complètement vidée et usée, ma réserve de puissance obtenue grâce à Martin Miller définitivement tarie. À vouloir jouer les héros, j'étais bien avancée. *« Un nephilim ne ferait qu'une bouchée de n'importe lequel d'entre vous. »*

— C'était courageux de ta part, Georgina, gloussa Roman, essuyant la sueur sur son front. (Il avait, lui aussi, dépensé beaucoup d'énergie, mais il en possédait bien plus que moi.) Courageux, mais ridicule. (Approchant de moi, il me contempla de la tête aux pieds et fit la moue avec une sorte d'amertume amusée.) Tu ne sais pas comment doser ton énergie. Tu as grillé toutes tes cartouches.

— Roman… Je suis tellement navrée…

Il ne m'apprenait rien. Je sentais bien que j'étais à bout de force. En fait, j'étais à plat, vidée. Je roulais sur la réserve, en quelque sorte. Regardant mes mains, je vis mon apparence vaciller légèrement, miroitant presque comme un mirage dû à la chaleur. Mauvais signe. Quand vous portez un corps depuis longtemps, même si ce n'est pas celui d'origine, il finit par s'enraciner en vous après quelques années. Et cela faisait quinze ans que j'avais adopté celui-là. C'était comme une seconde nature pour moi. Je le considérais comme le mien. Inconsciemment, je finissais toujours par y revenir. Et pourtant, je devais lutter pour le conserver à présent, pour ne pas revenir au corps dans lequel j'étais devenue un succube. La situation était vraiment grave.

— Navrée ? répéta Roman, et je lus sur son visage combien je l'avais blessé. Tu n'as pas idée de…

Nous le sentîmes tous en même temps. Roman et Helena firent volte-face et échangèrent un regard affolé, puis ma porte explosa vers l'intérieur. Les liens qui nous retenaient tombèrent tandis que les nephilim concentraient toute leur puissance sur l'apocalypse à venir.

Une lumière éclatante envahit mon appartement, brillante à en être douloureuse. Je connaissais cette lumière. La silhouette terrible que j'avais aperçue dans la ruelle apparut, mais cette fois j'en comptai deux. Des copies conformes. Impossibles à distinguer. Je ne savais pas qui était qui, mais je me rappelai l'observation de Carter, une semaine plus tôt : *« Un ange dans toute sa splendeur est capable de faire perdre les pédales à la plupart des créatures – sa vision peut tuer un mortel… »*

— Seth, chuchotai-je, me détournant de ce spectacle resplendissant. (Il fixait la scène, ses yeux marron écarquillés, admiratifs et effrayés, devant la gloire qui s'offrait à lui.) Seth, ne les regarde pas. (Avec le peu de force qui me restait, je levai une main vacillante et tournai son visage vers le mien.) Seth, ne les regarde pas. Regarde-moi ! Seulement moi.

Quelque part au-delà de nous, quelqu'un cria. Le monde explosait.

— Georgina…, souffla Seth, touchant mon visage avec hésitation. Qu'est-ce qui ne va pas ?

Faisant appel à toute ma volonté, je forçai mon corps à lutter pour conserver la forme dans laquelle Seth m'avait connue. Un combat perdu d'avance – et qui risquait de se révéler mortel pour moi. Je n'allais pas pouvoir survivre ainsi beaucoup plus longtemps. Seth se pencha plus près de moi et je décidai d'ignorer les bruits du chaos et de la destruction qui faisaient rage autour de nous, afin de me concentrer, de toute la force de mes sens, sur son visage.

J'avais dit que Roman était beau, mais il n'était rien – rien du tout – comparé à Seth en cet instant précis. Seth, avec ses yeux marron interrogateurs, ses longs cils, la gentillesse qu'il manifestait dans chacune de ses actions… Seth, perpétuellement mal rasé, les cheveux en bataille, encadrant un visage incapable de cacher sa véritable nature… Seth, sa force de caractère, son âme tel un phare par une nuit de brouillard…

— Seth, murmurai-je. Seth.

Il se pencha vers moi, me laissant l'attirer de plus en plus près et, tandis que le ciel et l'enfer livraient bataille tout près de nous, je l'embrassai.

Chapitre 25

Quelquefois, vous vous réveillez pendant un rêve. Quelquefois, vous vous réveillez dans un rêve. Et parfois, plus rarement, vous vous réveillez dans le rêve de quelqu'un d'autre.

« S'il voulait faire de moi son esclave sexuelle, il n'aurait qu'à m'offrir des exemplaires de lancement de ses livres. »

Les premières paroles que j'avais adressées à Seth, lors d'une discussion passionnée sur son travail. La première impression qu'il avait eue de moi. Tête haute, les cheveux rejetés en arrière. Une remarque désinvolte toujours prête au bout des lèvres. La grâce en toutes circonstances. Une assurance dans mes relations avec les autres qu'un introverti comme Seth ne pouvait qu'envier. *Comment fait-elle ? Jamais un faux pas...* Plus tard, mon explication délirante de ma règle des cinq pages, une habitude loufoque qu'il avait immédiatement trouvée touchante. Enfin quelqu'un qui appréciait la littérature au point de la déguster comme un bon vin. *Intelligente et sincère. Belle, aussi.* Oui, belle. Je me vis comme Seth m'avait vue ce soir-là : jupe courte, haut violet un peu osé, aussi éclatant que le plumage d'un oiseau. Une créature exotique, absolument pas à sa place dans le morne paysage de la librairie.

Toutes ces impressions se trouvaient en Seth, le passé – l'évolution de ses sentiments pour moi – se mêlant au présent. J'absorbai tout.

Pas seulement belle. Sexy. Sensuelle. L'incarnation d'une déesse, dont chaque mouvement suggérait une passion à venir. La bretelle de ma robe glissant de mon épaule. Les légères gouttes de sueur dans mon décolleté. Moi, debout dans sa cuisine, uniquement vêtue de ce ridicule tee-shirt de Black Sabbath. *Elle ne porte aucun sous-vêtement là-dessous. Je me demande ce que ça ferait de me réveiller à ses côtés, elle semble indomptable…*

Tout se déversait en moi. Encore et encore.

Il me regardait à la librairie. Il aimait m'observer dans mes rapports avec les clients, aimait le fait que je semble toujours avoir réponse à tout. Le dialogue plein d'esprit auquel il réfléchissait pour ses personnages me venait aux lèvres sans la moindre hésitation. *Incroyable. Je n'ai jamais rencontré quelqu'un qui parlait ainsi dans la vraie vie.* Mon marchandage avec le bouquiniste. Un charisme qui attirait Seth le timide, Seth le silencieux, et me faisait briller à ses yeux. Lui donnait confiance.

Ses sentiments continuaient à s'engouffrer en moi. Je n'avais jamais rien ressenti de pareil. Bien sûr, j'avais senti l'affection et l'attirance que je suscitais chez mes victimes, mais jamais un amour d'une telle force, pas qui m'était directement adressé.

Seth me trouvait sexy. Il me désirait. Mais à côté de ce désir purement sexuel, je sentais quelque chose de plus doux. Kayla, assise sur mes genoux, sa petite tête blonde appuyée contre ma poitrine pendant que je lui tressais les cheveux. Un bref changement d'image, le temps pour lui d'imaginer sa propre fille sur mes genoux. *Passionnée et spirituelle d'un côté, douce et vulnérable de l'autre.* Moi, toujours, complètement saoule dans son appartement. Lui, protecteur, me mettant au lit, veillant sur moi pendant des heures après que je me fus endormie. Je n'avais pas baissé dans son estime à cause de ma faiblesse, de ma perte de contrôle et de jugement. J'avais abaissé mes défenses pour lui, un signe d'imperfection… Il ne m'en aimait que plus pour cela.

Je bus, toujours plus, incapable de m'arrêter dans mon état de faiblesse désespérée.

« Pourquoi ne sort-elle avec personne ? » demanda Seth à Cody. Cody ? C'était bien lui, un souvenir dans l'esprit de Seth. Cody qui lui donnait des cours de danse en secret, aucun d'eux ne jugeant utile de m'en parler, préférant inventer de vagues excuses pour justifier leurs absences. Seth, essayant d'obliger ses pieds à lui obéir, afin de

pouvoir enfin danser avec moi et se rapprocher de moi. *« Elle a peur »*, répondit le vampire. *« Elle pense que l'amour fait souffrir. »*

L'amour fait souffrir.

Oui, Seth m'aimait. Pas le béguin que j'imaginais, ni l'attirance superficielle que j'avais cru étouffer dans l'œuf. C'était plus, bien plus. J'incarnais tout ce qu'il avait jamais pu imaginer dans une femme : l'humour, la beauté, l'intelligence, la bonté, la force, le charisme, la sexualité, la compassion… Son âme, irrésistiblement attirée vers moi, semblait avoir reconnu la mienne. Il m'aimait avec un sentiment d'une profondeur que je ne pouvais pas imaginer épuiser, et croyez-moi, ce n'était pas faute d'essayer. Je le voulais. Je voulais tout ressentir, absorber ce feu qui brûlait en lui. Le consommer et me consumer.

Georgina !

Quelque part au loin, quelqu'un m'appelait, mais je ne pensais qu'à Seth. À avaler goulûment cette énergie en lui, cette force où se mêlaient les sentiments qu'il éprouvait pour moi. Des sentiments apportés, amplifiés même, par ce baiser. Des lèvres, douces et passionnées. Avides. Insatiables.

Georgina !

Je voulais me fondre en Seth. J'en avais besoin. J'avais besoin qu'il me comble… physiquement, mentalement, spirituellement. Il y avait quelque chose… une chose dissimulée en lui et qui demeurait hors de portée. Une information qui me manquait et que j'aurais dû reconnaître depuis longtemps. *Tu es ma vie.* Je devais creuser plus profond, chercher plus loin. Découvrir ce qu'il me cachait. Ce baiser était mon seul lien avec quelque chose de plus grand que moi, quelque chose que j'avais voulu obtenir toute ma vie, sans jamais y parvenir. Je ne pouvais pas m'arrêter. Je ne pouvais pas arrêter d'embrasser Seth. Impossible. Imp…

Georgina ! Lâche-le !

Des mains me séparèrent brutalement de Seth et j'eus l'impression qu'on m'arrachait ma propre chair. Je criai de douleur quand le lien fut rompu, me débattant entre ces mains qui me tiraient et me retenaient. Je griffai mon agresseur, j'avais tellement besoin de connaître le secret qui se cachait derrière ce baiser, de retrouver la plénitude de mon union avec Seth…

Seth.

Je laissai retomber mes mains et clignai des yeux, redonnant une certaine netteté au monde qui m'entourait. Retour à la réalité. Je ne me trouvais plus à l'intérieur de la tête de Seth, mais dans mon appartement. Un sentiment de solidité s'empara de moi et je n'eus pas à baisser les yeux pour savoir que mon corps avait cessé de se transformer. Il avait repris la forme d'une femme mince et petite, aux cheveux châtains aux reflets de miel. La fille que j'avais été il y a bien longtemps avait de nouveau été enfouie en moi – et y resterait s'il ne tenait qu'à moi. À présent, la force vitale de Seth me remplissait à ras bord.

— Georgina, murmura Hugh derrière moi, relâchant sa prise sur mes bras. Bon sang, tu m'as fichu une sacrée frousse !

Regardant de l'autre côté de la pièce, j'aperçus Carter, aussi débraillé qu'à l'accoutumée, penché sur le corps de Seth.

— Oh, mon Dieu… (Je me levai d'un bond et me précipitai vers eux, m'agenouillant à côté de l'ange. Seth gisait sur le sol, la peau pâle et moite.) Oh, mon Dieu… Oh, mon Dieu… Est-ce qu'il est…

— Il est vivant, me rassura Carter. À peine.

Mes doigts caressèrent la joue de Seth, le chaume roux de son début de barbe, et je sentis les larmes me monter aux yeux. Sa respiration paraissait superficielle et irrégulière.

— Je ne voulais pas. Je n'avais pas l'intention de prendre autant…

— Tu as fait ce que tu avais à faire. Tu étais dans un triste état, tu aurais pu mourir…

— Et maintenant, c'est Seth qui va…

Carter secoua la tête.

— Non, aucun risque. Il lui faudra du temps pour se rétablir, mais il s'en sortira.

Je retirai ma main, à moitié effrayée que mon seul contact puisse lui infliger plus de souffrances. Jetant un coup d'œil autour de moi, je pris conscience du désordre qui régnait dans mon appartement. C'était pire que dans celui de Jerome. Verre et porcelaine brisés. Tables fracassées. Fauteuils et canapé renversés. L'étagère instable n'avait pas résisté à un tel assaut. Depuis la cuisine, Aubrey, tapie sous la table, semblait se demander ce qui s'était passé. Je me le demandais moi-même. Pas le moindre nephilim en vue. Qu'était-il arrivé ? Avais-je réellement manqué le spectacle ? La bataille du siècle, épique et divine, et j'aurais loupé ça pour un baiser ? Un baiser du tonnerre, j'en conviens, mais quand même…

— Où sont… tous les autres ?

— Jerome s'occupe des voisins.

— Tu me fais peur.

— C'est la routine. Les batailles surnaturelles ne font pas vraiment dans la discrétion. Alors, il va effacer quelques souvenirs dans les esprits, s'assurer que personne ne portera plainte.

Je déglutis, craignant de poser la question suivante.

— Et… et les nephilim ? (Carter m'étudia longuement de ses yeux gris.) Je sais, je sais, dis-je enfin, incapable de soutenir ce regard. Pas question de leur infliger dix ans de prison avec liberté conditionnelle pour bonne conduite, c'est ça ? Tu les as supprimés.

— Nous avons supprimé… l'un d'entre eux.

Je relevai brusquement la tête.

— Quoi ? Et l'autre ?

— Il a réussi à s'échapper.

Il. Cette fois, je fus incapable de maîtriser mes larmes. *« Pour toi, je vais mettre un terme à tout ça. »*

— Comment ?

Carter posa la main sur le front de Seth, comme s'il collectait des statistiques vitales, puis se retourna vers moi.

— Tout s'est déroulé très vite. Dans la confusion, il est devenu invisible et a masqué son aura, pendant que nous neutralisions l'autre. Et franchement…

L'ange regarda la porte d'entrée fermée, puis de nouveau Hugh et moi.

— Je ne suis pas… Je ne suis pas entièrement convaincu que Jerome ne l'ait pas laissé filer. Il ne s'attendait pas à en trouver deux – moi non plus, même si, avec le recul, j'aurais dû. Après avoir tué le premier… (Carter haussa les épaules.) Je ne sais pas. C'est difficile à dire…

— Alors il va revenir, compris-je, la fuite de Roman provoquant en moi un curieux mélange de peur et de soulagement. Il va revenir… et il va m'en vouloir.

—Je ne pense pas que cela sera un problème, observa l'ange. (Avec douceur, il souleva Seth et se dirigea vers mon canapé, qui se remit en place sans l'aide de personne. Carter étendit Seth dessus et continua à parler :) Il a pris une bonne raclée – l'autre nephilim. Vraiment. J'ai d'ailleurs du mal à croire qu'il lui restait assez de force pour se cacher ; je m'attends toujours à sentir sa présence d'un instant à l'autre. S'il est malin, il doit être en train de mettre le plus de distance possible entre lui et nous – ou n'importe quel autre immortel – afin de pouvoir laisser tomber son bouclier mental et se reposer.

—Et ensuite ? s'enquit Hugh.

—Il est en piteux état. Il lui faudra pas mal de temps pour se rétablir. Mais même quand il ira mieux, il n'aura plus personne pour l'épauler ici.

—Il pourrait toujours s'en prendre à moi, fis-je remarquer, tremblant au souvenir de la colère que Roman avait exprimée à mon égard à la fin.

Difficile de croire que nous avions été dans les bras l'un de l'autre, enlacés dans une étreinte passionnée, moins de vingt-quatre heures plus tôt.

—C'est vrai, il pourrait s'attaquer à toi, admit Carter. Mais il ne peut plus s'en prendre ni à moi ni à Jerome. Et certainement pas à nous deux en même temps. Je pense que notre alliance a joué un rôle décisif. Ils ne s'attendaient pas à nous voir combattre côte à côte. Je pense que ça lui donnera matière à réflexion avant de revenir traîner dans les environs, même si, seule, tu ne constitues pas une menace pour lui.

Je ne trouvai pas cela rassurant le moins du monde. Je songeai à Roman, passionné et rebelle, toujours prêt à se mesurer au système. Ce genre de personnalité se prêtait plutôt bien à la vengeance. Je l'avais amené à coucher avec moi par la ruse, pour mieux le trahir et contribuer à l'anéantissement de ses plans – et de sa sœur. *« Heureusement que j'ai ma sœur, elle représente tout pour moi, mon unique soutien. »*

Il marquerait peut-être un temps d'arrêt, comme Carter l'avait suggéré, mais pas pour longtemps. De cela, j'avais la certitude.

— Il reviendra, chuchotai-je, plus pour moi-même. Un jour, il reviendra.

Carter me regarda fixement.

— Alors nous nous occuperons de lui. Quand le cas se présentera.

Ma porte s'ouvrit et Jerome entra. Il avait l'air impeccable, personne n'aurait pu deviner qu'il sortait à peine d'une bataille apocalyptique avec sa progéniture.

— Le ménage est fait ? demanda Carter.

— Oui. (Le démon jeta un coup d'œil vers Seth.) Il est en vie ?

— Oui.

Les regards de l'ange et du démon se croisèrent alors, et un moment de silence à la tension palpable s'installa entre eux.

— Le hasard fait curieusement bien les choses, murmura enfin Jerome. J'aurais juré qu'il était mort. Bien. Il se produit des *miracles* tous les jours… Je suppose que nous allons devoir l'effacer.

Je me levai.

— Comment ça ?

— Content de te savoir de retour parmi nous, Georgie. Tu as une mine superbe.

Je lui lançai un regard furieux, sachant que je devais mon éclat actuel de succube à l'énergie de Seth.

— Que veux-tu dire quand tu parles de l'« effacer » ?

— Qu'est-ce que tu crois ? Nous ne pouvons pas le laisser simplement repartir après ce qu'il a vu. J'en profiterai pour diminuer un peu l'affection qu'il a pour toi. C'est un handicap.

— Quoi ? Non. Tu ne peux pas faire ça !

Jerome soupira, affichant l'expression de celui qui a souffert beaucoup et longtemps.

— Georgina, as-tu la moindre idée de ce à quoi il vient d'être exposé ? Nous devons l'effacer. Il ne doit pas connaître notre existence.

— Combien de moi vas-tu lui prendre ?

Les souvenirs de Seth – devenus mes souvenirs – étincelaient dans ma tête, telles des pierres précieuses.

— Assez pour lui faire croire que tu n'es qu'une vague connaissance pour lui. Ces dernières semaines, tu as négligé ton travail encore plus que d'habitude. (Ce n'était pas entièrement la faute de

Seth. Roman y avait grandement contribué.) Il vaut mieux, pour vous deux, qu'il se trouve une mortelle qui l'obsédera.

« Tu n'as pas envie de te distinguer de la masse ? » La question sarcastique que Carter m'avait posée, voilà ce qui semblait une éternité, me revint à l'esprit.

— Tu n'es pas obligé de faire ça. Tu n'es pas obligé de m'effacer avec le reste.

— Autant en profiter pour faire place nette. Comment veux-tu qu'il reprenne simplement le cours de sa vie après avoir vu des habitants des royaumes divins ? Reconnais que c'est inenvisageable, enfin !

— Certains mortels savent que nous existons, protestai-je. Erik, par exemple. Erik sait, mais il n'en parle à personne.

Je pris soudain conscience qu'Erik avait également gardé pour lui le secret d'Helena. Il avait compris après avoir travaillé avec elle pendant des années, mais n'avait jamais révélé toute la vérité, se contentant de me donner quelques maigres indices.

— Erik est un cas à part. Il a un don. Un mortel ordinaire comme celui-là ne saurait pas y faire face. (Jerome avança jusqu'à mon canapé, regardant Seth sans émotion.) C'est mieux ainsi.

— Non. Je t'en prie, pleurai-je, courant vers Jerome et le tirant par la manche. Ne fais pas ça.

L'archidémon tourna vers moi ses yeux noirs et froids, stupéfait de me voir oser l'agripper ainsi. Alors que je me recroquevillais sous ce regard, je sus que quelque chose dans notre relation, jusque-là affectueuse et indulgente, avait changé pour toujours – quelque chose de petit, mais d'important quand même. J'ignorais ce qui avait provoqué cela. Peut-être Seth. Ou Roman. Ou tout autre chose. Mais c'était bel et bien arrivé.

— S'il te plaît, le suppliai-je, ignorant à quel point je devais sembler désespérée. Ne fais pas ça. Ne m'efface pas de… de sa mémoire. Je ferai tout ce que tu voudras. Tout.

J'effleurai mes yeux avec la main, essayant de paraître calme et maîtresse de mes émotions, mais sachant pertinemment que j'échouais.

Un sourcil légèrement levé sur le visage de Jerome fut la seule indication que j'avais réussi à piquer son intérêt. L'expression

« pacte avec le diable » n'était pas née par hasard. Peu de démons se révélaient capables de résister à une négociation.

— Que pourrais-tu bien m'offrir ? Tu viens de coucher avec mon fils, alors pour le sexe, tu peux oublier.

— Oui, confirmai-je, ma voix gagnant en assurance alors que je me jetais à l'eau. Ça a marché avec lui. Ça marche avec toutes sortes d'hommes. Je suis douée, Jerome. Plus que tu l'imagines. Pourquoi crois-tu que je suis le seul succube dans cette ville ? Parce que je suis l'un des meilleurs. Je ne sais pas ce qui m'a pris ces derniers temps, mais avant de traverser cette mauvaise passe, je pouvais avoir tous les hommes que je voulais. Et pas seulement pour leur voler leur énergie vitale et leur force. Je pouvais les manipuler, leur faire faire tout ce que je leur demandais, les pousser à commettre des péchés dont ils n'auraient jamais rêvé avant de me rencontrer. Ils m'obéissaient – et ils aimaient ça.

— Continue.

Je respirai à fond.

— Tu m'as accusée de ne m'en prendre qu'à des ratés, de me montrer négligente dans mon travail, c'est bien ça ? Eh bien, je peux changer tout ça. Je peux faire monter ta cote comme jamais. Je l'ai déjà fait auparavant. Tout ce que je te demande, c'est d'épargner Seth. Laisse-lui tous ses souvenirs. Intacts.

Jerome m'étudia un moment, réfléchissant à ma proposition.

— Ma « cote » ne me sera d'aucune aide s'il décide de raconter à tout le monde ce qu'il a vu.

— Alors voyons d'abord comment il s'en sort. À son réveil, nous lui parlerons. S'il donne l'impression de perdre les pédales... eh bien, dans ce cas, tu pourras effacer sa mémoire.

— Et qui décidera s'il s'en sort bien ou pas ?

J'hésitai, ne voulant pas que cette décision revienne au démon.

— Carter. Carter sait quand quelqu'un dit la vérité. (Je regardai l'ange.) Tu sauras s'il tient le choc, n'est-ce pas ?

Carter me lança un regard singulier, un regard que je ne sus pas interpréter.

— Oui, finit-il par admettre.

— Et qu'en est-il de ta part du contrat ? demanda Jerome. Tu t'engages à l'honorer, même si Carter décide que Seth représente un danger ?

L'archidémon se montrait dur en affaires, mais j'avais le sentiment qu'il resterait intraitable sur ce point et c'était un risque que j'étais prête à courir, tant j'avais confiance dans la capacité de Seth à digérer l'existence des immortels. Sur le point d'accepter, j'ouvris la bouche quand, du coin de l'œil, je vis Hugh secouer la tête à mon intention. Sourcils froncés, il tapotait le cadran de sa montre, essayant de me dire quelque chose en remuant silencieusement les lèvres.

Puis je compris. La durée. J'avais suffisamment écouté Hugh me parler de son travail pour connaître une des règles d'or de toute négociation avec un démon : ne jamais conclure un contrat à durée indéterminée.

— Si Seth conserve ses souvenirs, je m'engage à me conduire comme un bon petit succube pendant un siècle. S'il se révèle nécessaire de les effacer, la durée de mon engagement sera réduite... des deux tiers.

— De moitié, proposa Jerome. Nous ne sommes pas des mortels. Que représente un siècle face à l'éternité ?

— Va pour la moitié, acceptai-je d'une voix terne, mais rien de plus que ce qu'impose ma survie. Si tu crois que je vais faire ça tous les jours, tu te trompes. Je ne rechargerai que quand cela me sera nécessaire. Des doses fortes – chargées en péché. Avec des victimes de qualité, je dois pouvoir tenir quatre à six semaines.

— Tu peux faire mieux que ça. J'exige une victime tous les quinze jours, que tu en aies besoin ou pas.

Je fermai les yeux, incapable de marchander plus longtemps.

— D'accord.

— Fort bien, se félicita Jerome avec une note d'avertissement dans la voix. Mais tu devras respecter cet accord jusqu'à ce que *je* décide d'y mettre un terme. Pas toi. Pas question de t'en tirer avec une pirouette.

— Je sais, je sais. Et j'accepte.

— Alors, tope là !

Il me tendit la main. Sans hésitation, je la serrai et un bref crépitement d'énergie nous enveloppa.

Le démon eut un petit sourire.

— Marché conclu.

Chapitre 26

— On a le cafard, Kincaid ?

Levant les yeux de mon écran d'ordinateur, je vis Doug nonchalamment accoudé au comptoir de l'accueil.

— J'en ai l'air ?

— Absolument. Je n'ai jamais vu une expression aussi triste sur un visage. Ça me brise le cœur.

— Oh. Désolée. Juste un peu de fatigue, j'imagine.

— Alors, rentre chez toi. Tu as fini ton service.

Je jetai un coup d'œil à l'horloge de l'ordinateur : 17 h 07.

— Si tu le dis.

Il me lança un regard interrogateur pendant que je me levais de ma chaise avec apathie et passais sous le comptoir.

— Tu es sûre que ça va ?

— Oui. Je te l'ai dit : c'est juste un peu de fatigue. Allez, salut.

Je commençai à m'éloigner.

— Hé, Kincaid ?

— Oui.

— Mortensen est ton ami, n'est-ce pas ?

— On peut dire ça, concédai-je prudemment.

— Est-ce que tu sais ce qui lui est arrivé ? Avant, il traînait dans les parages tous les jours et là, il a été absent toute la semaine. Paige pète les plombs. Elle pense qu'on l'a fait fuir…

— Je ne sais pas. Nous ne sommes pas aussi proches. Désolée. (Je haussai les épaules.) Peut-être qu'il est malade ? Ou en voyage ?

— Peut-être.

Quand je quittai la librairie, il faisait déjà sombre en cette soirée d'automne. Le vendredi soir, les gens arrivaient en foule à Queen Anne, attirés par le grand choix d'activités qu'offraient le quartier et sa vie nocturne. Perdue dans mes pensées, je ne leur prêtai aucune attention et me dirigeai vers ma voiture, garée une rue plus loin. Comprenant qu'une place allait se libérer, un charognard dans une Honda rouge ralentit et alluma son clignotant.

— Prête ? me demanda Carter en se matérialisant sur le siège passager.

J'attachai ma ceinture.

— Autant qu'on peut l'être.

Malgré la centaine de questions qui se bousculaient sous mon crâne, le trajet jusqu'à University District s'effectua en silence. Depuis qu'il avait évacué Seth de mon appartement la semaine dernière, l'ange m'avait conseillé de ne pas m'inquiéter et m'avait promis qu'il se chargerait du rétablissement de l'écrivain. Peine perdue, bien entendu. Je me faisais du souci pour Seth et pour le marché que j'avais conclu avec Jerome. Je m'apprêtais à devenir la plus importante source de chaos et de tentation dans tout Seattle. Même les performances éblouissantes de Hugh pâliraient en comparaison. Helena m'avait traitée d'esclave. J'allais dépasser toutes ses espérances. J'en étais malade.

— Je resterai avec toi, me dit Carter d'une voix apaisante, alors que nous approchions de la porte de Seth quelques minutes plus tard.

L'ange vacilla légèrement dans mon champ de vision et je compris qu'il était devenu invisible aux yeux des mortels, mais pas des miens.

— Qu'est-ce qu'il sait ?

— Pas grand-chose. Ces derniers jours, il a été conscient de plus en plus souvent et je lui ai donné quelques informations, mais je pense vraiment qu'il attend que tu lui parles.

Avec un soupir, je hochai la tête et fixai la porte. Soudain, je me sentis incapable de bouger.

— Tu peux y arriver, m'encouragea Carter avec douceur.

Après un nouveau hochement de tête, je tournai la poignée et entrai. L'appartement de Seth n'avait pas changé depuis ma précédente visite – la cuisine claire et gaie, le salon envahi par les cartons de livres pas encore déballés. Une musique s'échappait en sourdine de la chambre à coucher. *U2*, pensai-je, mais je ne reconnus pas la chanson. Avançant vers la source des sons, je m'arrêtai dans l'embrasure de la porte de la chambre de Seth, effrayée à l'idée d'en franchir le seuil.

Il se trouvait dans son lit, à moitié assis, soutenu par des oreillers. Dans ses mains, il tenait *The Green Fairy Book*, il en était apparemment au tiers. À mon approche, il leva la tête et je manquai de défaillir de soulagement tant il semblait avoir de nouveau bonne mine. Il avait repris des couleurs et recouvré un regard vif. Seule sa barbe, qu'il n'avait vraisemblablement pas rasée depuis une semaine, avait l'air hirsute. Moi qui m'étais toujours demandé si sa barbe clairsemée demandait un entretien de sa part : j'avais ma réponse.

Il tendit la main vers une télécommande qui se trouvait sur la table de nuit et éteignit la musique.

— Salut.

— Salut.

J'avançai encore de quelques pas, craignant de trop m'approcher.

— Vous voulez vous asseoir ? demanda-t-il.

— D'accord.

Les visages de Cady et O'Neill me scrutèrent depuis leur tableau d'affichage tandis que j'apportais une chaise à côté de Seth. Je pris place, le regardai, puis me détournai, incapable de soutenir l'intensité de son regard d'ambre après avoir exploré son esprit.

Un silence familier s'installa entre nous, tous les progrès que nous avions faits étaient partis en fumée. Seth ne prendrait pas l'initiative, cette fois. Comme l'avait observé Carter, l'écrivain m'attendait. Je me tournai de nouveau vers lui, m'obligeant à le regarder droit dans les yeux. Je lui devais des explications, mais je rechignais à me lancer. *Quelle ironie*, pensai-je. Moi qui, la plupart du temps, semblais incapable de la fermer… Moi, connue pour mon sens de la repartie…

Sachant que cela ne deviendrait pas plus facile avec le temps, je respirai à fond et lui racontai toute l'histoire, consciente de la présence céleste derrière moi et de l'enfer, auquel j'avais consenti, qui s'étalait devant moi.

— La vérité, c'est que... en fait, je ne travaille pas vraiment dans une librairie. Enfin si, mais je ne suis pas là pour ça. Je suis un succube et je sais que vous avez probablement déjà entendu parler de nous – ou que vous pensez nous connaître, mais je doute que ce qu'on vous ait dit soit exact...

Et je continuai. Je lui parlai. Je lui révélai tout. Les règles qui s'appliquaient au mode de vie des succubes, mon insatisfaction, la raison de mon refus de sortir avec les gens qui me plaisaient. Je lui parlai des autres immortels, les anges et les démons vivant parmi nous. Je lui expliquai même les nephilim, suggérant que la présence de Roman dans mon appartement se justifiait par le piège dans lequel je l'avais attiré, mais passant pour l'essentiel sur la situation embarrassante dans laquelle Seth nous avait surpris. J'étais devenue intarissable, ne sachant pas moi-même ce que je disais la moitié du temps. Je savais seulement que je ne devais pas m'arrêter, qu'il me fallait à tout prix parvenir à expliquer à Seth ce qui défiait toute tentative d'explication.

J'arrivai enfin au bout, mon flot de paroles tari.

— Voilà, vous savez tout. Libre à vous d'y croire ou pas, mais les forces du bien et du mal – comme les humains les perçoivent, du moins – sont présentes en ce monde, et j'en fais partie. La ville grouille d'agents et d'entités surnaturels, mais les mortels ne s'en rendent pas compte. C'est sans toute préférable. Autrement, s'ils en savaient trop sur nous, ils pourraient découvrir à quel point nos vies sont pathétiques et foireuses.

Je me tus, songeant que si Seth n'avait pas déjà vu ce qu'il avait vu, il m'aurait probablement prise pour une dingue. Bon sang, même ainsi, il croyait sans doute qu'il me manquait une case. Il était excusable. Il me dévisagea en silence et ses yeux marron semblèrent peser ce qu'il venait d'entendre. Je constatai avec embarras qu'une certaine humidité me montait aux yeux. Je me détournai, refoulant mes larmes. Les succubes pouvaient être accusés de se livrer à toutes sortes d'actes bizarres en compagnie des hommes, mais j'étais presque sûre que pleurer n'en faisait pas partie.

— Vous avez dit… vous avez dit que vous aviez été humaine. (Les mots semblaient avoir du mal à sortir de sa bouche ; il avait sans doute encore des difficultés à accepter le concept de mortel et d'immortel.) Alors comment… comment êtes-vous devenue un succube ?

Je le regardai de nouveau. En cet instant précis, je ne pouvais rien lui refuser, même le plus douloureux des aveux.

— J'ai conclu un marché. Je vous ai dit que j'avais été mariée… que j'avais trompé mon mari. Un acte aux conséquences… vraiment déplaisantes. J'ai échangé ma vie – contre celle d'un succube – afin de réparer les dommages que j'avais causés.

— Vous avez sacrifié l'éternité pour une seule erreur ? (Seth fronça les sourcils.) Cela ne semble pas équitable.

Je haussai les épaules, mal à l'aise avec ce sujet. Je n'en avais jamais parlé à personne.

— Je ne sais pas. Ce qui est fait est fait.

— D'accord. (Il changea légèrement de position dans son lit, le doux froissement des draps venant seul rompre le silence entre nous.) Bien. Merci d'avoir pris le temps de me parler.

Il me congédiait. Ses paroles me firent l'effet d'une lame qui s'enfonçait dans mes entrailles. C'était fini. Terminé. Seth m'avait assez vue. Après ce que je venais de lui raconter, il était impossible que les choses redeviennent comme avant, mais c'était mieux ainsi, non ?

Je me levai précipitamment, ne voulant subitement pas rester dans cette pièce une seconde de plus.

— OK. (Me dirigeant vers la porte, je me retournai soudain vers lui.) Seth ?

— Oui ?

— Est-ce que vous comprenez ? Pourquoi je fais ce que je fais ? Pourquoi nous ne pouvons pas… pourquoi nous devons… (Je fus incapable d'aller au bout de ma pensée.) C'est impossible. J'aurais souhaité qu'il n'en soit pas ainsi…

— Oui, fit-il calmement.

Je tournai les talons et m'enfuis de son appartement. De retour dans ma voiture, j'enfouis mon visage dans le volant et sanglotai sans pouvoir m'arrêter. Au bout de quelques minutes, des bras vinrent m'enlacer tendrement et je me tournai vers Carter, pleurant contre son torse. J'avais entendu parler d'humains dont la route avait croisé celle d'un ange et les témoins évoquaient tous la paix et la beauté ressenties dans de tels moments. Je n'y avais jamais réfléchi, mais au fil des minutes, la douleur dans ma poitrine s'atténua et je me calmai. Enfin, je levai les yeux et regardai l'ange.

—Il me déteste, affirmai-je d'une voix étranglée. Seth me déteste, maintenant.

—Qu'est-ce qui te fait dire ça ?

—Après tout ce que je viens de lui raconter...

—Je suppose qu'il doit se sentir troublé et désorienté, mais je ne pense pas qu'il te déteste. Un amour comme celui-là ne se transforme pas si facilement en haine, bien que j'admette que les deux s'emmêlent parfois.

Je reniflai.

—Tu l'as senti alors ? Son amour ?

—Pas comme toi. Mais je l'ai perçu.

—Je n'ai jamais rien ressenti de pareil. Je ne me sens pas de taille. Je l'aime bien... je l'aime même beaucoup. Mais pas de la façon dont lui m'aime. Je ne suis pas digne d'un amour de ce genre.

Carter laissa échapper un petit bruit sec en guise de réprimande.

—Personne n'est indigne d'être aimé.

—Pas même quelqu'un qui vient d'accepter de passer le prochain siècle à faire du mal aux humains, à corrompre leurs âmes, à les soumettre à la tentation avant de les conduire au désespoir ? Tu dois me détester pour ça. Même moi, je me déteste.

L'ange me dévisagea calmement.

—Alors, pourquoi as-tu accepté ?

Je renversai la tête contre le siège.

—Parce que l'idée de voir cet amour... de me voir effacée de sa mémoire m'était insupportable.

—Ironique, n'est-ce pas ?

Je me tournai vers l'ange. Venant de lui, plus rien ne pouvait me surprendre.

—Qu'est-ce que tu sais exactement de moi ?

—Assez pour savoir ce que tu as obtenu en devenant un succube.

— À l'époque, j'ai cru prendre la bonne décision…, murmurai-je, l'image d'un autre homme, loin d'ici et il y a bien longtemps, surgissant dans mon esprit. Il était si triste et tellement en colère contre moi… Je ne pouvais pas continuer à vivre en sachant ce que j'avais fait. J'ai simplement voulu disparaître de son esprit à tout jamais. J'ai pensé qu'il valait mieux qu'il m'oublie. Que tout le monde oublie que j'aie jamais existé.

— Et aujourd'hui, tu as changé d'avis ?

Je secouai la tête.

— Je l'ai revu… des années plus tard, quand il était un vieil homme. J'ai repris la forme dans laquelle il m'avait connue – d'ailleurs, c'est la dernière fois que j'ai porté ce visage – et je l'ai approché. Il m'a regardée comme si je n'étais pas là. Il ne m'a pas reconnue du tout. Les bons moments que nous avions passés ensemble, l'amour qu'il avait éprouvé pour moi, tout avait disparu. Pour toujours. Ça m'a tuée. Après cela, j'ai eu le sentiment d'être une morte-vivante.

» Je ne pouvais pas laisser cela se reproduire. Pas encore une fois. Pas avec Seth, pas après avoir ressenti ses sentiments pour moi. Même si cet amour est détruit… gâché par ce qu'il pense de moi à présent. Même s'il ne m'adresse plus jamais la parole. Cela vaut tout de même mieux que si cet amour n'avait jamais existé.

— L'amour est rarement parfait, fit remarquer Carter. Les humains se bercent d'illusions en croyant le contraire. L'amour n'est parfait que grâce à son imperfection.

— Évite de parler par énigmes, s'il te plaît, répondis-je, soudain lasse. Je viens de perdre la seule personne que j'aurais pu aimer après toutes ces années. Vraiment, sincèrement aimer. Et je ne parle pas simplement d'excitation, comme avec Roman. Seth… Seth avait tout pour lui. La passion. La loyauté. L'amitié.

» Pour couronner le tout, j'ai accepté de reprendre du service comme succube. (Je fermai les yeux, ravalant mon amertume. Je songeai à tous les braves types du monde entier, des hommes comme Doug et Bruce. Je ne voulais pas provoquer leur perte.) Je déteste ce job, Carter. Tu n'as pas idée à quel point je déteste ça, à quel point j'ai envie de tout laisser tomber. Mais ça en vaut la peine. Si Seth garde ses souvenirs, ça en vaut la peine. (Je lançai un regard hésitant à l'ange.) Il peut les garder, n'est-ce pas ? (Carter acquiesça d'un signe de la tête et je poussai un soupir de soulagement.) Bien. Il y a au moins une lueur d'espoir dans toute cette histoire.

— Bien sûr. Il y a toujours de l'espoir.

— Pas pour moi.

— Il y a toujours de l'espoir, répéta-t-il plus fermement, avec une note d'autorité dans la voix qui me fit sursauter. Tout le monde a le droit d'espérer.

Je sentis de nouveau les larmes me monter aux yeux. Bon Dieu, je chialais sans arrêt ces derniers temps.

— Même un succube ?

— Surtout un succube.

Il me prit de nouveau dans ses bras et je fondis encore une fois en sanglots, une âme damnée s'offrant un bref répit dans l'étreinte d'une créature céleste. Je me demandai s'il m'avait dit la vérité, s'il était possible qu'il reste de l'espoir, même pour moi, mais alors je me souvins d'un détail qui me fit hésiter entre rire et larmes.

Les anges ne mentaient jamais.

Épilogue

— Casey est malade, m'informa brusquement Paige, enfilant son manteau. Tu devras probablement la remplacer à la caisse.

— Pas de problème. (Je m'appuyai contre le mur du bureau.) J'aime bien changer de temps en temps.

Marquant un temps d'arrêt, elle me gratifia d'un sourire bref.

— Tu me rends vraiment un fier service en acceptant de venir travailler dans un délai aussi court. (Elle se tapota le ventre d'un air distrait.) Je suis sûre que ce n'est rien, mais j'ai eu cette douleur toute la journée…

— Non, c'est bon. Va-t'en ! Prends soin de toi. Prends soin de vous deux.

Elle me sourit de nouveau, prit son sac et se dirigea vers la porte.

— Doug doit traîner dans les parages. Si tu as besoin d'un coup de main, n'hésite pas à faire appel à lui. Voyons voir… je suis persuadée que j'oublie quelque chose… Ah, oui ! Il y a quelque chose pour toi dans ton bureau. Je l'ai laissé sur ton fauteuil.

À ces mots, mon estomac se noua.

— Que… qu'est-ce que c'est ?

— Je n'ai pas eu le temps de regarder. Je dois y aller.

Je suivis Paige hors de son bureau et rejoignis le mien d'un pas hésitant. La dernière chose qu'on m'avait laissée dans cet endroit avait été une enveloppe de Roman, un élément supplémentaire dans son jeu tordu d'amour et de haine. *Oh, mon Dieu*, pensai-je. *Je savais que je ne m'en tirerais pas aussi facilement que l'avait prétendu Carter. Roman est de retour, tout recommence, il attend que je...*

Je fixai mon bureau, ravalant un hoquet de surprise. *Le Pacte de Glasgow* m'attendait sur mon siège.

Avec précaution, je saisis le livre, le manipulant comme s'il s'agissait de porcelaine délicate. C'était mon exemplaire, celui que j'avais remis à Seth – pour qu'il me le dédicace – plus d'un mois auparavant. Je l'avais complètement oublié. Quand je l'ouvris, des pétales de rose lavande s'en échappèrent – à peine une poignée, mais elles m'étaient infiniment plus précieuses que tous les bouquets que j'avais pu recevoir ce mois-ci. Essayant de les rattraper, je lus :

« À Thétis,

Très en retard, je sais, mais souvent les choses que nous désirons le plus ne s'obtiennent qu'à force de patience et de haute lutte. C'est une vérité humaine, je pense. Même Pélée le savait.

Seth »

— Il est revenu, tu sais ?

— Hein ?

Levant les yeux de cette dédicace déconcertante, j'aperçus Doug dans l'encadrement de la porte.

Il fit un signe de tête en direction de mon livre.

— Mortensen. Il est de retour à son poste, au café, les mains rivées à son clavier.

Je refermai le livre, le serrant fort entre mes mains.

— Dis-moi, Doug... tu t'y connais en mythologie grecque ?

Il grogna.

— Ne m'insulte pas, Kincaid.

— Thétis et Pélée... étaient bien les parents d'Achille, n'est-ce pas ?

— Absolument, confirma-t-il d'un air supérieur, avec l'assurance de quelqu'un qui maîtrise son sujet.

Pour ma part, j'essayais de comprendre. Pourquoi Seth avait-il fait référence au plus fameux guerrier de la guerre de Troie ?

— Tu connais toute l'histoire ? me demanda Doug, dans l'expectative.

— Quoi ? Le fait qu'Achille ait été un psychopathe dysfonctionnel ? Oui, j'étais au courant.

— Tout le monde sait ça. Moi, je te parle de la partie vraiment intéressante qui concerne Thétis et Pélée. (Je secouai la tête et il poursuivit, sur un ton professoral :) Thétis était une nymphe marine et Pélée un mortel qui l'aimait. Mais quand il est venu lui faire la cour, elle s'est conduite comme une garce.

— Comment ça ?

— Elle avait le pouvoir de changer de forme à volonté.

Je faillis laisser tomber le livre.

— Quoi ?

Doug hocha la tête.

— Quand il l'a approchée, elle s'est transformée en toutes sortes de saloperies pour lui foutre la trouille – animaux sauvages, monstres, forces de la nature, j'en passe et des meilleures…

— Que… qu'est-ce qu'il a fait ?

— Il a tenu bon. Il l'a attrapée et s'est accroché à elle pendant tout le temps qu'ont duré les terribles transformations. Quelle que soit la forme qu'elle adoptait, il tenait bon.

— Et après ? fis-je d'une voix à peine audible.

— Elle a fini par reprendre son apparence de femme et elle l'a gardée. Ensuite, ils se sont mariés.

J'avais cessé de respirer quand il avait employé l'expression « changer de forme ». Serrant toujours fortement le livre, le regard perdu dans le vide, je sentis une émotion naître et gonfler en moi.

— Ça va, Kincaid ? Bon sang, tu es vraiment bizarre en ce moment.

Je revins à la réalité avec un sursaut. Le sentiment s'échappa de ma poitrine, prenant glorieusement son envol. Je pus enfin respirer de nouveau.

— Je sais. Pardonne-moi. J'ai eu pas mal de soucis. (Avec une légèreté affectée, j'ajoutai :) Je tâcherai d'être moins bizarre à partir de maintenant.

Doug parut soulagé.

— Te connaissant, ce n'est pas gagné, mais l'espoir fait vivre.

— Oui, approuvai-je en souriant. L'espoir fait vivre.

BRAGELONNE, C'EST AUSSI LE CLUB :

Pour recevoir la lettre de Bragelonne annonçant nos parutions et participer à des rencontres exclusives avec les auteurs et les illustrateurs, rien de plus facile !

Faites-nous parvenir vos noms et coordonnées complètes, ainsi que votre date de naissance, à l'adresse suivante :

Bragelonne
35, rue de la Bienfaisance
75008 Paris

club@bragelonne.fr

Venez aussi visiter notre site Internet :
http://www.bragelonne.fr
Vous y trouverez toutes les nouveautés, les couvertures, les biographies des auteurs et des illustrateurs, et même des textes inédits, des interviews, des liens vers d'autres sites de Fantasy et de SF, un forum et bien d'autres surprises !

Achevé d'imprimer en fevrier 2009
N° d'impression L 72769
Dépôt légal, fevrier 2009
Imprimé en France
35294267-1